L'ÉQUIPE SUBBAN

Éduquer pour réussir au hockey comme dans la vie

Catalogage avant publication de Bibliothèque et Archives nationales
du Québec et Bibliothèque et Archives Canada
Subban, Karl
    [How we did it. Français]
    L'équipe Subban : éduquer pour réussir au hockey comme dans la vie
    Traduction de : How we did it : the Subban plan for success in hockey,
school and life.
    ISBN 978-2-89077-792-7
    1. Subban, Karl. 2. Hockey - Entraîneurs - Canada - Biographies.
3. Enseignants - Canada - Biographies. 4. Pères - Canada - Biographies.
5. Succès. 6. Rôle parental. 7. Autobiographies. I. Colby, Scott, 1965- .
II. Titre. III. Titre : How we did it. Français.
GV848.5.S83A3 2017b   796.962092   C2017-941288-4

COUVERTURE
Photo : © Shayne Laverdière
Design : Antoine Fortin

INTÉRIEUR
Mise en pages : Michel Fleury
Illustration de la famille Subban : Rebl House Inc. & Laurine Jousserand
*Sauf mention, toutes les photographies reproduites dans ce livre appartiennent à la
collection personnelle de Karl Subban.*

Titre original : How We Did It
Éditeur original : Random House Canada, une filiale de Penguin Random
House Canada Ltd.
© 2017, Karl Subban
© 2017, Flammarion Québec pour la traduction française

Imprimé au Canada

www.flammarion.qc.ca

KARL SUBBAN

et Scott Colby

L'ÉQUIPE SUBBAN

Éduquer pour réussir au hockey comme dans la vie

traduit de l'anglais (Canada)
par Rachel Martinez

Flammarion
 Québec

Je dédie ce livre à ma femme Maria, à nos enfants Nastassia, Natasha, P.K., Malcolm et Jordan, et à nos nombreux petits-enfants.

Lettre d'amour à Montréal

Ma vie a été illuminée par le hockey et par mon équipe préférée: les Canadiens de Montréal. Au départ, je n'étais qu'un fervent supporteur des Habs, puis j'ai connu le rare privilège d'être le père d'un des meilleurs joueurs de la formation. C'est pourquoi je ne peux raconter mon histoire ni celle de ma famille sans décrire les liens qui m'unissent au Tricolore.

Le «rêve canadien» a incité mes parents à émigrer: les promesses d'emploi, l'accès à l'éducation, les perspectives d'avenir. Le hockey était aussi loin dans mon esprit et ma réalité que la Jamaïque l'est, géographiquement, de mon pays d'adoption. La relation que l'Équipe Subban entretient avec le CH et mon histoire d'amour avec ce club ont commencé bien avant que P.K. soit recruté au 2ᵉ tour (et au 43ᵉ rang) du repêchage d'entrée dans la Ligue nationale de hockey (LNH) de 2007, à l'aréna Nationwide de Columbus, en Ohio. De fait, mon coup de foudre pour l'équipe, je l'ai eu à Sudbury, en Ontario, à 700 kilomètres du forum de Montréal. Je n'étais alors qu'un jeune fan qui vénérait les Glorieux et jamais je n'aurais pensé qu'un de mes fils évoluerait un jour dans la LNH, qu'il participerait au Match des étoiles, qu'il remporterait le trophée Norris en tant que défenseur par excellence et qu'il prendrait part à la finale de la Coupe Stanley.

P.K. adore son sport, son chandail des Canadiens et Montréal. Il voulait être plus qu'un simple joueur de hockey : il tenait à apporter sa contribution à la société montréalaise. C'est pourquoi, en 2015, il s'est engagé à recueillir 10 millions de dollars en 7 ans au profit de l'Hôpital de Montréal pour enfants. Il s'agit là d'un des dons philanthropiques les plus importants de l'histoire du sport professionnel en Amérique du Nord et du don le plus élevé consenti par un athlète canadien. P.K. a toujours nourri des ambitions plus grandes que celles que j'aurais pu avoir pour lui et ma relation avec le CH s'est avérée encore plus extraordinaire que je ne l'aurais imaginé.

Les hivers dans le nord de l'Ontario semblent particulièrement longs et froids à un enfant qui débarque tout droit de la Jamaïque. C'était donc avec joie que j'acceptais les chaleureuses invitations de mes voisins de la rue Peter à venir jouer au hockey avec eux. La plupart de mes nouveaux amis avaient des noms français et parlaient une langue qui m'apparaissait aussi étrange que leur bâton. Celui que j'utilisais appartenait au fils du propriétaire de notre logement et, au début, je le tenais comme une batte de cricket, par réflexe.

Dans les matchs de rue ou sur la patinoire à côté de chez moi, j'étais invariablement devant le filet comme Ken Dryden. Les fois où on se privait de gardien, j'incarnais les autres joueurs vedettes des Canadiens de Montréal : selon le moment, je patinais à la vitesse d'Yvan Cournoyer, je maniais le bâton comme Pete Mahovlich ou j'exécutais des « spin-o-ramas » à la Serge Savard. Souvent, dans le feu de l'action, on pouvait m'entendre décrire, à la manière de Danny Gallivan, le commentateur des parties du Tricolore, un jeu, un but ou un arrêt que j'avais effectué. Comme j'aimerais qu'il existe quelque part un enregistrement du jeune Karl Subban commentant un match avec l'accent jamaïcain ! J'ose à peine imaginer ce que mes nouveaux copains disaient de moi à l'époque…

Quand je n'écoutais pas les matchs des Canadiens à la télévision ou à la radio francophones, je pensais et je rêvais aux Glorieux. J'espérais pouvoir rencontrer un jour l'une de mes idoles. Mon vœu a été exaucé une première fois à Winnipeg, lorsque j'étudiais à l'Université Lakehead. L'équipe de basketball dont je faisais partie résidait au même hôtel que les joueurs du CH, venus affronter les Jets. Je n'ai pas hésité un instant à demander une dédicace à ceux que je croisais dans le hall, même si la seule chose que j'avais sous la main était… une serviette de table en papier. Je n'oublierai jamais le grand Larry Robinson qui se dressait, comme la tour CN, au-dessus de ses coéquipiers. Sa taille et sa puissance auraient certainement été utiles à notre équipe.

Puis, mon rêve s'est réalisé une deuxième fois lorsque j'enseignais à York. Le conseil scolaire avait organisé une conférence dont l'invité d'honneur était Ken Dryden, mon joueur favori. À la fin de sa présentation, j'ai fait la file pour obtenir une dédicace d'un de ses livres. Il y est écrit : « *Karl, thanks for being a fan.* » Je n'ai pas osé, mais j'aurais voulu le remercier à mon tour ; le remercier d'avoir contribué à ma réussite, au Canada et dans ma vie en général ; le remercier d'être ce joueur que je me plais à acclamer et de faire partie de cette équipe à laquelle je m'identifie ; le remercier de m'avoir permis, en quelque sorte, de m'intégrer dans mon nouveau pays.

Lorsqu'il avait environ 10 ans, P.K. m'a annoncé, un samedi matin, qu'une surprise attendait son équipe, les Reps de Mississauga, au Beatrice Ice Gardens de Toronto et que, par conséquent, nous devions nous y rendre plus tôt. À notre arrivée, nous avons appris que le légendaire Jean Béliveau s'adresserait aux jeunes avant la partie. J'aurais fait n'importe quoi pour me trouver dans le vestiaire avec P.K. et ses coéquipiers, mais les parents n'y étaient malheureusement jamais admis.

Pendant le match, M. Béliveau est venu s'asseoir près de moi dans les gradins. Je n'arrivais pas à y croire. Le gérant de l'équipe a d'ailleurs immortalisé le moment sur pellicule. Cette photo, que j'ai égarée depuis, était affichée dans mon bureau à Warren Park, l'école dont j'étais le directeur à l'époque. Je me plaisais à dire qu'il n'existait pas meilleure photo de moi, à l'exception de celles prises à mon mariage.

Ce samedi-là, alors que j'étais assis près de Jean Béliveau, jamais je n'aurais imaginé que je me retrouverais aux côtés de sa veuve, Élise, quelques années plus tard, le jour où P.K. annoncerait son engagement envers l'Hôpital de Montréal pour enfants. Son soutien indéfectible à P.K., tant sur la patinoire qu'ailleurs, m'a profondément touché. Je suis reconnaissant à Élise et à Jean Béliveau de tout ce qu'ils ont fait pour ma famille. J'ai appris à les connaître grâce au hockey, mais c'est leur authenticité qui m'a le plus marqué.

À l'instar de Jean Béliveau, Larry Robinson et Frank Mahovlich étaient des géants sur la patinoire, mais aussi dans la vie. J'ai rencontré Larry et Frank en 2017, lors des célébrations du Match des étoiles de la LNH, au centre Staples de Los Angeles. J'étais venu voir P.K., qui était alors capitaine de son équipe. J'ai avoué à Larry que j'étais un grand admirateur et qu'il était pour moi une source d'inspiration puisque mes trois fils étaient défenseurs dans le hockey mineur (Malcolm est devenu gardien de but vers l'âge de 12 ans). J'ai abordé Frank Mahovlich et sa femme au restaurant de l'hôtel. J'étais impatient de confier à Frank que j'avais toujours souhaité que mes garçons patinent aussi bien que lui et qu'ils manient la rondelle aussi habilement que son jeune frère, Peter. Il a éclaté de rire et nous avons discuté tout bonnement, comme je l'avais fait avec mes autres idoles.

Mon histoire avec le hockey et les Canadiens de Montréal a des racines profondes. Au fil des pages, vous comprendrez comment elle a influencé l'Équipe Subban. Vous comprendrez également tout le bonheur que le Tricolore m'a apporté, jour après jour, que ce soit en gagnant simplement un match en saison régulière, en participant aux palpitantes séries éliminatoires ou en défilant dans les rues avec la coupe Stanley. Cependant, j'ai vécu mon plus beau moment lorsque P.K. a été repêché par « mon » équipe et a réalisé son rêve de jouer dans la LNH. Le souvenir d'une mer d'amateurs à l'extérieur du centre Bell avant une partie et celui des vagues de chandails marqués du numéro 76 resteront gravés à jamais dans ma mémoire et dans mon cœur. Les cris de milliers de fans scandant « P.K.! P.K.! » dans l'enceinte de l'amphithéâtre résonnent encore dans mes oreilles. Après les matchs, impossible pour Maria et moi de nous promener incognito dans les rues du centre-ville de Montréal.

Je suis reconnaissant au hockey et aux Habs de l'influence qu'ils ont eue sur l'Équipe Subban et sur moi-même. C'est grâce à eux que nous sommes arrivés là où nous sommes. J'espère que vous aurez plaisir à lire le récit de ce que j'ai vécu, ma vie au rythme des Canadiens de Montréal.

Chapitre 1

Notre formule

Nous sommes un dimanche soir d'avril 2015 et, à ce moment précis, je suis pleinement conscient du bonheur que j'éprouve d'être un *hockey dad*. Je me trouve avec mon épouse, Maria, dans les gradins, à regarder un de nos fils jouer un match de hockey professionnel des séries éliminatoires. Ce soir-là, mon aîné, Pernell Karl, mieux connu sous le sobriquet de P.K., dispute avec son équipe, les Canadiens de Montréal, un sixième et difficile affrontement contre les Sénateurs d'Ottawa, qui luttent avec l'énergie du désespoir. Les joueurs du Tricolore, qui mènent la première ronde trois parties à deux, sont impatients d'éliminer les Sénateurs.

Toutefois, ma femme et moi ne nous trouvons pas parmi les 20 500 admirateurs massés au centre Canadian Tire de la capitale pour observer P.K. sur la ligne défensive des Canadiens, mais bien au centre Dunkin' Donuts de Providence, au Rhode Island, parmi 5 289 amateurs de hockey. Chacun un écouteur à l'oreille, nous suivons attentivement la radiodiffusion de la partie du CH sur mon iPhone tout en regardant jouer notre deuxième fils, Malcolm. La tension est à son comble lors de ce match des éliminatoires de la Coupe Calder. Malcolm garde le filet pour les Bruins de Providence, le club-école des Bruins de Boston dans la Ligue américaine de hockey (LAH). Il s'agit du troisième affrontement de la première ronde contre le Wolf Pack de Hartford, mais c'est la première fois des séries que Malcolm est désigné comme gardien de but partant.

J'ai souvent assisté «émotivement» à deux parties en même temps. Peu importe si mes garçons perdent ou gagnent, j'adore ces moments, mais, ce soir-là, ma nervosité a pris le dessus. Je parlais tout seul, assis au bout de mon siège. Si quelqu'un m'avait entendu, il se serait probablement interrogé sur mon état mental, puisque mes commentaires ne concordaient pas toujours avec ce qui se passait sur la glace. Comment cette personne aurait-elle pu savoir que je suivais simultanément deux parties de hockey professionnel auxquelles participaient deux de mes fils dans deux pays différents ? J'ignore ce que j'aurais fait si Jordan, notre benjamin, un défenseur des Bulls de Belleville dans la Ligue de hockey de l'Ontario (LHO), avait lui aussi été sur la patinoire.

Ce fut une soirée mémorable pour l'Équipe Subban : Malcolm a bloqué 46 tirs sur 47 et Providence a battu Hartford

Walter Gretzky remet un prix à P.K.

à l'issue d'un suspense enlevant en troisième période de prolongation. Ce fut le plus long match des éliminatoires jamais disputé par les Bruins de Providence, qui ont pris les devants 2 à 1 dans la série. Du côté d'Ottawa, P.K. a obtenu une mention d'aide et, grâce à une victoire de 2 à 0, les Canadiens ont accédé à la deuxième ronde des éliminatoires de la Coupe Stanley.

Il y a partout au Canada des *hockey dads* et des *hockey moms* qui amènent leurs enfants aux entraînements et aux parties à toute heure du jour et par tous les temps, qui forment les jeunes, les encouragent et les soutiennent. Walter Gretzky, père du légendaire Wayne Gretzky de la Ligue nationale de hockey (LNH), est le *hockey dad* le plus célèbre au pays. C'est lui qui conseillait à son fils de ne pas patiner vers l'endroit où la rondelle se trouve, mais bien vers là où elle *se dirige*. J'aimerais que tous les enfants puissent bénéficier du soutien dévoué d'un parent, d'un entraîneur, d'un professeur ou d'un mentor, qui nourrissent leurs passions sur un terrain de jeu, en classe, sur scène, dans un studio ou devant un ordinateur. Ce qui compte plus que tout, c'est d'aider les jeunes à trouver ce qui les anime et les entourer pour qu'ils puissent réaliser leurs rêves.

Bien avant de devenir un *hockey dad*, j'ai moi-même rêvé de faire carrière au hockey. Plus précisément, je voulais être Ken Dryden, des Canadiens de Montréal. Comme lui, j'ai été gardien de but, mais au soccer, en Jamaïque où j'ai grandi. Lorsque, à l'âge de 12 ans, je suis venu m'établir à Sudbury, en Ontario, avec ma famille, j'ai conservé la même position, que je joue au hockey dans la rue ou sur la patinoire près de notre appartement de la rue Peter. Je me suis tout naturellement identifié à Ken Dryden lorsque j'ai commencé à regarder la télédiffusion des parties du CH au réseau français de Radio-Canada, peu de temps après qu'il a été repêché par le Canadien en 1970-1971. En plus, il était vraiment talentueux.

Mes petits copains et moi avions tous un joueur préféré dans la LNH et nous voulions que tout le monde le sache. Devant les buts, je n'étais plus Karl Subban, je devenais Ken Dryden. J'imitais même sa posture légendaire, quand il semblait dire « Je vous attends » à ses adversaires : debout bien droit devant le filet, le menton posé sur mes bras croisés au sommet de mon bâton (que je tenais à la verticale).

Ken Dryden m'a aidé à faire la transition vers ma nouvelle vie. Comme tous les jeunes immigrants, je voulais des amis, je voulais faire partie d'un groupe. Incarner Ken Dryden m'a facilité la tâche. Karl Subban, l'adolescent jamaïcain, avait cédé sa place à Karl Subban, un garçon établi au Canada.

Pour moi, le hockey était plus qu'un passe-temps. Quand je n'étais pas sur la glace, je regardais les matchs des Canadiens à Radio-Canada, ceux des Wolves de la LHO à l'aréna de Sudbury ou je les écoutais à la radio de CKSO, commentés par Joe Bowen. L'esprit de compétition s'activait dès que les équipes étaient formées et que la rondelle ou la balle était en jeu sur la patinoire ou dans la rue. Nous nous amusions, peu importe l'issue de la partie.

Ce sport me passionnait de plus en plus, mais j'acceptais difficilement le fait que je ne pouvais pas intégrer une vraie équipe parce que ma famille n'avait tout simplement pas les moyens de payer l'équipement, les frais d'inscription et les coûts de transport. Je mourais d'envie de jouer davantage et de m'améliorer, mais mon rêve de devenir Ken Dryden était voué à l'échec. Je me suis rapidement rendu compte que je devais le mettre de côté en espérant le voir réapparaître un jour.

Au début de l'âge adulte, avant d'être père, j'ai découvert une autre chose que j'aimais faire et qui deviendrait la passion de ma vie : accompagner les enfants dans la réussite. Cette passion a pris forme à l'époque où je caressais le rêve de faire partie de la National Basketball Association (NBA). Au secondaire, j'ai été tout naturellement attiré par le basketball lorsque j'ai atteint la taille de 1,93 mètre. Par la suite, j'ai joint l'équipe de l'Université Lakehead à Thunder Bay, en Ontario. À la fin des années 1970 et au début des années 1980, lorsque je jouais, les Nor'Westers – le nom de la formation à l'époque – se classaient souvent parmi les 10 meilleurs clubs au Canada. L'été, j'entraînais des jeunes au camp de basketball Abitibi-Price, qui se tenait à Lakehead. C'est lors d'un de ces camps que j'ai constaté à quel point j'aimais travailler avec les enfants. J'avais trouvé un nouveau projet de vie : celui de devenir professeur.

La NBA avait maintenant une rivale, ce qui s'est avéré une bonne chose, puisque j'ai compris, lors de mes études à Thunder Bay, que la ligue professionnelle ne viendrait probablement jamais frapper à ma porte. Après l'obtention de mon diplôme, je me suis inscrit au programme de formation des maîtres à Lakehead. J'étais résolu à devenir le meilleur professeur qui soit, ce qui m'a mené à Toronto, où j'ai fait carrière pendant 30 ans comme enseignant et administrateur, souvent dans les quartiers les plus durs de la ville. Je me sentais à ma place dans ces établissements parce que j'avais l'impression que c'était là que je pouvais être le plus utile, que je pouvais exercer une plus grande influence.

Quand j'étais directeur d'une école publique à Toronto, il m'arrivait souvent de demander à une salle pleine d'élèves : « Levez la main si vous voulez vous améliorer. » Tous les enfants levaient la main, puisque, évidemment, ils souhaitaient tous être meilleurs. Le problème, c'est qu'ils étaient trop nombreux à s'en croire incapables.

Les jeunes d'aujourd'hui vivent une crise. J'en ai été témoin dans les écoles torontoises où j'ai travaillé, et je le constate encore dans les arénas, les terrains de jeu, les rues et les centres commerciaux. Trop d'enfants sont laissés à eux-mêmes, trop d'enfants n'ont pas l'encadrement, l'amour et le soutien nécessaires pour s'améliorer. Il n'y a pas d'adultes, ou trop peu, qui sont prêts à s'investir et à intervenir auprès d'eux et à leur montrer le chemin jusqu'à ce qu'ils trouvent leur propre voie.

Maria et moi nous sommes engagés à guider et à appuyer nos cinq enfants jour après jour et chacun d'eux nous rend immensément fiers. Nos deux filles aînées, Nastassia et Natasha, enseignent au Conseil scolaire du district de Toronto. Nastassia, que nous surnommons « Taz », a connu une carrière remarquable au basketball au sein de l'équipe de l'Université York, tandis que Natasha s'est démarquée professionnellement dans le domaine des arts visuels. Nos trois fils, P.K., Malcolm et Jordan, ont été repêchés par des équipes de la LNH et ont signé des contrats avec elles. P.K., un des meilleurs défenseurs de la Ligue, a entamé sa carrière avec les Canadiens de Montréal et joue maintenant pour les Predators de Nashville. Malcolm a été repêché au premier tour par les Bruins de Boston et joue à Providence dans la LAH, tandis que Jordan a été recruté par les Canucks de Vancouver et évolue avec leur club-école à Utica, dans l'État de New York.

Ma passion pour le hockey ne s'est jamais démentie même si je n'ai jamais eu la chance de jouer dans une ligue. En fait, elle a continué à croître par l'entremise de mes fils. Ils ont trouvé ce qui les anime plus que tout. Le hockey est devenu une fenêtre qui leur permet, ainsi qu'à nous, leurs parents, de découvrir ce qu'ils sont et ce qu'ils ont dans le ventre. Les voir réussir quelque chose qui était hors de ma portée me procure une grande satisfaction. La porte du hockey ne s'est jamais ouverte pour moi. Elle était verrouillée et on avait perdu la clé. Elle ne s'est rouverte qu'à la naissance de mes enfants.

Selon moi, il est important que les parents, les professeurs et les entraîneurs aient des rêves pour les enfants, les étudiants et les joueurs. Il n'y a rien de mal à ce que nos enfants vivent nos rêves à nous pourvu qu'ils finissent par se les approprier. Quand ils sont jeunes, nous pouvons nourrir pour eux des ambitions auxquelles nous tenons plus qu'eux-mêmes. Tout commence comme ça : nous leur proposons des projets, soit ils s'y intéressent, soit ils partent en quête de leur propre destinée. Pour qu'ils atteignent leur idéal, toutefois, ils doivent à un moment donné y tenir plus que nous.

Des milliers de familles dans le monde aspirent à une carrière dans la LNH. J'en ai rencontré beaucoup lors des innombrables heures que j'ai passées dans les arénas aux quatre coins du pays. On m'a demandé je ne sais combien de fois : « Karl, comment y êtes-vous parvenu ? » J'appelle cette question la question à un million de dollars parce que, si on m'avait remis un huard chaque fois qu'on me l'a posée, je serais un homme riche.

Comment explique-t-on que certains surmontent les difficultés et réussissent dans la vie ? Tout se résume à ce que nous valorisons, aux rêves que nous caressons, aux choix que nous faisons. J'aime dire que la plupart des gens qui arrivent à la croisée des chemins y voient deux options : tourner à gauche ou à droite. Il existe pourtant une troisième avenue qu'ils ne voient pas : continuer tout droit et ouvrir une nouvelle route.

Maria et sa famille ont quitté l'île de Montserrat dans les Antilles pour s'établir à Toronto l'année de mon arrivée au Canada. La Jamaïque et Montserrat sont des îles renommées pour leur climat ensoleillé, leurs plages et leurs riches cultures, mais évidemment pas pour le hockey. Et Subban n'est pas non plus un nom courant dans le monde du sport.

Nos familles ont immigré au Canada pour travailler, faire instruire leurs enfants et améliorer leurs perspectives d'avenir. Maria et moi considérions le hockey sur glace comme un moyen d'y parvenir. Nous avons permis à nos garçons de se consacrer à un sport que de nombreux jeunes Canadiens et leurs familles se plaisent à pratiquer, à regarder et à suivre.

Quand j'ai rencontré Maria, j'ai découvert avec bonheur qu'elle était elle aussi une fan de ce sport. Elle encourageait les Maple Leafs de Toronto, tandis que j'étais un amateur inconditionnel des Canadiens. Nos enfants connaissaient par cœur l'indicatif musical de *La soirée du hockey* avant de savoir marcher. Lorsque les équipes de Montréal ou de Toronto jouaient, il y avait plus de boucan dans notre maison qu'au Forum ou au Maple Leaf Gardens.

Le patinage était une de nos activités familiales. Taz et Tasha, qui ont appris à patiner avant les garçons, m'ont aidé à initier leurs frères. Disons qu'elles ont entrepris très tôt leur carrière en enseignement. Nos fils étaient encore aux couches quand ils ont sauté sur la glace la première fois et le patinage et le hockey sont devenus une seconde nature. Ce sont les rêves de nos trois fils qui ont défini leur identité, pas leur patronyme ni le lieu d'origine de leurs parents.

Briser les stéréotypes : c'est ce que j'entends par « troisième avenue ». Ainsi, quand les gens veulent savoir pourquoi nos garçons jouent au hockey, j'ai envie de leur demander : « Pourquoi pas ? » Personne ne poserait la question à une famille de Red Deer, en Alberta. Ils jouent, c'est tout. C'est ce que font les Canadiens. Et c'est ce que nous avons fait. Nous adorions le sport. Nous étions des spectateurs assidus et nous savions que nos enfants aimeraient s'y adonner. Et peut-être qu'un jour ils joueraient le samedi soir dans l'uniforme des Canadiens ou des Maple Leafs, donnant à maman et à papa une occasion de les acclamer encore plus fort.

Quelles qualités possédaient nos garçons pour leur permettre de réussir, de devenir joueurs professionnels, d'être parmi le faible pourcentage d'hommes à réaliser le rêve de milliers d'enfants hockeyeurs ? La réponse tient en un mot, le même pour nos fils, pour nos filles et pour tous les habitants de la planète : le potentiel.

Je vois tout le monde de la même façon, qu'il s'agisse de nos cinq enfants, des milliers de jeunes à qui j'ai enseigné ou que j'ai entraînés, du personnel du conseil scolaire avec qui j'ai travaillé ou encore de nos petits-enfants : je considère que chaque individu porte en lui un don et ce don, c'est son potentiel. C'est ma mission comme père, comme directeur d'école et comme leader de le développer. J'évite délibérément de dire « atteindre » son plein potentiel parce que je pense que personne ne parviendra jamais à l'exploiter pleinement. Nous devrions toujours chercher à réaliser cet objectif, peu importe notre âge.

Maria et moi avons constaté le potentiel de nos enfants dès leur plus jeune âge. Beaucoup de gens croient que nos fils étaient des hockeyeurs-nés. Il est vrai qu'ils sont doués, mais tout le monde l'est dans une certaine mesure. Chacun naît avec le même don, j'en suis persuadé. J'ignore où ce don peut mener, mais on le possède depuis la naissance.

J'appelle ce don le GPS : le grand potentiel structurant.

Chaque enfant naît avec un GPS qui doit être alimenté. Plus on le programme tôt dans la vie pour aller vers un environnement positif et faire quelque chose de bien, plus nos enfants ont des chances de réussir. Le potentiel est inné, mais les compétences et le talent se développent avec le temps. Un barbier ne naît pas barbier ; il doit acquérir de l'expérience. Un électricien ne naît pas électricien, mais votre enfant possède peut-être les aptitudes nécessaires pour le devenir. Le potentiel intègre les compétences, les aptitudes et le talent qu'il faut cultiver pour surmonter les obstacles du métier d'électricien.

P.K. est né dans un environnement qui a alimenté son GPS. Il est important pour les enfants de savoir où ils vont et plus tôt ils savent en quoi ils excellent, mieux ils réussiront.

À une certaine époque, P.K. a manifesté de l'intérêt pour le basketball. J'ignore à quel point il se serait démarqué dans ce sport s'il avait persévéré et s'il y avait consacré autant de temps et d'efforts qu'au hockey. Je ne prétends pas qu'il n'aurait pas réussi, mais on ne le saura jamais. C'est la beauté de posséder un don : on ignore où il nous mènera.

En tant qu'éducateur, je n'ai jamais conseillé à quiconque d'abandonner un projet parce qu'il risquait d'échouer. Cela étant dit, j'ai toujours cru que les objectifs doivent être atteignables et pertinents. Par exemple, il était plus probable que P.K. fasse partie de la LNH que de la NBA en raison de sa taille – 1,85 mètre – et de sa nationalité. Au Canada, nous formons plus de hockeyeurs que tout autre pays. Nous avons le meilleur système de hockey mineur au monde et la Greater Toronto Hockey League (GTHL) est la meilleure ligue qui soit. Nous avons des entraîneurs extraordinaires et nous recevons un soutien impressionnant de la part de Hockey Canada et des autres organismes qui en relèvent. Ça ne m'étonne pas que les jeunes Canadiens excellent au hockey : ils naissent les patins aux pieds. Ça ne m'étonne pas non plus que P.K. ait réussi ni que Malcolm et Jordan suivent cette voie : tous les ingrédients sont réunis pour aider les jeunes à percer dans ce sport. C'est le milieu idéal.

Quand je rencontre des parents d'enfants très performants, je leur pose souvent cette question qu'on m'adresse couramment : qu'avez-vous fait pour faciliter le succès et la réussite de vos jeunes ? La réponse comporte toujours ces éléments : un engagement de tous les instants, un environnement positif et stimulant, la priorité accordée à l'excellence, la quête d'un rêve ou d'un objectif ambitieux. C'est une recette éprouvée pour réussir. Elle donne aux jeunes la possibilité de faire quelque chose de leur vie. Ils savent reconnaître les occasions lorsqu'elles se présentent à eux.

Maria et moi avons adopté la même approche en élevant nos enfants. Par exemple, nous participions à leurs activités quotidiennes. Si nous ne pouvions pas être auprès d'eux, nous trouvions une autre façon de manifester notre présence. Comme mes parents l'ont fait avec moi, ma femme et moi avons implanté nos voix dans l'esprit de nos enfants. Quand ils avaient besoin de direction, ils montaient le volume pour nous écouter leur rappeler nos attentes.

Mes propres parents m'ont expliqué très clairement ce qu'ils voulaient de moi et je pouvais toujours entendre dans ma tête une petite voix qui disait : « Oui, Karl » ou bien : « Non, Karl ». Je ne voulais pas les décevoir. Elle fonctionnait comme des panneaux de signalisation ordonnant d'arrêter ou de céder le passage. Mon père et ma mère souhaitaient m'éviter des ennuis, tandis que moi, je ne voulais pas les mettre dans l'embarras ni les décevoir. Un jeune parvient à distinguer le bien du mal au fil du temps, de jour en jour. Un parent, lui, apprend à son enfant à reconnaître les panneaux « Stop » et « Cédez ». Aujourd'hui encore, quand je lance mon « regard spécial » à mes enfants, ils savent exactement ce que je pense.

Mes fils ont quitté la maison à 16 ans et, Dieu merci, ils n'ont jamais eu de graves ennuis. Je sais qu'ils entendaient

ces voix qui les mettaient en garde : « Arrête, tu bois trop. »
« Arrête, tu dois rentrer maintenant, tu as un entraînement
demain matin. » « Arrête, tu joues demain soir. » Mes parents m'ont enseigné ce que « non » signifie et je l'ai montré
à mes enfants à mon tour. Gare aux parents qui disent « non »
constamment ! Une fois que les jeunes savent ce que veut
dire ce mot, il n'est pas nécessaire de le leur répéter indéfini-
ment. Pour atteindre cet objectif – faire comprendre aux
enfants la signification d'un refus –, les parents doivent passer du temps en leur compagnie pour leur démontrer qu'ils
se préoccupent d'eux. La discipline la plus rigoureuse ne
donnera aucun résultat si les enfants ne sentent pas qu'on
tient à eux. L'art de la discipline consiste à modeler leur volonté sans briser leur moral.

Ma femme et moi n'avions pas de formule toute faite
pour l'Équipe Subban. Nous n'avions pas de modèle pour
élever nos cinq enfants et nous n'en avons jamais élaboré.
Notre « recette » consistait à leur fournir la base : de la nourriture, un toit, un environnement sûr, de l'amour et beaucoup d'activités, comme des sorties au parc, l'aide aux devoirs, la fabrication de cerfs-volants ou la cuisine en famille.
De plus, l'objectif d'exceller dans les sports à l'école a été
gravé très tôt dans leur esprit. Tous les jeunes cherchent à
plaire à leurs parents et, quand ils s'emploient à leur faire
plaisir, ils s'emploient à se faire plaisir à eux aussi. Le travail
acharné devient la récompense. Les exigences et les attentes
que vous avez à leur égard sont parmi les preuves les plus
tangibles que vous les aimez et que vous vous souciez de leur
bien-être.

Au fil du temps, cependant, j'ai vu se dessiner une formule basée sur ma façon d'éduquer mes enfants et sur mon
enseignement. Elle consiste en partie à alimenter leur GPS

et à ne jamais oublier que les parents ne peuvent pas y arriver seuls. Ils ont besoin d'aide parce que ce qu'ils peuvent faire de mieux ne suffit pas. Selon un proverbe africain, *il faut tout un village pour élever un enfant.* C'est vrai aujourd'hui en Amérique du Nord. Les parents ont besoin d'une équipe et, comme je me plais à le dire, plus le rêve est grand, plus l'équipe doit être nombreuse. L'Équipe Subban n'a pas réussi toute seule. Nous avons reçu beaucoup d'aide au fil des années.

Élever des enfants n'a rien de facile. Une multitude de distractions – les partys, la drogue, le temps perdu à l'ordinateur ou au téléphone à jouer ou à surfer sur les médias sociaux, où ils sont souvent intimidés par leurs camarades de classe et voient leur estime personnelle attaquée – les éloignent des études. C'est pourquoi les jeunes doivent s'investir dans une activité positive qu'ils adorent et que je qualifie de « parent supplémentaire ». Chaque enfant peut tirer parti de ce parent, qui les aide à ne pas se disperser, les garde sur la bonne voie, loin des tentations néfastes.

On a dit que Maria et moi avions « réussi » comme parents en raison des succès de nos cinq enfants. Je ne m'enfle jamais trop la tête avec les compliments de ce genre et je ne veux pas y accorder trop d'importance. J'ai adopté une philosophie qui me permet de rester concentré, sincère et ancré dans la réalité : la réussite professionnelle de nos enfants ne signifie pas qu'ils ont réussi leur vie. Je suis heureux pour eux et je suis fier de leur succès au hockey et en éducation, mais ma récompense la plus gratifiante, comme parent, c'est qu'ils réussissent leur vie.

J'ai déjà dit à P.K. : « Tu n'atteindras jamais ton objectif de devenir un bon joueur de hockey si tu n'es pas une bonne personne. Tu ne seras jamais heureux et tu ne réaliseras jamais ton plein potentiel si tu n'es pas aimable. » Je me suis inspiré du message que le directeur gérant des Dodgers de Brooklyn, Branch Rickey, a livré à Jackie Robinson en 1947, alors que ce dernier était sur le point de faire tomber la frontière raciale de la Ligue majeure de baseball : « Jackie, nous n'avons pas d'armée. Il n'y a pratiquement personne de notre côté : aucun propriétaire, aucun arbitre, très peu de journalistes. Et je redoute l'hostilité de nombreux amateurs de baseball. Nous serons dans une position délicate. Nous pouvons gagner seulement si nous parvenons à les persuader que je fais cela parce que tu es un grand joueur de baseball et un grand gentleman. »

Certains parents croient à tort qu'il existe des raccourcis, qu'ils peuvent éviter de travailler fort ou que certains enfants sont juste naturellement doués, pourvus d'un bagage génétique exceptionnel. J'en ai vu un exemple un soir de printemps, en 2011, à l'aréna Herb Carnegie sur l'avenue Finch, à North York, où j'allais voir jouer Jordan en séries éliminatoires au sein de la GTHL. Il venait d'avoir 16 ans et en était à sa dernière année avec les Marlboros de Toronto. Il était parmi les 10 joueurs les plus convoités de la LHO au repêchage suivant. Les éliminatoires attiraient de nombreux dépisteurs. Chaque partie comptait. Ils analysaient leurs moindres mouvements sur la glace. J'étais nerveux, fébrile, et je souhaitais que Jordan et ses coéquipiers disputent un bon match. Nous, les parents, nous inquiétons constamment. C'est dans notre nature.

L'amphithéâtre était plein à craquer et très animé. L'énergie était palpable. J'étais d'autant plus heureux que la partie se déroulait à l'aréna Herb Carnegie. J'ai toujours aimé y voir jouer mes fils en raison de la personne qui a donné son nom à cet amphithéâtre. Né à Toronto de parents jamaïcains, cet extraordinaire hockeyeur a joué dans les années 1940 et 1950. Il aurait dû être recruté par la LNH et devenir, ainsi, le premier Noir à y évoluer, mais il n'a jamais pu y accéder à cause, justement, de la couleur de sa peau. Dans son autobiographie inspirante *A Fly in a Pail of Milk* (Une mouche dans un seau de lait), Carnegie a écrit que le propriétaire des Maple Leafs de Toronto, Conn Smythe, avait promis 10 000 dollars à celui qui pourrait transformer Herb Carnegie en homme blanc. Malgré son parcours difficile, ce joueur a remporté de nombreux prix et titres dans les ligues semi-professionnelles, surtout au Québec et en Ontario, avant de devenir un champion de golf senior après sa retraite du hockey, en 1954. L'année suivante, il a mis sur pied la première école de hockey homologuée au Canada, puis a travaillé durant 32 ans comme conseiller financier.

Il était donc tout à fait approprié que Jordan dispute une partie aussi cruciale à l'aréna Herb Carnegie, un endroit où P.K., à l'âge de cinq ans, avait compté un but après une impressionnante double feinte en tirs de barrage.

L'autre avantage exceptionnel de ce stade, c'est le maïs soufflé qu'on y sert, sans aucun doute le meilleur de tous les arénas de la région torontoise. Ce soir-là, comme d'habitude, un arôme appétissant emplissait l'amphithéâtre et m'attirait comme un puissant aimant vers le casse-croûte. Quand l'anxiété m'enserre, telle une couverture, j'aime manger pour me calmer les nerfs.

J'assistais seul au match. Je me dirigeais vers les gradins, mon pop-corn dans une main et mon café dans l'autre, lorsque je suis tombé nez à nez avec un *hockey dad* que je connaissais depuis quelque temps. Il m'a présenté à un de ses amis, qui était – c'est du moins ce que j'ai pensé – un autre jeune père dans la fin de la vingtaine.

L'homme m'a dit tout de go :

— J'ai une proposition à vous faire.

— À quoi pensez-vous ? lui ai-je demandé hésitant, en me disant : « J'espère qu'il ne veut pas que j'entraîne son fils, je n'en ai pas le temps. »

— J'aimerais que vous fassiez un bébé avec ma femme.

J'étais abasourdi. Il a offert de me payer avant que je réussisse à balbutier un refus. Je n'ai pas pu m'empêcher d'éclater de rire et, après un calcul rapide, j'ai rétorqué à la blague :

— Il y a 35 ans, je l'aurais fait gratuitement.

Par contre, mon sourire s'est évanoui rapidement. Je me suis dit : « Ce pauvre type est persuadé que les gènes sont responsables de tout. » Il était au fait de la réussite de Jordan ; il avait entendu parler de Malcolm, un gardien de but parmi les plus prometteurs qui jouait pour les Bulls de Belleville et avait fait partie de l'équipe nationale des moins de 17 ans ; et il connaissait P.K., qui commençait à faire parler de lui dans la LNH. Cet homme pensait que j'avais les gènes du hockey et voulait avoir un fils qui en serait doté, lui aussi. Toutefois, il reste que les scientifiques ignorent encore lesquels des 20 000 à 25 000 gènes du corps prédisposent un être humain à devenir un joueur d'élite.

Maria et moi voulions que nos cinq enfants atteignent les plus hauts sommets dans leurs études et dans leur vie. J'espérais que ce type plaisantait, mais il était plutôt l'archétype du *hockey dad* trop zélé, en quête perpétuelle d'un avantage ou d'un raccourci. Il ne s'intéressait guère à ce que ma femme et moi avions fait pour élever trois joueurs d'élite. Je suis sûr qu'il ignorait tout des réussites et des talents de nos deux filles. Cependant, de nombreux parents, enseignants et entraîneurs cherchent à le savoir, et c'est pour cette raison que j'ai écrit ce livre. Le gène du hockey n'existe pas et j'espère que, en racontant mon histoire, je pourrai expliquer comment on s'y prend pour élever des enfants solides qui s'accomplissent ; comment on leur enseigne à rêver, à s'améliorer un peu chaque jour et à faire de leur rêve une réalité.

AUG 71

Maman à Sudbury.

Karl et ses frères, Patrick et Markel,
devant leur premier logement à Sudbury,
rue Peter – Maman nous regarde du porche.

Notre famille: Patrick, Markel, Papa, Maman, moi (Karl) et Hopeton.

Maria et sa sœur, Claudine.

Karl jouant pour l'équipe de
basketball de l'Université Lakehead.

Mon père, ma mère, Maria et moi, le jour de notre mariage.

Karl enseignant à l'école primaire Cordella, à Toronto.

Karl et Betsy – notre Toyota Corolla faisait partie de la famille !

P.K. sur la patinoire extérieure de Brampton.

P.K. jouant au hockey
pour la première année.

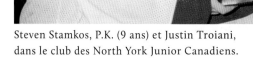

Steven Stamkos, P.K. (9 ans) et Justin Troiani,
dans le club des North York Junior Canadiens.

Malcolm, le gardien de but.

Jordan dans une ligue locale.

Tasha, P.K. et Taz devant le piano électronique des filles.

P.K. lors du repêchage de la LNH, en 2007, avec Bob Gainey,
directeur gérant des Canadiens de Montréal. (Photo : Dave Sandford, Getty Images)

Élise Béliveau et Karl, dans
l'Atrium P.K. Subban de l'Hôpital de
Montréal pour enfants.

Maria et Karl, aux côtés de P.K., le jour où il a
reçu la Croix du service méritoire du Gouverneur général du Canada, en 2016 à Montréal.

Karl aux Jeux
olympiques
de Sotchi.

Le mariage
de Nastassia (Taz).

Nos petits-fils, Epic et Honor,
buvant un chocolat chaud à la patinoire :
une tradition familiale.

Maria et notre petite-fille, Angelina.

Chapitre 2

Tout commence par un rêve

Notre passé, c'est notre histoire : il ne nous permet pas de prédire l'avenir avec exactitude, mais il peut assurément l'influencer. C'est ce qui m'est arrivé à l'âge adulte, dans ma vie de père et d'enseignant. Je suis né en Jamaïque en 1958. J'ai passé les 12 premières années de mon existence à Portland Cottage, une petite ville à 50 kilomètres au sud-ouest de la capitale, Kingston, qui se trouve grosso modo au milieu du littoral sud de l'île. J'ai eu une enfance heureuse et ensoleillée, entouré de ma famille. Je faisais beaucoup de sport et je mangeais des repas succulents. Mes parents, Sylvester et Fay, s'assuraient que mes trois frères, Hopeton, Patrick et Markel, et moi ne manquions de rien, même si nous n'étions pas riches.

Mon père travaillait à la raffinerie de sucre Monymusk, où on fabriquait de la mélasse, de la cassonade et le célèbre rhum jamaïcain. Ma mère faisait des contrats de couture à la maison. Papa, un employé fiable, croyait à l'importance du travail bien fait. Il ne possédait pas de voiture, même s'il était mécanicien de camions à moteur diesel. Le moyen de transport familial, c'était le vélo qu'il utilisait pour se rendre au boulot, à 16 kilomètres de la maison, peu importe la chaleur. Et il faisait toujours chaud.

Les samedis et dimanches, papa nous emmenait à la plage, mes frères et moi (je suis le deuxième). J'ignore comment il faisait, mais nous grimpions tous les quatre sur sa bicyclette et il nous transportait jusqu'à l'océan, à cinq ou six kilomètres de chez nous. Nous ne savions pas nager, mais nous jouions dans la mer en nous agrippant à des débris de bambou ou à des chambres à air. Nous essayions aussi de chevaucher les vagues, comme les surfeurs californiens, en nous accrochant désespérément à notre morceau de bambou. Ces jours-là, ma mère restait à la maison pour prendre un repos bien mérité, loin de ses fils énergiques.

Mes frères et moi savions que nous étions aimés. Nous avions peu de biens matériels, mais suffisamment de ce dont nous avions vraiment besoin. D'ailleurs, nous ne l'aurions pas remarqué si quelque chose nous avait manqué; nous étions très heureux. Les membres de notre famille s'occupaient de nous et nous aimaient, et ils n'avaient pas à le dire : nous le savions. Nous savions également que le respect était primordial. Mes parents, ma famille élargie et ma communauté m'avaient accolé quatre exigences, comme on appose une plaque d'immatriculation sur une voiture. Ces exigences étaient omniprésentes, autant que l'est le chaud soleil dans mon pays natal. Elles restaient là, gravées dans mon conscient et dans mon inconscient :

1. Travaille fort à l'école.
2. Comporte-toi bien, surveille tes manières et respecte toujours tes aînés.
3. Sois propre et bien mis, en particulier à l'extérieur de la maison.
4. Sois bon dans un domaine et fais la fierté de ta famille.

Ces attentes ont donné le ton à ma petite enfance et, beaucoup plus tard, elles ont déterminé celles que j'ai fixées pour mes propres enfants.

L'importance que mon père et ma mère accordaient à l'éducation ne fait aucun doute quand je pense à la façon dont ils nous ont élevés. Ils n'exagéraient pas et ne m'ont jamais poussé à devenir avocat ou médecin, par exemple. Tout ce qu'ils exigeaient de nous, c'était d'aller à nos cours et de réussir. Et puisqu'ils n'ont jamais reçu d'appel de l'école, ils tenaient pour acquis que tout se passait bien. Les gens leur disaient constamment : « Oh, vos garçons sont tellement gentils ! » Nous n'avons jamais eu de gros ennuis. Ou peut-être les ennuis n'ont-ils jamais croisé notre route ! Nous ne voulions pas décevoir nos parents qui s'échinaient si fort. Quand j'avais besoin d'argent pour jouer au soccer, pour participer à un voyage de sport ou pour acheter des souliers de course, ils m'aidaient toujours. Ils nous démontraient qu'ils tenaient à nous par une foule de petits gestes : mon père nous préparait tout le temps nos lunchs pour l'école,

Sylvester et Fay Subban

même quand nous étions au secondaire à Sudbury. Sur nos sacs contenant des sandwichs, un fruit et un jus, il écrivait nos noms en lettres majuscules – Karl, « Rex » (le surnom de Patrick) et Mark – et déposait sa gamelle en métal juste à côté.

Même si mon père était un homme aimant, il nous inculquait la discipline et définissait les règles. Nous devions être à la maison quand il rentrait du travail, par exemple. Comme j'avais une idée de l'heure de son retour, je savais à partir de quel moment je devais faire le guet si je jouais chez le voisin. Je reconnaissais sa silhouette à vélo à environ un kilomètre de distance et, quand il passait le seuil, j'étais déjà dans la maison, les pieds et le visage lavés, les cheveux peignés. Une fois papa rentré, il était hors de question pour nous de quitter la cour, un point c'est tout. Cela peut sembler strict aujourd'hui, mais c'était la méthode de nos parents. Ils ne voulaient pas que nous nous dispersions, surtout le soir.

Le châtiment corporel était bien ancré dans notre société. Papa, le symbole de l'autorité familiale, y avait recours quand il le jugeait nécessaire. Je recevais des coups de ceinture au derrière si je me battais avec mes frères, par exemple, ou si un voisin ou un aîné venait se plaindre de mon comportement. Mes parents avaient des attentes élevées à mon égard, puisque j'étais le plus vieux à la maison à l'époque (mon frère aîné, Hopeton, vivait avec mes grands-parents). La punition n'était jamais sévère au point de nous blesser ou de laisser des ecchymoses. Elle ne se donnait pas seulement à la maison non plus : on nous l'infligeait à l'école quand nous étions en retard ou quand nous dépassions les limites.

Par contre, j'insiste sur le fait que, pour chaque gramme de punition, nous recevions un kilo d'amour. Je n'ai jamais craint mon père. Il était toujours présent pour nous, il subvenait à nos besoins et nous donnait des tonnes d'affection. En grandissant, quand j'étais sur le point d'être puni, je prenais la fuite – qui veut se faire frapper ? – et, à huit ou neuf ans, papa n'arrivait plus à me rattraper. Ce fut la fin des fessées.

Mes parents exerçaient aussi leur influence au-delà des murs de la maison. Nous devions nous comporter de manière irréprochable dès que nous sortions de chez nous. Si toute la famille était en visite et qu'on m'offrait un verre d'eau, je regardais ma mère ou mon père pour voir si je pouvais l'accepter. C'était comme ça : je connaissais les limites et elles étaient bien nettes. On nous permettait, à mes frères et à moi, d'agir comme des garçons, mais nous devions également savoir comment nous tenir en public et éviter de faire honte à nos proches. On apprenait rapidement que les familles avaient une réputation à défendre. Les Subban, les Peters et les Bartley – les noms de ma famille immédiate et de ma famille élargie – étaient respectés dans la communauté et nous devions nous montrer à la hauteur.

Il est primordial, selon moi, de connaître les limites. Si on aime ses enfants, on leur impose une discipline. Et je ne parle pas ici de leur donner la fessée, mais de leur expliquer la signification du mot « non ». Ma mère enseignait par l'exemple. Même si elle essayait d'être autoritaire quand nous avions des conflits, elle ne mettait jamais ses menaces à exécution, alors que mon père n'avait qu'à nous jeter un regard lourd de sens. Ma mère nous accordait un centimètre de latitude, mais nous savions qu'il équivalait à un mètre. C'était une liberté extensible. Elle était aimante et attentionnée. D'après moi, c'est elle qui a inventé le principe de la deuxième chance.

Ingénieuse et créative, maman ne restait jamais les bras croisés. Quand elle ne s'affairait pas à la cuisine ou au ménage, elle exploitait ses talents exceptionnels pour la couture et la broderie. Aucun projet ne l'intimidait et elle n'avait peur ni du marteau ni des clous. Lorsque mes parents ont construit leur maison, c'est elle qui a bâti la cuisine à l'arrière.

C'est aussi ma mère qui nous a enseigné à lire et à écrire. Il faut que je vous explique quelque chose au sujet de la vie dans les Antilles à l'époque. Les enfants n'avaient pas le droit de regarder un adulte dans les yeux quand ils lui parlaient, à plus forte raison s'ils se faisaient réprimander. « Comment, tu oses me regarder ? Tu crois que tu es un homme ? Tu te penses important ? » C'était intimidant. Et, même si on ne nous grondait pas, on ne nous encourageait pas à avoir des conversations avec les adultes. D'après moi, cette règle a eu pour effet de nous freiner. J'ai appris, au cours de ma formation d'enseignant, que le vocabulaire des enfants s'enrichit de trois façons : en écoutant parler les adultes, en parlant aux adultes et en lisant. J'ai remarqué que, même aujourd'hui, les élèves qui viennent de la Jamaïque se lèvent pour poser une question, mais évitent de croiser le regard de leur interlocuteur. On sait maintenant que, pour bien écouter, il faut regarder une personne dans les yeux et que, si nous n'avons pas appris à le faire, notre façon de nous exprimer en souffrira.

Ma mère a fait son possible pour m'enseigner la lecture, mais ça n'allait pas de soi. C'était une épreuve pour moi. À la fin de l'après-midi, avant le coucher du soleil, nous allions nous asseoir sur un banc ou une caisse de bois dans la cour, à l'ombre des cocotiers, pour y lire des albums illustrés britanniques simples, comme *Fun with Dick and Jane*. Il n'y avait pas beaucoup de livres à notre disposition. En fait, nous lisions surtout le journal, le *Daily Gleaner*. Si on ne se considère pas soi-même comme un lecteur, il est très difficile d'en faire une expérience positive. Ma mère a fait de son mieux et, avec du recul, je suis heureux qu'elle ait essayé de m'aider.

J'ai aussi enrichi mon vocabulaire grâce à la radio. J'adorais écouter les matchs de cricket et, bien entendu, j'aimais la musique, qui était un élément important de notre culture. On acquiert du vocabulaire en écoutant des chansons même si je dois admettre que mes parents n'approuvaient probablement pas tout ce que j'ai appris grâce à ces chansons.

J'ai un autre souvenir très vif de ma mère en train de coudre dans la cour. Ce n'était pas une scène inhabituelle, mais, ce jour-là, elle me confectionnait un vêtement avec sa Singer et je contrôlais difficilement mon excitation. Elle a étendu du tissu kaki flambant neuf qu'elle avait acheté au magasin, elle y a épinglé un patron qu'elle avait dessiné elle-même, puis elle l'a taillé soigneusement pour me coudre un pantalon et une chemise. Elle me fabriquait un nouvel uniforme pour ma première sortie scolaire. Je devais avoir sept ou huit ans et je n'avais jamais quitté la maison. Maman y a travaillé toute la nuit pour qu'il m'aille à la perfection. Les vêtements étaient un peu trop grands à mon goût, mais répondaient sur mesure aux attentes de mes parents.

Notre classe a passé la journée aux chutes de la rivière Dunn, près d'Ocho Rios, à Port Royal, une ancienne colonie de pirates qui a été engloutie dans la mer lors d'un tremblement de terre, et enfin au zoo de Kingston. Les excursions scolaires étaient particulièrement mémorables, puisque, comme nous n'avions pas de voiture, nous n'allions littéralement nulle part. Jamais de « tour d'auto » le dimanche. Mes parents comprenaient la valeur de ce voyage, alors papa avait fait des heures supplémentaires pour me l'offrir. J'ai eu du mal à dormir pendant cinq jours. Nous avons pris un petit autobus et sommes partis avec une provision de corned-beef, de *hard-dough bread* (un pain de mie typique de la Jamaïque) et un peu d'argent de poche. Cette expédition m'a laissé une forte impression. Nous avions entendu parler de ces endroits, mais n'y avions jamais mis les pieds. Les chutes de la Dunn sont une grande attraction touristique. Nous avons été ébahis par la beauté du lieu, mais nous n'avons pas eu le droit de nous baigner parce que nous n'avions pas de vêtements de rechange. L'autre souvenir que je garde de ce voyage, c'est l'iguane aperçu au zoo. Nous n'avions jamais vu ces gros lézards colorés là où nous habitions. C'est étrange de constater le type de souvenirs que nous conservons au fil des ans.

Mes frères et moi avons eu l'énorme avantage d'avoir maman à la maison jusqu'à mes 12 ans. C'est à cette époque qu'elle m'a enseigné la cuisine. Une année, elle a dû se faire opérer et rester immobile pendant quelque temps. Comme papa était au travail et mes deux frères étaient trop jeunes pour aider, elle m'a montré à préparer des dumplings frits et des dos de poulet. Les dos de poulet comportent plus d'os que de chair, mais c'était un régal pour nous. Je les cuisine encore comme maman me l'a appris : j'enlevais le gras, j'assaisonnais la viande (nous utilisions du glutamate monosodique à l'époque) et je la laissais mariner dans un mélange de thym, d'oignons et de sauce soya. Ensuite, je faisais sauter la viande et j'y ajoutais de l'igname et des bananes vertes. Assise sur une chaise, maman me donnait ses instructions, étape par étape. C'était comme une vidéo de cuisine sur YouTube avant l'heure. Même une fois adulte, ma mère a continué à me donner des directives. Je l'appelais quand j'avais besoin d'aide pour préparer un plat. Mais ma mère ne devrait pas recevoir tout le mérite : mon père aussi cuisinait et il est encore très doué, comme mes frères d'ailleurs.

La cuisine était pour mes parents une activité familiale. Il est important de passer du temps avec ses enfants. Quand il était petit, P.K. m'a dit un jour : « Papa, j'ai passé plus de temps avec toi qu'avec n'importe qui d'autre sur terre. » J'aurais pu dire la même chose à mes parents. Ce sont les personnes avec lesquelles on passe le plus de temps qui nous influencent le plus.

Dans mon cas, ce n'étaient pas seulement mes parents. Mes arrière-grands-parents, mes grands-parents, mes tantes et mes oncles ont tous pris part à mon éducation. Ils n'hésitaient jamais à nous féliciter pour notre bon comportement ou à nous réprimander dans le cas contraire. Un jour, je me rappelle d'ailleurs m'être mal conduit avec Desmond, le jeune frère de ma mère. Il possédait un scooter qui, à mes yeux, équivalait à une Harley-Davidson. Il était souvent dans sa cour à bricoler sa précieuse bécane. Dans mon souvenir, celle-ci était toujours brisée et mon oncle passait son temps à la réparer. Quand il poussait le moteur, des pièces tombaient. Desmond était un homme sérieux qui n'aimait pas qu'on se moque de lui pas plus que de son scooter. Une fois, en son absence, j'ai osé l'enfourcher. Son frère, oncle Owen, nous a emmenés faire un tour, Patrick et moi, même s'il n'en avait pas le droit. Il venait de pleuvoir et la route de terre était gorgée d'eau. Oncle Owen a perdu le contrôle du véhicule en roulant dans un nid-de-poule. J'ai sauté et je m'en suis sorti indemne, mais Patrick est tombé avec le scooter. Il porte un souvenir indélébile de sa chute : une cicatrice au-dessus d'un œil.

Un autre jour, je devais avoir sept ou huit ans, Desmond avait, comme d'habitude, démonté son scooter ; les pièces étaient éparpillées autour de lui. J'ai chipé les ampoules et je les ai vendues pour m'acheter une gâterie. Pourquoi ai-je fait cela ? Disons que je n'étais pas parfait et que les enfants font parfois des choses stupides.

Il faut comprendre que, dans notre quartier, il n'y avait aucun secret. Si je cueillais 12 mangues dans notre arbre pour les offrir à quelqu'un, tout le monde l'apprenait… le jour même. Mon oncle a su que j'avais vendu les ampoules et quelqu'un m'a prévenu qu'il me cherchait. Je me suis caché chez mes grands-parents, mais il a fini par me trouver. Il m'a donné toute une raclée ce jour-là ! Je ne me souviens plus combien d'argent j'ai obtenu en échange des ampoules, mais je n'ai jamais oublié ce que m'a coûté ce geste. Et j'ai aussi appris une grande leçon de vie : je n'étais pas doué pour la vente.

La devise de la Jamaïque est *Out of many, one people* (Tous différents, tous unis). Je l'utilise pour expliquer ma relation avec les membres de ma famille élargie. C'était merveilleux de grandir auprès d'eux et nous sommes encore proches. La réputation de ma famille était basée sur l'altruisme, et ce souci de servir gravitait autour de la religion. Ma grand-mère maternelle, Vashtie Peters, a fondé une église pentecôtiste dans mon district, encore très florissante aujourd'hui.

Pour réussir dans la vie, il faut bénéficier de la générosité de bien des personnes. Quand mes parents ont commencé à vivre ensemble, mes grands-parents les ont aidés à survivre et à prospérer. Je crois toujours à ces valeurs, à cette bonté et à ce souci des autres. Mes grands-parents ont laissé leurs traces sur tous les succès et sur toutes les réalisations de mes parents, surtout au début de leur vie commune. Et ceux-ci leur ont rendu la pareille quand ils se sont installés au Canada. Mes parents se sont mariés et ont eu leurs premiers enfants à l'adolescence. Ils ont été hébergés par différents membres de la famille, mais surtout chez les grands-parents de ma mère. Heureusement, nous vivions tous dans les environs de Portland Cottage.

À force de travail acharné, mon père et ma mère ont économisé suffisamment pour réaliser leur rêve d'acquérir leur propre maison. En Jamaïque à l'époque, c'était tout un exploit d'acheter un terrain et d'y construire sa demeure. Dans la pièce à l'avant, nous avions nos lits, nos tables et nos vêtements et, à l'arrière, se trouvait la cuisine. Nous n'avions pas de salle de bain, juste des toilettes extérieures. La maison n'était pas grande, mais elle nous suffisait. J'imagine la fierté de mes parents d'avoir réussi cette prouesse. Ils ont fondé une grande famille heureuse dans la petite maison qu'ils ont bâtie. C'était une belle période de bonheur. Aujourd'hui, mon père habite durant l'été à Brampton, en Ontario, chez mon frère Markel et sa famille, mais il passe ses hivers à Portland Cottage. Il possède toujours la demeure familiale et la loue. Elle n'est pas aussi grande que je la voyais avec mes yeux d'enfant.

En plus de nous offrir un abri et un endroit sûr pour dormir et manger, notre petite maison nous a rapprochés, au sens propre et au sens figuré. D'après moi, les liens étroits qui scellent notre famille viennent de la façon dont nous avons été élevés. Dormir dans le même lit et manger dans la même assiette nous a unis les uns aux autres, et personne ne pourra nous séparer.

À l'âge de sept ans, je suis entré à l'école primaire de Portland Cottage, connue aussi sous le nom de « Big School » parce qu'elle accueillait les grands enfants. Les plus jeunes fréquentaient la « petite école », soit l'équivalent de la préma-

Mes arrière-grands-parents George et Caroline Bartley

ternelle et de la maternelle. Une route principale, la « School Road », menait à mon district. Faite en grande partie de terre, elle serpentait à travers notre petite ville jusqu'à la Big School, un édifice d'un étage peint blanc cassé et fait de blocs de béton, construit au milieu d'un terrain d'environ deux hectares aux limites de la ville. Je pouvais m'y rendre à pied en 10 minutes. Sur le chemin, je passais devant la maison de mon grand-père et de mon arrière-grand-père, George Bartley, qui possédait un vaste terrain jouxtant l'arrière de l'école. Il a travaillé comme cultivateur après avoir pris sa retraite de Monymusk. Pour me rendre en classe, je traversais son verger peuplé du chant des oiseaux. Les manguiers, les cocotiers et les anacardiers longeaient le chemin. J'aimais plus que tout cueillir des mangues et les manger à l'aller et au retour.

J'adorais fréquenter l'école des grands où j'avais beaucoup d'amis. Je pouvais jouer au cricket et au soccer sur l'immense terrain juste à côté. Nous nous amusions beaucoup, mais les cours étaient une chose sérieuse. Nous devions être à l'heure et, quand nous étions en retard, les professeurs nous le faisaient savoir et le directeur, M. Grant, nous le faisait sentir. Il attendait toujours les retardataires à l'entrée, sa longue canne de bambou flexible à la main. Nous devions alors former une file bien droite et étendre le bras, la paume levée. Chaque retardataire recevait deux ou trois petits coups. Cela faisait mal, mais on ne devait pas le laisser voir.

À l'intérieur de l'école, il n'y avait qu'une seule grande salle divisée en classes au moyen de tableaux d'ardoise et de meubles. Les élèves n'avaient pas de vue d'ensemble, mais ils entendaient tout. Le bureau de M. Grant se trouvait à l'avant, sur une estrade en bois. Celui-ci restait assis là à surveiller les 200 enfants comme un sauveteur. Il suffisait de peu pour être convoqué à son bureau et tout le monde était au courant quand il réprimandait quelqu'un, ce qui n'était pas toujours bon pour l'estime personnelle. C'était l'humiliation avant l'ère des médias sociaux.

Partout dans le monde, les récréations et la pause de midi sont les moments les plus appréciés des élèves. Avant que le directeur sonne la cloche annonçant le lunch, je humais la bonne odeur de friture que mon ventre réclamait. Dès que la cloche retentissait, je n'apprenais plus rien et j'étais prêt à m'élancer vers la cuisine, située près de l'entrée, pour acheter des dumplings frits, des beignets de morue et de la bière de gingembre.

Mais avant de m'y précipiter, je devais souvent prendre le temps de discuter avec mon arrière-grand-père, qui m'attendait à l'entrée de l'école, assis sur une caisse de bois. Sa machette à portée de main, il prenait une pause de ses travaux de coupe, de sarclage et d'émondage. Ces jours-là, les petits démons qui grognaient dans mon estomac devaient attendre avant d'être rassasiés. Quand j'approchais de lui, il m'invitait à m'asseoir sur ses genoux, puis il se mettait à me chatouiller; les rires supplantaient la faim qui me tenaillait. Il ne me chatouillait jamais, disait-il, il « passait la fourche ». Il avait de longs doigts proportionnels à sa taille élancée – il faisait plus de 1,82 mètre. Il me chatouillait jusqu'à ce que j'aie épuisé tous mes rires. Il ne se lassait jamais de ce petit jeu parce qu'il venait me voir quelques fois par semaine. Je n'ai jamais oublié ces moments privilégiés passés avec mon arrière-grand-père qui m'a donné deux choses dans la vie: des mangues et du temps, tous deux d'une douceur égale à mes yeux.

Quand je n'étais pas à l'école ou assis sur les genoux de mon aïeul, j'étais habituellement dehors, en quête de quelque chose d'amusant à faire. Nous n'avions ni télévision ni téléphone. La radio et l'eau courante étaient nos seuls luxes. Toutefois, il y avait beaucoup d'activités à Portland Cottage dans les années 1960 pour nous tenir occupés: les jeux de billes, le vol de cerf-volant, la cueillette de fruits et la pêche au crabe.

Nous pêchions le crabe en mai, moment de l'année où la pluie, les éclairs et le tonnerre le faisaient sortir de sa cachette. Nous allions à la mer tôt le matin, éclairés d'une torche fabriquée avec une bouteille de bière Red Stripe à demi remplie de kérosène, dans laquelle nous insérions un rouleau de papier journal en guise de mèche. Je portais des gants pour attraper les crustacés à la main ou encore j'utilisais un long crochet de métal et je transportais mon prochain repas dans un sac de jute sur mon dos. On les préparait de trois façons : on les mettait à bouillir avec un peu de sel, des piments Scotch Bonnet ou des piments oiseaux ; on les cuisinait en curry ou, ce que je préférais, on les servait en galettes à la façon de ma mère.

Même si je m'amusais beaucoup à pêcher le crabe et à faire voler des cerfs-volants, une activité est devenue mon rêve et ma passion : jouer au cricket. Je revois mon père tout de blanc vêtu, prêt à rejoindre sur le terrain l'équipe de l'entreprise qui l'employait ou encore celle de la communauté. Je me rappelle avoir passé de longues heures sur le terrain de cricket. C'était à cet endroit seulement, quand papa ne jouait pas ou ne s'exerçait pas, que je pouvais utiliser sa batte bien huilée. À la maison, il la gardait dans un seau rempli d'huile et nous, les enfants, n'avions pas le droit d'y toucher. C'était précieux. J'adorais ces moments où je pouvais frapper la balle et marquer des courses avec d'autres jeunes. Papa n'était pas le seul cricketeur de la famille : son père, Johnny, qui était originaire de Westmoreland Parish, à la limite ouest de l'île, a été recruté par Monymusk pour travailler à la plantation de canne à sucre et pour jouer au cricket avec l'équipe de l'entreprise. Le père de papa, que nous n'avons jamais connu, venait de l'Inde. D'ailleurs, la plupart des gens ignorent que Subban est un patronyme d'origine indienne.

Nous arrêtions tout pour écouter les parties de l'équipe West Indies sur notre transistor. Ce qui était encore mieux, c'était de les regarder à la télévision du centre communautaire, quand l'appareil fonctionnait, bien entendu. C'était d'ailleurs la seule occasion où je regardais la télé. J'avais le cricket dans le sang et ce sport est devenu ma passion à l'école comme ailleurs. Nous jouions partout, même dans la cour de mes grands-parents maternels les vendredis et samedis, quand ils étaient au marché Alley. Ça rendait ma grand-mère folle de rage parce que nous endommagions les fleurs qui bordaient l'allée menant à sa maison. Il y avait des vasières dans la région et, à marée basse, les enfants allaient y jouer. Même s'il s'agissait parfois d'une étendue de poussière toxique, cette surface plane faisait un *pitch* de cricket idéal.

J'ai appris à me fabriquer une batte parce que je n'avais pas la permission d'emprunter celle de mon père pour jouer dans la rue. Au début, j'utilisais des retailles de bois, mais, un jour, j'ai découvert dans une forêt le gaïac, l'arbre national de la Jamaïque dont le bois est l'un des plus durs au monde. À l'époque, je l'appelais simplement l'« arbre à batte de cricket ». Au moyen d'une machette, je coupais une branche d'une épaisseur et d'une longueur parfaites. Ensuite, j'utilisais la machette et d'autres outils pour couper, tailler, raboter et polir cette pièce de bois pour en faire mon bien le plus précieux. Pour confectionner une balle, mes amis et moi découpions des chambres à air de vélo en longues bandes, que nous enroulions autour de boules de papier journal jusqu'à ce que nous obtenions une balle très dure. Nous travaillions comme des artistes pour atteindre la perfection. Les guichets, eux, étaient faits de bâtons ou de tout autre objet qui nous tombait sous la main, comme un meuble ou une grosse pierre.

Je passais de longues heures à jouer au cricket improvisé avec mes amis. Mon frère aîné, Hopeton, m'a raconté que notre mère savait toujours où me trouver : elle n'avait qu'à se laisser guider par les encouragements, les cris et le bruit d'une batte frappant une balle. Quand je suis retourné à Portland Cottage à l'âge adulte, beaucoup de gens se souvenaient de moi : j'étais l'enfant qui se promenait toujours une batte à la main. J'ai commencé à jouer jeune et je me suis amélioré au point d'être nommé capitaine de l'équipe junior de mon école. Je sais que mes parents étaient fiers de moi. Mon père m'a transmis son amour pour ce sport et cette passion commune a tissé un lien de plus entre nous.

L'équipe West Indies réunissait les meilleurs joueurs des différentes îles des Antilles, qui sont devenus mes modèles. Ils m'inspiraient, et je rêvais de faire partie de cette formation et de devenir, qui sait, le prochain sir Garfield Sobers, le capitaine de l'équipe et l'un des meilleurs cricketeurs de tous les temps. Originaire de la Barbade, Sobers a joué dans les années 1950 à 1970. C'était la première fois que je rêvais de faire quelque chose ou de devenir quelqu'un. Je m'imaginais à l'adolescence entrer à la Vere Technical High School, une grande école axée sur le sport dans notre district. Toutefois, je ne saurai jamais si cela aurait pu arriver, puisque la vie nous réservait d'autres plans, à ma famille et à moi.

Le projet d'aller s'installer au Canada a longtemps germé dans la tête de mon père. Ses frères avaient déménagé en Angleterre pour travailler dans les mines, mais la situation économique s'était aggravée dans les années 1960. Par contre, l'Amérique du Nord recherchait des hommes de métier qualifiés. Mes parents nourrissaient de hautes espérances pour eux-mêmes et pour leur progéniture. Ils voulaient nous offrir le meilleur pour que nous *soyons* meilleurs. C'est leur volonté de réussir, chargée d'espoir et d'ambition, qui a attiré ma famille au Canada.

Vashtie et Edward Peters

Mes parents sont partis pour Sudbury en 1970, quelques mois avant mes frères et moi. Lors de la fête d'adieu, on a tué une chèvre qu'on a utilisée pour cuisiner, entre autres, une soupe appelée *mannish water*. On y a également servi du punch au rhum et un curry de viande de chèvre, accompagné de riz et de *roti* (du pain plat indien fourré). C'était toute une fête. Mes parents n'étaient nullement inquiets de nous laisser avec nos grands-parents maternels, Vashtie et Edward Peters, qui étaient comme un père et une mère pour nous. Je me rappelle de chaudes journées passées à l'ombre de l'akée avec notre grand-mère, qui nous demandait de lui peigner les cheveux. La brise aidant, elle s'endormait à coup sûr, comme un bébé après son biberon. En moins de deux, nous étions livrés à nous-mêmes et pouvions faire une activité qui nous faisait brûler plus de calories que de coiffer une grand-mère.

Même si j'ai une multitude de souvenirs vivaces et heureux de ma vie en Jamaïque, je n'y suis retourné qu'à quelques reprises dans les 30 années qui ont suivi mon départ pour le Canada, et c'était essentiellement pour assister à des funérailles lorsque j'étais adolescent. Puis, j'y suis allé avec ma mère quand j'ai atteint la quarantaine; heureusement d'ailleurs, puisqu'elle est morte peu après. Malgré les décennies qui avaient passé, j'étais heureux de m'y rendre parce que l'endroit où on a grandi ne nous quitte jamais tout à fait.

Beaucoup de choses avaient changé, mais beaucoup de choses étaient restées les mêmes. Portland Cottage était, et demeure, une petite ville où tout le monde se connaît et où tout le monde sait ce que les autres font. Aujourd'hui, on y voit davantage d'autos que de vélos et moins de charrettes tirées par des chevaux ou des ânes. Tous les gens possèdent un cellulaire, évidemment, alors que moi, je n'avais jamais utilisé un téléphone avant mon arrivée au Canada. L'information y est plus accessible, mais la communauté est toujours tissée aussi serrée.

Par contre, je crois qu'on y a perdu une valeur fonda-mentale : le respect des aînés. J'observe la même chose au Canada, d'ailleurs. Aussi, les personnes âgées me semblent moins présentes dans la communauté. Il y a moins d'agricul-ture, moins de pêche. Je ne pense pas que les gens s'aident autant qu'à l'époque où j'étais enfant. Les Jamaïcains ne possédaient pas grand-chose, mais ils tiraient le maximum de leur situation, en cultivant leurs propres aliments, par exemple. Ce problème s'explique en partie par la terrible sécheresse qui a frappé la région. Une grande quantité des arbres fruitiers sont en train de mourir. Le partage et le troc restent monnaie courante, et les rues demeurent tranquilles et sécuritaires. Les enfants portent toujours l'uniforme à l'école, comme celui que ma mère m'avait confectionné pour mon excursion aux chutes de la Dunn.

Nous n'avions pas grand-chose quand j'étais petit et, parfois, je me demande comment nous avons pu survivre à tout ça. Je comprends aujourd'hui que ce n'est pas l'endroit où on habite qui compte, mais comment on y vit. Nous avions une attitude positive, nous étions entourés d'amour. Notre maison était petite, mais c'était notre chez-nous. L'important, ce ne sont pas les biens qu'on possède ; c'est plutôt d'apprécier ce qu'on a et d'en être reconnaissant. Même si notre famille a quitté la Jamaïque en quête de meil-leures perspectives d'avenir, mon pays natal a été bon pour nous. Il nous a donné les bases les plus solides qui soient : travailler avec ardeur, se fixer des objectifs et apprendre la persévérance.

Chapitre 3
Un néo-Canadien fou des Canadiens

Il y a quelques années, j'ai demandé à mon père, Sylvester, de me parler de notre vie à Sudbury, dans le nord de l'Ontario, l'endroit où nous nous étions établis après avoir quitté la côte sud de la Jamaïque. Il avait alors 75 ans et vivait à Brampton, en Ontario, où il s'était installé avec ma mère, Fay, 45 ans auparavant. Il m'a dit, en patois jamaïcain, quelque chose de touchant : « Nous avons mené une belle vie à Sudbury. Je travaillais, nous mangions à notre faim et j'y ai élevé ma famille. »

Je n'aurais pas su mieux dire : « Nous avons mené une belle vie à Sudbury. »

Papa est arrivé seul à Oakville, en Ontario, en 1966, pour travailler sur la nouvelle chaîne de montage de Mack Trucks. Même s'il gagnait suffisamment bien sa vie pour nous envoyer de l'argent en Jamaïque, il n'aimait pas son statut de sans-papiers et est rentré au pays pour entamer les procédures d'immigration officielles. La même année, son frère Leslie s'est installé à Sudbury, où il a trouvé un emploi d'électricien à la mine de nickel Inco. Oncle Leslie et sa femme, tante Irma, ont parrainé notre famille et mon père est revenu au Canada comme immigrant reçu le 10 juin 1970. Moins de deux semaines plus tard, le 23 juin, il décrochait un poste de mécanicien de moteurs diesel à la mine Falconbridge. Il était facile d'obtenir un emploi dans le secteur minier à l'époque, particulièrement avec des compétences comme les siennes. Papa avait 29 ans et il a travaillé au même endroit durant 30 ans.

Ma mère est arrivée en juillet 1970 et elle a rapidement été engagée comme couturière à la buanderie Steam Laundry de Sudbury. Elle travaillait déjà lorsque mes deux frères cadets et moi avons immigré au Canada. J'avais 12 ans, Patrick (Rex), 10 ans, et Markel, 8 ans. Hopeton, de deux ans mon aîné, est resté en Jamaïque chez nos grands-parents et est venu nous rejoindre cinq ans plus tard.

Nous avons atterri à Toronto en août 1970. C'était un samedi, mais papa était au boulot parce qu'il ne refusait jamais les heures supplémentaires. Il n'avait donc pas été en mesure de venir à l'aéroport avec maman, qui s'était confiée à Mme Gray, une nouvelle collègue : « Je dois aller chercher les enfants à l'aéroport et je ne sais pas comment je vais faire parce que Syl travaille. » Mme Gray lui était revenue rapidement avec une solution : son mari, un mineur de l'Inco, l'y conduirait. Ainsi, M. Gray a emmené ma mère à l'aéroport

Papa dans son emploi de mécanicien de moteurs diesel

de Toronto et nous a tous raccompagnés à Sudbury, un voyage de 10 heures aller-retour. Mon père m'a confirmé cette histoire et il m'a expliqué que M. Gray avait même refusé qu'on paie l'essence et avait rappelé à mes parents qu'il était un immigrant, lui aussi. Des gens lui avaient prêté main-forte quand il avait quitté l'Irlande pour s'établir au pays et il souhaitait aider quelqu'un en retour. Je n'oublierai jamais ce geste généreux, bienveillant et attendrissant qui nous a accueillis au Canada.

Mes frères et moi faisions notre baptême de l'air. Les seuls avions qu'il nous avait été donné de voir auparavant volaient au-dessus de nos têtes. Je me rappelle encore le vrombissement des hélices. Comme nous voyagions seuls, un membre du personnel veillait sur nous. Nous n'étions pas assis les trois côte à côte parce qu'il n'y avait que deux sièges par rangée. L'unique souvenir que j'ai gardé du repas qu'on nous a servi, c'est qu'il était différent de ce que nous mangions habituellement.

En mettant le pied dans l'aérogare, j'ai aussitôt remarqué une odeur et une sensation particulières : celles de l'air rafraîchi artificiellement. La climatisation était un nouveau concept pour moi. Puis, je me souviens d'avoir vu ma mère derrière des barreaux. Je ne sais pas qui, d'elle ou de nous, se trouvait dans une espèce de cage. Nous avons dû franchir une clôture métallique avant de la retrouver enfin. J'étais tellement heureux ! M. Gray nous a acheté des hot-dogs à l'aéroport ou sur la route, je ne me rappelle plus. Quand il a demandé si nous en voulions, Rex a répondu : « On ne mange pas de chiens en Jamaïque. » Le terme « hot-dog » était inconnu pour nous. Même si nous n'avions jamais goûté ce classique, nous le connaissions sous le nom de *wiener*. Mes frères et moi rions encore de l'anecdote. Je me suis régalé, ce qui n'étonnera personne.

Les premiers temps, oncle Leslie et tante Irma nous ont accueillis tous les cinq chez eux, rue Leslie, à Sudbury. Eux aussi ont fait preuve d'une bonté que je n'oublierai jamais. S'ils ne nous avaient pas parrainés, je pense que l'Équipe Subban n'existerait pas. Un mois plus tard environ, mes parents ont loué un logement dans la rue Peter, qui s'appelle aujourd'hui la rue Mountain.

Nos souvenirs de Sudbury sont marqués par la façon dont les gens nous ont aidés. Comme l'a dit mon père : « Les gens étaient bons, et les expériences aussi. » Mme Lil Dasty, qui porte maintenant le nom de Mme Gagnon, a été l'une des personnes les plus généreuses à notre égard. Elle habitait avec son mari et ses deux enfants tout près de chez nous, rue Leslie. Elle était à elle seule un véritable comité d'accueil et a tout expliqué de notre nouveau pays à mes parents. Mme Lil travaillait comme secrétaire médicale dans l'immeuble Woolworth et son patron est devenu notre médecin de famille. Elle nous a dit comment nous habiller en hiver et nous a donné des articles d'occasion. Elle m'a servi mon premier spaghetti. Nous avons adopté sa cuisine et elle a fait de même avec la nôtre.

Aujourd'hui octogénaire, Mme Lil prend encore de nos nouvelles. Elle a même connu nos enfants, surtout Taz, Natasha et P.K., qui ont passé beaucoup d'étés chez mes parents à Sudbury. Un jour, l'équipe de hockey junior de P.K., les Bulls de Belleville, est allée disputer une partie captivante à Sudbury contre les Wolves en séries éliminatoires. Belleville a perdu en troisième période de prolongation et Sudbury a donc participé au championnat de la LHO. P.K. a écopé d'une punition discutable, un vrai cas de favoritisme local. Je suis son père, alors je peux me permettre de le penser, n'est-ce pas ? Après la partie, les joueurs des Bulls, vraiment déçus, traînaient dans le vestiaire. Mme Lil, qui avait dans les 70 ans, s'est pointée devant un entraîneur ou un autre représentant de l'équipe qui se tenait à la porte et a demandé : « Pouvez-vous dire à P.K. que je suis ici ? » L'homme est donc entré et a annoncé : « P.K., il y a une vieille femme blanche qui t'attend. » P.K., qui a immédiatement deviné de qui il s'agissait, s'est empressé de sortir saluer Mme Lil. Sa carrière de hockeyeur lui a permis de renouer ce lien.

La vie à Sudbury a nécessité quelques ajustements. Premièrement, il a fallu nous habituer à rester dans la maison

Karl et Patrick à Sudbury

alors qu'en Jamaïque mes frères et moi passions tout notre temps dehors. Nous sommes arrivés plusieurs semaines avant la rentrée scolaire, en août. Comme ma mère travaillait, elle nous a demandé de demeurer à l'intérieur à regarder la télévision sans faire de bruit et m'a chargé de préparer à manger à mes frères.

J'avais vraiment le mal du pays. Je m'ennuyais de la Jamaïque, de mes amis et de ma vie d'avant, sans compter que j'étais confiné à la maison. Par la fenêtre, j'apercevais des jeunes qui ne me ressemblaient pas, ce qui m'a beaucoup marqué. La population de la Jamaïque était passablement diversifiée : il y avait aussi bien quelques citoyens blancs que des citoyens d'origine chinoise et indienne. Les Jamaïcains avaient toutes les couleurs de peau, alors que, à Sudbury, je voyais surtout des Blancs et des enfants à vélo, un jouet que je n'avais pas. Tout était si nouveau, si différent. Heureusement, peu de temps après, à la rentrée scolaire, nous avons eu la permission de sortir jouer avec les autres jeunes du quartier et nous nous sommes fait des amis.

Il a aussi fallu nous habituer à la langue. Même si on parle anglais en Jamaïque, il s'agit d'un patois, une forme de créole basé sur l'anglais. À l'époque, au Canada, on classait automatiquement les nouveaux immigrants dans un niveau scolaire inférieur à celui de leur pays d'origine ; j'ai donc entamé mes études en cinquième année plutôt qu'en sixième. Cela m'agaçait d'être plus âgé que mes camarades, ce qui n'a pas aidé à mon intégration.

Toutefois, je dois dire que mon premier enseignant, M. Kangas, était formidable. À deux ou trois reprises, il m'a demandé d'aller devant la classe pour présenter mon pays : « Karl, parle-nous de ce que tu connais. » Je me sentais vraiment spécial. Je racontais alors des souvenirs de la Jamaïque qui étaient encore frais dans ma mémoire. Je leur parlais de l'école, du cricket, des fruits qui poussaient dans les arbres et des baignades dans l'océan, toutes ces choses que je savais depuis toujours, qui m'intéressaient, qui faisaient partie de moi. Curieux, mes compagnons me posaient beaucoup de questions. Je me suis rapidement senti à l'aise. M. Kangas a misé sur mes expériences pour me donner confiance en moi et permettre à mes camarades de me connaître. Quelle belle leçon pour un futur enseignant !

Une autre anecdote me vient à l'esprit. J'étais en sixième année et nous réalisions un bricolage en papier mâché. Je me suis adressé à mon enseignante parce que je manquais de papier journal : « Mademoiselle, où est le *Gleaner* ? » Elle m'a regardé, intriguée. J'ai répété ma question, ignorant pourquoi elle ne me comprenait pas. Le quotidien de la Jamaïque s'appelait le *Daily Gleaner* et je n'avais jamais entendu le mot « journal ».

En plus de ma tante, de mon oncle, de la famille Gray et de Mme Lil, les enfants de la rue Peter ont aussi facilité ma transition entre la Jamaïque et mon nouveau pays, surtout le premier hiver. Et c'était toute une adaptation ! Pensez-y : à peine quelques mois plus tôt, nous avions troqué le climat chaud, les arbres fruitiers et l'eau tiède de la mer contre la forêt boréale dense et le paysage accidenté du Bouclier canadien où abondent les orignaux, les loups et les mines de nickel profondes de milliers de mètres... sans oublier la neige. J'ignorais ce qu'était la neige : je n'en avais vu ni dans les livres ni à la télévision du centre communautaire. Je n'avais jamais fait le lien entre les gigantesques bancs de neige qui encombraient les rues de Sudbury et la glace pilée servant à confectionner les « balles de neige » aromatisées que nous achetions en Jamaïque d'un vendeur itinérant. Celui-ci poussait une charrette à bras dans laquelle il transportait un énorme bloc de glace qu'il raclait avec un rabot pour former une boule qu'il aspergeait ensuite de sirop de fraise. J'étais loin de me douter que mon avenir au Canada serait façonné par la neige et la glace, et que je troquerais ma batte de cricket contre un bâton de hockey.

Au bout de la rue Peter se trouvaient une école et une patinoire extérieure. L'hiver commençait tôt à l'époque. À l'arrivée du temps froid, les bandes étaient installées et on sortait les patins. Je ne me rappelle pas la première chute de neige que j'ai vue, mais c'était probablement sur le chemin de l'école. Mon père se souvient de m'avoir vu rentrer à la maison en larmes parce que j'avais froid. Nous avons fini par nous adapter et par adorer l'hiver pour le plaisir qu'il nous procurait. Mes petits voisins n'ont pas tardé à m'inviter à jouer au hockey dans la rue ou sur la patinoire. Comme je n'avais pas de patins, je jouais devant le filet, chaussé de mes

bottes. J'étais intrigué par la glace, par le fait que l'eau dur-
cissait à l'extérieur. Nous organisions aussi beaucoup de parties dans la rue et je pouvais alors ne pas être gardien de but.

Le sport était une façon formidable de se mêler aux
autres. Je n'étais pas le meilleur élève, mais j'ai pu me faire
des amis et me sentir bien dans ma peau grâce à mes talents
d'athlète. J'étais fier d'avoir réussi à m'intégrer, j'étais le Ken
Dryden en bottes. À l'adolescence, mes parents m'ont acheté
des patins à l'Armée du Salut, mais il était trop tard pour
que je rattrape le temps perdu. J'ai appris à patiner, mais pas
suffisamment bien pour faire partie d'une ligue. C'est le nerf
de la guerre au hockey : on ne peut pas jouer si on ne sait pas
patiner. À cela s'ajoutent le coût de l'équipement et les autres
frais. À 30 ans, mes parents avaient 4 enfants. Ils travaillaient
pour réaliser les rêves qu'ils caressaient pour eux et pour
nous, mais leur portefeuille ne leur permettait pas d'élever
un hockeyeur.

J'ai commencé à aimer le hockey en le pratiquant avec
les enfants du quartier, des francophones pour la plupart. Je
me suis mis à suivre les Wolves de Sudbury, l'équipe locale
de la LHO. J'écoutais leurs matchs à la radio ou bien j'allais
les voir à l'aréna de Sudbury avec mon meilleur ami, Allan
Peltoniemi, qui jouait plutôt bien. J'y ai vu évoluer de nombreux jeunes qui sont devenus des légendes, comme Wayne
Gretzky. Je suis tombé amoureux du sport et je souhaitais
désespérément faire partie de la LHO. Je n'en ai jamais eu la
chance, mais ma passion pour le hockey et le désir d'y jouer
ne m'ont jamais quitté.

Nous avions accès à un nombre limité de chaînes de télévision, deux en fait : une en français et l'autre en anglais.
Pour une raison que j'ignore, nous captions plus de matchs
des Canadiens de Montréal que des Maple Leafs de Toronto.

J'ai commencé à regarder les parties des Canadiens, qui étaient toutes diffusées sur la chaîne française, ce qui causait des frictions à la maison. Mes parents venaient de débarquer dans un nouveau pays et voilà que je voulais écouter la télévision en français. Ils me disaient : « Tu ne saisis même pas ce qu'ils disent. » Les soirées étaient consacrées à la famille, mais personne d'autre que moi ne voulait suivre un match dans une langue qu'il ne comprenait pas.

C'est ainsi que mon amour pour le Tricolore a grandi. Il faut préciser que Montréal avait des équipes formidables dans les années 1970. Au printemps 1971, Ken Dryden a été rappelé de la LAH juste avant les séries et, contre toute attente, il a été sélectionné comme gardien de but partant pour les matchs d'après-saison. Il a connu des éliminatoires légendaires en frustrant, dès la première ronde, les champions en titre, les Bruins de Boston, qui étaient de grands marqueurs. La finale de la Coupe Stanley contre les Blackhawks de Chicago a été enlevante. Cette saison s'est conclue par la victoire du Tricolore au septième match, disputé à l'extérieur. Dryden a été nommé le joueur le plus utile des séries. Tassez-vous, Garfield Sobers et le cricket, et laissez la place à Ken Dryden et au hockey !

Les garçons de la rue Peter parlaient français lorsqu'ils ne voulaient pas que je les comprenne. Par contre, je saisissais quelques mots – dont certains plutôt colorés qui n'auraient pas dû figurer dans mon vocabulaire – parce que j'étais toujours avec eux et qu'ils m'invitaient même parfois à leur table. Nous jouions aussi à la crosse et à d'autres jeux de cour d'école.

Une chose me dérangeait vraiment à l'époque, c'était d'entendre dire que les Noirs ne pouvaient pas jouer au hockey ni bien patiner parce qu'ils avaient des chevilles faibles.

Comment réagir, sachant que ma mission la plus importante était de m'intégrer ? J'en riais en public, mais, dans mon for intérieur, je voulais prouver le contraire. J'ai alors pris la décision de ne pas éprouver d'amertume et de montrer que j'étais meilleur que l'idée qu'on avait de moi ou du groupe auquel on m'identifiait.

Quand je me comparais à mes amis, sur tous les points, je ne trouvais aucune preuve pour soutenir la théorie des chevilles faibles et je me doutais qu'elle était fausse. Personne ne me taquinait, mais cette prétendue théorie m'a obsédé et s'opposait à l'individu que j'étais en train de devenir : je croyais en moi, en mes capacités et en mon potentiel. Je n'ai jamais pensé que c'était du racisme. D'ailleurs, je n'associe aucune de mes expériences vécues à Sudbury à mes origines. Personne n'a dit que je ne pourrais pas jouer au hockey parce que j'étais noir. Tous mes amis étaient blancs et ils m'invitaient à me joindre à eux. Je ne sentais pas que mon estime personnelle était atteinte, bien au contraire : j'étais encore plus déterminé à leur prouver qu'ils avaient tort.

Ce qui comptait le plus, c'est que je me prouvais à moi-même que j'avais raison. Je n'ai pas arrêté de jouer au hockey ni de m'y intéresser. Je me projetais dans ce sport comme le faisaient mes camarades de la rue Peter : je jouais, je m'amusais, je me mesurais aux autres et je vivais mon rêve par l'entremise de mon joueur préféré. Mon amour du hockey a continué à croître avec la création de l'Équipe Subban. Maria, les filles et moi patinions en famille et, lorsque les garçons sont nés, nous avons poussé cet intérêt plus loin. La théorie des chevilles faibles est morte et enterrée depuis longtemps.

La découverte du hockey sur glace a été un élément déterminant, qui a permis au jeune immigrant jamaïcain que j'étais de se sentir canadien. J'ai vécu un deuxième événement marquant à 16 ans, quand nous sommes officiellement devenus citoyens canadiens. Je n'oublierai jamais ce jour. C'était en 1974, quatre ans après notre arrivée au pays. Ma famille et moi nous sommes rendus au bureau de poste, vêtus de nos plus beaux atours. J'ai pleuré lorsque nous avons entonné l'*Ô Canada*. J'ai eu la chance de devenir canadien deux fois : le jour où j'ai découvert le hockey sur glace et le jour où j'ai obtenu la citoyenneté.

Pour de nombreuses raisons, Sudbury était l'environnement idéal pour élever des jeunes. Nous y avions peu de distractions. Nous ramassions des bleuets et des pommettes, nous jouions au hockey, à la crosse, au baseball ou au football. Nous étions trop occupés à nous amuser pour courir après les ennuis. Le dicton *L'oisiveté est la mère de tous les vices* ne s'appliquait pas à nous parce que nous n'avions pas le temps de nous tourner les pouces.

On nous a graduellement accordé, à mes frères et à moi, plus de libertés et confié plus de responsabilités. Maman ne restait plus à la maison avec nous comme c'était le cas en Jamaïque. Mon père et ma mère partaient travailler tôt le matin et rentraient vers l'heure du souper. Nous étions à la maison à leur départ et à leur arrivée chaque jour. Si mes parents ne pouvaient pas préparer le repas, c'était moi qui le faisais. Ils s'y attendaient et j'ai accepté cette responsabilité de bon cœur. Après tout, j'adorais cuisiner et j'adorais manger.

Vers 12 ans, j'ai développé un nouveau rêve en m'intéressant au basketball. Ma grand-mère paternelle, Edna Williams, avait déménagé à Toronto et nous lui rendions visite plusieurs fois par année. Nous en profitions pour aller au marché Kensington afin de nous y procurer des vête-ments et des aliments impossibles à trouver à Sudbury, comme de la viande de chèvre ainsi que du poisson et des fruits tropicaux. Ma grand-mère, qui avait plus de 70 ans, avait accès à des chaînes de télévision que nous n'avions pas. C'est chez elle que j'ai vu ma première partie de la NBA. Le samedi ou le dimanche après-midi, je passais des heures à regarder le basketball au petit écran. Je me souviens d'avoir vu les Lakers de Los Angeles et j'étais fasciné par le tir à bras roulé (*skyhook*) de Kareem Abdul-Jabbar. C'est comme ça que tout a commencé. Aujourd'hui encore, je suis renommé pour ma technique du bras roulé. Si mes parents considé-raient ces excursions à Toronto comme d'importantes séances de magasinage, j'avais mes propres priorités et les parties de la NBA à la télévision arrivaient en tête.

Avant que mes parents aient les moyens de s'acheter une voiture, c'était notre ami Sunny qui nous emmenait. Nous payions l'essence et ma mère préparait des sandwichs pour la route. Comme il n'y avait pas de GPS à l'époque, Sunny suivait l'autocar de la compagnie Greyhound, du terminus au centre-ville de Sudbury jusqu'à Toronto. Nous ne nous sommes jamais perdus. Nous faisions le même arrêt que l'autocar à Parry Sound (la ville natale de Bobby Orr!) pour nous dégourdir les jambes, utiliser les toilettes et faire le plein.

À mon arrivée à l'école publique College Street en sep-tième année, j'ai voulu faire partie de l'équipe de basketball, mais je n'ai pas été sélectionné. Mon orgueil en a pris un coup parce que je me considérais comme un bon athlète. Plutôt que de me laisser abattre, j'ai décidé de m'entraîner à fond avant les essais de huitième année.

Je m'exerçais donc tous les jours dans la cour d'école, qu'il fasse 3 ou 30 degrés. Je perfectionnais mon jeu. J'ai été accepté dans l'équipe dès l'année suivante et ma carrière de basketteur a commencé à décoller.

J'ai alors entrepris de m'entraîner à la maison. J'ai creusé un trou dans la cour et j'y ai planté un poteau de bois que mes parents utilisaient pour y suspendre une corde à linge. J'ai acheté un anneau et je l'ai fixé au poteau. Je passais des heures à jouer au basketball, à perfectionner mon *jump hook* (une variante du tir à bras roulé), mes lancers francs et mes mouvements. Je sautais à la corde. J'ignore combien de milliers de sauts je faisais chaque jour. Avant que mes parents aient aménagé le sous-sol de la maison, je m'y exerçais à dribler. J'élaborais une routine différente pour chaque chanson que j'entendais à la station de radio CKSO. Si elle durait deux minutes, par exemple, je driblais en *Figure 8* pendant deux minutes. Le soir, quand ma mère, qui se levait tôt, se préparait à aller se coucher, elle frappait sur le plancher en criant : « Karl ! Arrête avec ton ballon ! »

Un jour, j'ai commandé par la poste un programme d'entraînement que j'avais vu annoncé dans un magazine. J'ai suivi religieusement chaque étape et j'ai tellement bien assimilé ces exercices que je les ai utilisés plus tard pour entraîner Taz et Tasha au basketball et mes fils au hockey. Les exercices comprenaient des sauts et des courses. Par exemple, il fallait sauter sur place en ramenant les genoux à la poitrine ou installer des repères sur un terrain et sprinter sur 30 verges, jogger sur 10, sprinter sur 60, jogger sur 10 et finir par un sprint de 90 verges. J'ai commencé par en faire trois séries et j'ajoutais une autre par semaine. À la fin, je faisais sept séries, trois fois par semaine. J'ai même porté une veste lestée pour accroître le niveau de difficulté. En plus de suivre ce programme d'entraînement, j'ai emprunté à la bibliothèque des livres sur l'art du lancer signés par des légendes comme John Havlicek et Pete Maravich. J'étais mon propre entraîneur.

Le basketball a eu une autre influence sur moi. À mon arrivée au Canada, j'avais des difficultés en classe. La plupart des élèves se retrouvent dans cette situation pour une de ces deux raisons : soit ils manquent de motivation, soit ils sentent qu'ils n'ont pas les compétences nécessaires. Je voulais apprendre, mais j'avais des problèmes de lecture. Mon amour pour le basketball m'a amené à lire sur ce sport et ma mère m'a offert un abonnement à un magazine mensuel intitulé *Basketball Digest*. Quand j'ai commencé à rêver d'une carrière dans la NBA, je voulais tout savoir sur les joueurs de la ligue. Je me disais que, si j'en savais davantage à leur sujet, si je faisais les mêmes exercices qu'eux, si je m'entraînais comme eux, je pourrais devenir comme eux. Aujourd'hui, je constate à quel point le *Basketball Digest* m'a aidé à améliorer mes compétences de lecteur et de basketteur.

J'idolâtrais, entre autres, Marvin Barnes, une vedette du Providence College qui avait été sélectionnée par Philadelphie au deuxième rang du repêchage de la NBA en 1974, après avoir mené au classement pour le nombre de rebonds lors de sa dernière année universitaire. J'aimais sa façon de jouer et j'aimais, particulièrement, sa forte personnalité. Barnes a évolué deux ans avec le club de Saint Louis dans l'American Basketball Association, puis il a porté l'uniforme de quatre équipes de la NBA.

En 2013-2014, Maria et moi sommes allés voir jouer Malcolm, au centre Dunkin' Donuts, au cours de sa première année comme gardien de but avec les Bruins de Providence. Quand j'ai levé les yeux au plafond, mon regard s'est arrêté sur une des bannières qui y étaient suspendues : celle de Marvin Barnes, le numéro 24. En effet, c'était là que les

Friars, l'équipe de basketball du Providence College, disputaient leurs matchs. Le chandail de Barnes avait été retiré en 2008. Ce joueur très talentueux avait malheureusement souffert de dépendance à l'alcool et aux drogues. Il est mort en septembre 2014, à l'âge de 62 ans. Son histoire est la preuve qu'on peut réussir au basketball, mais qu'il faut aussi réussir sa vie. Bien entendu, j'ignorais tout de ses problèmes quand j'étais adolescent, mais il est important d'admirer certaines personnes et de vouloir suivre leurs traces. Il n'y a rien de mal à essayer d'atteindre leur niveau.

Quand j'étais au secondaire, mes parents ont acheté une maison neuve dans une municipalité à l'extérieur de Sudbury appelée Val Caron. Ils ont vécu au 3858, rue Velma pendant 30 ans dans cette maison qu'ils adoraient et où ils recevaient souvent leurs nombreux amis, des Noirs et des Blancs. C'étaient des confrères de la mine et des collègues de l'hôpital Memorial de Sudbury, où ma mère avait décroché un emploi de technicienne de laboratoire après avoir repris ses études. Mes parents adoraient recevoir et il y avait toujours de la nourriture, de la boisson et de la musique en abondance.

Notre maison était un endroit joyeux, mais elle se trouvait loin de l'école secondaire de Sudbury que je voulais continuer à fréquenter. Je faisais partie de l'équipe de volley-ball parce que j'aimais ce sport, mais aussi parce que j'avais lu quelque part qu'il me permettrait d'améliorer mes sauts et mon synchronisme, des compétences essentielles au basketball. La première année, comme j'étais devenu un bon joueur à force de travail, l'entraîneur de volleyball, Terry Kett, s'est arrangé pour qu'un enseignant qui habitait près de chez moi m'emmène à l'école tous les matins. Pour rentrer à la maison, je devais prendre le dernier autobus qui ne faisait pas partie du réseau de transport de la ville de Sudbury, qui coûtait cher et circulait à un horaire irrégulier. L'année suivante, j'ai dû voyager en autobus soir et matin. Pour payer les frais, j'ai trouvé un emploi à l'épicerie A&P. Comme tous bons parents, ma mère et mon père craignaient que mes journées soient trop longues, mais j'étais déterminé à faire les efforts nécessaires pour que ça fonctionne. C'est ce que j'ai fait et j'ai mérité le respect de mes parents malgré leurs inquiétudes. J'ai appris qu'on pouvait réussir quand on le voulait vraiment.

J'ai commencé à travailler chez A&P dès l'âge de 16 ans. Je détestais embêter constamment mes parents pour qu'ils me donnent de l'argent et je savais que je pouvais intégrer cet emploi à mon horaire. Je recevais 2,75 dollars l'heure et je bossais de 15 à 20 heures par semaine. Le jeune homme que j'étais en a tiré des leçons, notamment l'importance de faire des efforts pour obtenir ce qu'on veut.

J'ai aussi appris une deuxième chose que je n'ai jamais oubliée. Le mardi, je faisais le ménage avec un autre employé à temps partiel. Un bon soir, il m'a informé que le gérant lui avait demandé de garder l'œil sur moi. J'étais surpris : « Qu'est-ce que tu veux dire par "garder l'œil sur moi" ? Je ne fais rien de mal : je viens ici, je travaille fort et je rentre chez moi. » Peu de temps après, la semaine suivante peut-être, il a répété sa mise en garde au début de notre quart de travail. Quelques heures plus tard, tandis que je nettoyais la cuisinette des employés, le gérant et le chef de rayon nous ont convoqués tous les deux. Ils nous ont informés que l'un de nous brisait le sceau des bouteilles de boisson gazeuse pour trouver la capsule gagnante du concours « Maison de rêve ». J'ai affirmé que ce n'était pas moi, mais je comprenais pourquoi on me soupçonnait : tout le monde aimait mon collègue qui était responsable de quart, et nous étions les deux seuls au magasin à cette période de la journée.

Peu après cette rencontre, celui-ci a avoué sa culpabilité. J'ai failli m'évanouir d'étonnement. Jamais je ne l'aurais pensé capable d'une chose pareille. Cet incident m'a ouvert les yeux. J'ai appris une leçon très précieuse que j'ai transmise à mes enfants : il faut faire confiance aux autres dans la vie, mais il faut aussi être prudent. Les gens sont capables de presque tout et rien ne devrait nous choquer ou nous surprendre. Je fais encore confiance aux gens, mais, en même temps, je n'ai confiance en personne, si vous voyez ce que je veux dire. Même pas en mes propres enfants. S'il leur arrivait de commettre une bêtise, je n'étais pas en état de choc. On ne doit jamais s'étonner de ce que les autres sont capables de faire. Heureusement, ça fonctionne dans les deux sens : les gens peuvent également nous réserver de belles surprises.

J'ai appris une dernière leçon chez A&P : je ne voulais pas y travailler jusqu'à la fin de mes jours. Beaucoup de choses me plaisaient : emballer les achats, bavarder, aller porter les sacs dans le coffre des voitures des clients et les aider à trouver un produit sur les rayons. J'ai su à cet âge que j'aimais servir les gens et travailler avec le public. Mais j'ai également appris que je voulais faire davantage.

C'était pour améliorer notre sort, pour nous permettre d'aller plus loin, que mon père et ma mère s'étaient établis à Sudbury. Ils aidaient aussi leurs familles. La générosité de mon oncle Leslie a incité mes parents à parrainer des immigrants à leur tour, notamment ma grand-mère Vashtie, qui s'est installée à Sudbury en 2000, après que ma mère a succombé à un cancer du sein à l'âge de 59 ans. Ma grand-mère,

Patrick, Karl, Markel, Sylvester et Fay

qui était veuve, était venue assister aux funérailles de sa fille, une journée infiniment pénible pour elle. Mon père l'a parrainée et elle a pu rester au Canada. À sa mort, six ans plus tard, nous avons envoyé son corps en Jamaïque pour qu'elle soit enterrée à côté de son mari.

J'ai demandé à mon père de me parler des difficultés que ma mère et lui avaient rencontrées en s'établissant au Canada. Il m'a dit qu'il avait été inquiet à l'idée que maman soit sur le marché du travail parce qu'il ignorait si elle arriverait à s'adapter. Mais elle venait d'une famille d'ouvriers et elle n'avait pas peur de se relever les manches. Elle avait vu faire ses parents et ses grands-parents.

J'ai aussi voulu savoir ce qu'il pensait que ma mère et lui avaient légué à leurs enfants. Sa réponse : travailler fort, être respectueux et faire preuve d'intelligence. Ça allait vraiment mal pour nous quand l'école appelait à la maison pour prévenir mes parents que nous ne faisions pas nos devoirs, mais c'était pire encore si on leur apprenait que nous avions été insolents. Ils ne voulaient pas que nous les décevions et nous avons pris soin de ne pas le faire. Nous faisions en sorte qu'ils se sentent fiers de nous.

Je l'ai constaté avec mes succès sportifs. Quand il y a eu des articles dans le journal ou qu'on a cité mon nom à la radio en tant que bon marqueur au secondaire, mes parents étaient heureux parce que nous réussissions dans un domaine. Notre famille réalisait le rêve canadien qu'ils caressaient lorsqu'ils vivaient dans leur patelin en Jamaïque. Toutefois, mon rêve, ma grande passion à moi, ne s'était pas encore matérialisé. Il demeurait au fond de moi, attendant d'être éveillé, comme un géant endormi. C'était sur le point de changer.

Chapitre 4
Le réveil du géant endormi

En 1979, quand je me suis installé à Thunder Bay, en Ontario, je nourrissais un grand rêve : celui de jouer au basketball dans la NBA. Sur la route menant de Sudbury à l'Université Lakehead, un trajet de 10 heures à travers les forêts pratiquement interminables du nord-ouest ontarien, j'étais loin d'imaginer qu'un avenir tout à fait différent m'attendait.

Thunder Bay est une ville industrielle éloignée dont les 110 000 habitants ont le cœur à l'ouvrage. Située sur les rives rocheuses du lac Supérieur, le plan d'eau douce le plus vaste au monde, elle est née en 1970 de la fusion des villes de Port Arthur (au nord) et de Fort William (au sud). En face, de l'autre côté de la baie, se trouve une péninsule surmontée d'une énorme formation géologique appelée « Sleeping Giant » (le géant endormi) parce qu'elle évoque la silhouette d'un homme allongé sur le dos, les bras croisés sur la poitrine. Ses falaises s'élèvent jusqu'à 240 mètres au-dessus des eaux froides et sombres du lac.

C'est Don Punch, mon ex-entraîneur à l'école secondaire de Sudbury, qui m'a recruté pour jouer au basketball avec les Nor'Westers. Don avait été engagé à l'Université Lakehead avant que j'entre en treizième année et m'a demandé de me joindre à sa nouvelle équipe. Lakehead n'était pas la seule université intéressée par mes services. George Burger, directeur sportif de l'Université de l'Île-du-Prince-Édouard, m'avait invité à m'installer dans l'Est, tandis que l'école Mansfield State, un établissement du nord de l'Ohio faisant partie du réseau universitaire de l'État, m'avait en plus offert une bourse. J'ai décidé que Lakehead était l'endroit idéal pour moi : j'aimais Don, sans compter que mon ami du secondaire Ned Janjic allait aussi faire partie de l'équipe.

Mon rêve d'être recruté par la NBA m'obnubilait. Je me levais chaque matin en le vivant, en y pensant ou en travaillant pour le réaliser. Il était ancré si profondément en moi que j'ai tout fait pour le concrétiser. Toutefois, ayant rarement regardé des matchs à la télévision dans mon enfance, je n'avais pas pu observer des joueurs universitaires et professionnels en action. À mon arrivée à Lakehead, je n'étais donc pas dans une position avantageuse pour mener à bien mon idée. Ce dont j'avais la certitude, par contre, c'est que je devais avant tout faire partie d'une ligue universitaire pour espérer être recruté dans la NBA.

Mon projet n'était pas complètement farfelu. Jim Zoet, un joueur étoile de Lakehead qui a obtenu son diplôme l'année précédant mon entrée à l'université, a eu un avant-goût de ce rêve. Ce pivot mesurant plus de 2,15 mètres a été, pendant trois saisons, athlète boursier à l'Université Kent State, puis a porté l'uniforme de Thunder Bay pendant deux ans (en 1976-1977 et 1977-1978). Zoet marquait en moyenne 19 points par match et ses performances lui ont valu le titre de joueur étoile du Canada au cours de ses deux saisons avec les Nor'Westers. Il a d'ailleurs mené cette formation à son premier championnat de l'Union sportive interuniversitaire canadienne l'année de son entrée dans l'équipe. Après ses études à Lakehead, Zoet a fait partie de l'équipe olympique de basketball en 1980.

Zoet n'a jamais été repêché par la NBA, mais il a eu le plaisir de porter le chandail numéro 40 des Pistons de Detroit en 1982. Cette année-là, il a disputé sept parties avec des stars du basketball comme Isiah Thomas, Bill Laimbeer, Vinnie Johnson et Kelly Tripucka. Enfin, il a joué dans les rangs professionnels en Europe, en Amérique latine et aux Philippines.

J'ai commencé à économiser pour mes études alors que j'entrais en treizième année. Je confiais à ma mère mes chèques de paie de l'épicerie A&P et, le jour de mon départ pour l'université, elle m'a remis 700 dollars. Je me suis rendu à Thunder Bay avec Ned et mon ami d'enfance Micho Srdanovic, qui allait lui aussi fréquenter Lakehead. Micho avait une quinzaine d'années lorsque son père a péri dans un accident de travail à la mine et il a hérité de sa Pontiac Laurentian grise qui, des années plus tard, nous a transportés jusqu'à l'université.

Je voyageais léger à l'époque : je n'avais apporté qu'un sac de sport contenant mon équipement de basketball et deux sacs à ordures remplis de vêtements. Nous sommes arrivés à Thunder Bay un jeudi de la mi-août. Le lundi matin, il ne restait rien de mon argent et je ne l'avais pas dépensé pour payer mon loyer, mes livres ou mes droits de scolarité. Cette fin de semaine là, je m'étais éclaté avec mes vieux amis et quelques nouveaux coéquipiers. Je n'avais pas été le seul à m'amuser, mais j'ai appris que je ne pouvais plus gaspiller mon temps et mes économies de cette façon, puisque j'ai dû me rattraper pendant toute l'année scolaire. Je n'ai pas parlé à mes parents de ces folles dépenses et je n'aurais jamais osé leur emprunter de l'argent.

À la rentrée, j'ai dû me mettre à l'ouvrage. Je savais que je devais avoir de bonnes notes si je voulais exceller au basketball et que je devrais avoir la même discipline en classe que dans le gymnase. Réussir ses études, c'est facile comme ABC : A pour « assister régulièrement aux cours », B pour « bon comportement » et C pour « compléter les travaux scolaires ». Je pense avoir été l'un des rares membres de l'équipe à avoir réussi tous ses cours cette année-là.

J'ai dû déployer beaucoup d'efforts parce que je n'étais pas naturellement doué pour le basketball. Avant et après les entraînements, je sautais à la corde ou je soulevais des poids. L'été, je restais à Thunder Bay et je passais mes temps libres à faire des sprints sur le terrain à côté du gymnase.

Ma première année chez les Nor'Westers s'est plutôt bien déroulée et, à l'été de 1980, avant de commencer ma deuxième année, j'ai occupé un emploi de moniteur au camp de basketball Abitibi-Price de l'Université Lakehead pour subvenir à mes besoins. J'ai découvert que j'avais un talent naturel pour travailler avec les enfants et qu'eux adoraient travailler avec moi parce qu'ils me trouvaient accessible et sympathique. Ce qu'ils ignoraient probablement, c'est que je les aimais encore plus. J'ai beaucoup appris de cette expérience. Au cours de ma première année d'université, j'avais suivi des cours d'administration et d'éducation physique, sans pour autant savoir dans quelle branche me diriger. À la fin du camp, j'ai compris que j'adorais travailler avec les jeunes et, dès ma deuxième année, je me suis inscrit à des cours qui me permettraient d'obtenir un diplôme en enseignement.

En choisissant cette voie, je me rendais compte peu à peu que mon rêve de jouer au basketball professionnel ne se matérialiserait pas. Il arrive dans la vie que les projets que nous caressons ne se réalisent pas, et ce n'est pas toujours une question de paresse. C'est comme ça, c'est tout. Il faut rêver, c'est nécessaire, mais il faut aussi savoir reconnaître les signes d'un rêve hors de portée.

J'étais un assez bon joueur. Je me suis retrouvé dans la première ou la deuxième équipe d'étoiles de la conférence Great Plains au cours de quatre de mes cinq saisons à Lakehead. Une année, j'ai été meneur de la ligue pour les rebonds. Au sein de ma formation, j'ai aussi obtenu une fois le titre de meilleur pointeur et deux fois celui de joueur le plus utile. Malgré toutes ces réussites, je n'ai jamais été admis dans l'équipe nationale junior, ce qui signifiait qu'il m'était impossible de faire carrière dans la NBA. Bien sûr, j'étais déçu, mais comme j'avais trouvé autre chose que je voulais faire, j'ai accepté plus facilement d'abandonner mon rêve de devenir joueur professionnel.

Cette expérience m'amène à aborder un point important : ce qu'il y a en nous détermine ce qu'il y a devant nous. Thunder Bay m'en montrait une illustration parfaite avec le Sleeping Giant que je voyais de mon appartement au centre-ville de Port Arthur. Nous avons tous en nous un géant endormi, c'est-à-dire un potentiel en dormance. Nous devons trouver comment le réveiller et lui donner vie. C'est à Thunder Bay, à l'Université Lakehead, que j'ai découvert que le travail avec les enfants et l'enseignement deviendraient ma passion et feraient naître celui que j'allais devenir.

Au cours de ma première année à Lakehead, j'habitais avec Ned, mon ami du secondaire, au 87, rue Matthew. La maison comportait trois chambres, mais le terme n'était pas bien choisi pour la mienne, puisque je n'avais même pas de lit : je dormais sur le plancher enroulé dans un édredon. Ned occupait la deuxième pièce, tandis que notre coéquipier Wayne Como et sa petite amie Enis partageaient la troisième. Certains mois, nous n'avions pas assez d'argent pour payer les livraisons de mazout. Vous voulez savoir ce que c'est, avoir froid ? Allez passer un automne et un hiver à Thunder Bay sans chauffage. Malgré tout, nous nous sommes bien amusés cette année-là et les joueurs des équipes de l'extérieur venaient faire la fête chez nous.

Comme je devais travailler pendant mes études, j'ai réussi à me faire transférer à l'épicerie A&P de la rue River, à Thunder Bay, qui fait aujourd'hui partie de la chaîne Metro. Je gagnais bien ma vie : je recevais environ 11 dollars l'heure. Malgré ce salaire enviable au début des années 1980, travailler chez A&P n'était qu'un moyen d'atteindre mes objectifs.

C'est devenu clair pour moi un jour dans l'atelier de boucherie. Je devais nettoyer les machines à couper la viande, qui ne sentaient pas très bon à la fin de la journée. En enlevant les débris de poulet, je me suis dit : « Je ne ferai pas ça le reste de mes jours. Je le fais seulement pour payer mes études. Je sais ce que je veux faire plus tard. » Nous devons parfois effectuer un travail ou des tâches qui ne nous plaisent pas, mais nous pouvons mieux accepter la situation en nous rappelant pourquoi nous les accomplissons. Et je savais pourquoi je faisais cela. J'étais persuadé qu'un avenir plus intéressant m'attendait. J'ignorais de quoi il s'agissait exactement, mais j'étais conscient d'avoir de plus grandes aspirations.

L'argent que je gagnais chez A&P m'a permis de louer seul un appartement rue Cumberland, au centre-ville de Port Arthur, dès ma deuxième année d'études universitaires. Je ne voulais plus vivre avec des colocataires; je passais la journée avec des coéquipiers et je cherchais un peu de solitude le soir venu. Si ma mémoire est fidèle, le loyer de ma petite garçonnière s'élevait à 175 dollars par mois. J'avais une chambre et ma propre toilette, mais je partageais la cuisine et la douche avec les occupants de deux autres logements. Je passe devant ce vieil immeuble d'appartements chaque fois que je retourne à Thunder Bay pour le match de basketball des anciens de Lakehead. Il n'a pas changé.

J'adore revenir dans cette ville, me remémorer le bon vieux temps et retrouver mes vieux coéquipiers, mais ce match reste une expérience douce-amère. Il porte le nom d'un basketteur étoile des Nor'Westers: John Zanatta. J'étais très proche de tous mes camarades de jeu, mais Johnny occupait une place particulière. Je l'admirais, pas seulement parce qu'il était un coéquipier modèle – et deviendrait mon futur entraîneur –, mais aussi parce qu'il était un être humain modèle. Marié et père de famille, il était le genre d'homme que tout père souhaite avoir comme gendre. Après avoir décroché son diplôme, il a entraîné l'équipe durant trois ans. Il était à peine plus âgé que nous, mais nous le respections.

À la fin de nos études, Johnny a obtenu le titre de meilleur compteur de l'école de tous les temps, ayant accumulé 1895 points au cours de sa carrière (de 1976 à 1981). C'est moi qui lui ai remis la passe décisive, celle qui lui a permis de fracasser ce record. Je n'oublierai jamais ce moment. Nous avions aussi beaucoup de plaisir à l'extérieur du gymnase. Originaire de Sault Ste. Marie, il m'emmenait à la pêche, un sport qu'il adorait. L'été, nous restions tous les deux à Thunder Bay. Il passait me chercher aux alentours de trois heures du matin pour me conduire vers les bons coins qu'il connaissait. Nous prenions du brochet et du doré. Je faisais tremper le poisson dans l'eau salée avant de le cuire et les gars adoraient ma recette de brochet.

Après son départ de Lakehead, Johnny s'est installé à London, en Ontario, pour y enseigner. Je l'ai vu pour la dernière fois en 1989, à l'aéroport Pearson de Toronto, après une partie des anciens. L'été suivant, nous avons appris une tragique nouvelle : Johnny a perdu la vie dans un accident de la route alors qu'il retournait à Thunder Bay pour participer, comme professeur et entraîneur, au camp de basketball. Il avait seulement 33 ans. À Lakehead, mes performances m'ont valu de nombreux prix (des trophées et des montres), mais la plus belle récompense, c'est Johnny qui me l'a offerte lors de ma dernière année dans l'équipe : une photo de moi prise dans le feu de l'action. C'est le cadeau qui a le plus de valeur à mes yeux justement parce qu'il me vient de lui.

Johnny m'a beaucoup inspiré. Il est devenu professeur, comme moi. Il était un excellent père pour sa fille et un bon mari. Il a fixé la norme que j'ai toujours souhaité atteindre et il a touché une multitude de personnes pendant sa courte vie. Où qu'il soit, je sais qu'il nous regarde. J'espère qu'il se dit : « J'ai fait du bon boulot avec les gars dont je m'occupais. »

À cette époque, mes coéquipiers prenaient une grande place dans ma vie. J'avais des liens plus étroits avec eux qu'avec mes camarades de classe parce que nous vivions et mangions ensemble, nous faisions les mêmes sacrifices, nous avions faim en même temps. Notre amitié allait au-delà du basketball. Tony Scott a été témoin à mon mariage et il est le parrain de mon aînée. Nous étions comme des frères. Quand je n'avais pas assez à manger, il partageait ce qu'il avait avec moi et, quand il était dans le besoin, il était le bienvenu à ma table. C'était comme ça que nous vivions.

J'ai l'impression d'avoir beaucoup de souvenirs liés au manque de nourriture. J'étais le cuisinier attitré du groupe. J'achetais quelques conserves de sardines et je préparais du macaroni au fromage et des dumplings jamaïcains. Mes coéquipiers adoraient mes plats, probablement parce qu'ils étaient affamés. Lorsque nous étions en déplacement, l'équipe nous remettait généralement 5 ou 10 dollars par jour pour les repas. Parfois, nous devions rouler huit heures en fourgonnette pour nous rendre à Winnipeg et on nous donnait des sandwichs plutôt que de l'argent. Nous nous en plaignions énormément. Je vous ai dit que nous avions toujours faim, n'est-ce pas ?

Comme aucun de nous n'avait reçu de bourse d'études, nous devions travailler d'arrache-pied pour obtenir ce que nous voulions. La seule chose qu'on nous offrait, c'était l'occasion de pratiquer un sport que nous adorions.

Nous étions obsédés par le basketball, mais une part de notre bel esprit de camaraderie et de compétition rejaillissait sur la patinoire. J'avais beau jouer au basket, étudier pour devenir enseignant et travailler chez A&P, je n'avais pas perdu mon amour du hockey. J'ai eu la chance de faire partie d'une ligue intra-muros. Un grand nombre des membres de l'équipe de basketball provenaient du nord de l'Ontario et de Winnipeg, et étaient d'excellents patineurs. Johnny Zanatta avait même participé au camp d'essai des Knights de London, une équipe de la LHO.

C'est à Lakehead que j'ai disputé des matchs du plus haut calibre. Je n'étais pas aussi habile sur mes patins que je le suis aujourd'hui, après toutes ces heures passées sur la glace avec mes enfants. Je dois admettre que je n'aimais pas jouer dans cette ligue : j'avais de la difficulté à patiner et, quand je tombais, ça faisait mal, drôlement mal. Je jouais avec de l'équipement emprunté qui était soit trop grand, soit trop petit. J'étais défenseur, mais je ne me déplaçais pas beaucoup : je ressemblais plutôt à un totem. C'était une des situations où j'étais bien mal placé pour me vanter. Sur le terrain de basketball, nous étions tous de grandes gueules, mais sur la glace, j'étais silencieux. J'étais loin de me douter que mon coup de patin s'améliorerait au point que je deviendrais, pendant 10 ans, l'entraîneur de mes enfants dans la GTHL.

J'ai obtenu mon diplôme au bout de quatre ans à l'Université Lakehead. J'y ai ensuite fréquenté la Faculté d'éducation pendant un an pour décrocher un baccalauréat en enseignement. Mon rêve de devenir professeur et de travailler avec les enfants commençait à devenir réalité.

Les futurs enseignants ne savent pas grand-chose avant de se tenir devant une classe pleine d'élèves en chair et en os. Ces premières expériences s'appellent des stages. J'ai reçu une bonne leçon d'humilité quand, à Thunder Bay, je me suis retrouvé devant un groupe pour la première fois. C'était pénible. Au début, nous nous limitions à observer. Ensuite, on nous confiait des leçons, d'abord faciles puis de plus en plus difficiles.

Mon premier maître de stage – dont j'aimerais beaucoup me rappeler le nom – a été dur avec moi. On m'avait assigné un groupe du primaire, de troisième année, je crois. Les classes à aire ouverte me faisaient penser à ma première école en Jamaïque. Les murs avaient été abattus et les groupes étaient séparés par des meubles. Le bureau du professeur, au lieu de faire face à la classe, se trouvait au milieu de tables rondes disposées un peu partout dans la pièce et autour desquelles les enfants prenaient place. Mon superviseur s'asseyait à son bureau et m'observait pendant que j'enseignais aux élèves, réunis autour de moi sur un tapis prévu à cet effet. J'ignore si les jeunes avaient remarqué ma nervosité, mais je sais qu'ils m'ont donné le statut de recrue dès qu'ils ont posé les yeux sur moi.

J'avais l'impression de ne rien faire comme il faut et je n'aimais pas mon expérience. Je pense que mon maître de stage voulait me transmettre le message suivant : « C'est sérieux, tu ne peux pas te tromper. » Il m'a vraiment poussé et, grâce à son dévouement à la profession, il m'a aidé à acquérir de la maturité. Au début, je résistais, mais il a continué à me pousser. Il était très rigoureux et me remettait mes plans de cours couverts de rouge : il insistait sur le fait que la matière devait être claire sur papier avant d'être présentée en classe. On nous avait enseigné à préparer des leçons à l'université, mais c'était une autre paire de manches dans la vraie vie.

À cette époque, j'ai appris, je me suis amélioré et j'ai reçu des commentaires qui n'étaient pas toujours agréables à entendre. Qu'on soit athlète ou étudiant (et j'étais les deux à la fois), il est parfois difficile d'accepter les critiques, surtout si on a l'impression qu'elles nous font mal paraître et si elles nous mettent mal à l'aise. Je ne m'en rendais pas compte, mais les champions se nourrissent de l'avis des autres. J'ai appris qu'on ne se transforme pas en as de l'enseignement du jour au lendemain. Il faut y consacrer du temps. De plus, ce superviseur se fichait que je sois Karl Subban, un joueur étoile de l'équipe de basketball de Lakehead. Il savait que je devais devenir M. Subban et que je devais apprendre à me faire écouter et respecter d'une classe entière d'élèves.

Nous avons effectué des stages dans plusieurs écoles et avec des enseignants différents, mais j'ai eu plus de facilité par la suite grâce aux exigences de ce premier superviseur. Il avait mis la barre haut et, comme on dit, *les buts qu'on se fixe sont ceux qu'on atteint*. Je savais au fond de moi que je voulais devenir le meilleur professeur possible, mais j'ignorais ce que cet objectif impliquait. J'ai appris très tôt que l'enseignement allait être une carrière difficile et exigeante, mais je n'ai jamais eu peur des efforts.

Les années d'université sont une épreuve sur le plan intellectuel comme sur le plan personnel. Pour se motiver, il faut trouver de l'inspiration dans la vie de ceux qu'on admire. Pour moi, quand j'étais à Thunder Bay, l'un d'eux était Terry Fox, que je n'ai jamais eu la chance de rencontrer. Nous avons beaucoup de points communs. Nous sommes nés tous les deux en 1958 et nous jouions au basketball, mais Terry Fox a étudié à l'Université Simon Fraser et moi, à Lakehead. En 1980, j'ai suivi son Marathon de l'espoir, sa traversée du Canada en soutien à la recherche sur le cancer. J'ai été très attristé quand il a dû abandonner son aventure abruptement, peu après son passage à Thunder Bay. Tous les Canadiens admiraient son courage. Nous voulions participer à sa mission et des gens de partout au pays l'acclamaient le long de son parcours pour lui montrer qu'il n'était pas seul.

Je n'oublierai jamais ma première visite au monument érigé à sa mémoire tout près de Thunder Bay. Il a été déplacé depuis sur un belvédère surplombant l'autoroute, à proximité d'une halte routière et d'un terrain de stationnement. Lorsque j'ai vu sa statue la première fois, elle était tout à côté de la Transcanadienne et dominait la forêt dense qui s'étend de là jusqu'aux rives du lac Supérieur. Je pouvais sentir la puissance de cet homme.

Terry a fait plusieurs déclarations mémorables, mais une d'elles m'interpelle tout particulièrement. Lorsqu'on lui a demandé comment il parvenait à courir un marathon chaque jour, il a lancé : « Je tente de me rendre au prochain poteau de téléphone et, quand j'y suis, je me concentre sur le suivant. »

Il progressait vers son grand rêve à petits pas (à cause de sa jambe droite artificielle), un poteau à la fois. Nous pouvons tous tirer une leçon de cette approche quand nous cherchons à réaliser nos rêves. Le Marathon de l'espoir de Terry Fox a peut-être pris fin subitement à Thunder Bay, mais son rêve lui survit. Il se poursuit grâce à sa Fondation et grandit avec le concours des générations qui le suivent et qui perpétuent son nom et sa mission.

Il se trouve que, moi aussi, c'est à Thunder Bay que mon rêve est né, que j'ai découvert ma passion. Une des leçons les plus importantes que j'ai apprises est que mon idée d'origine (mon premier rêve) n'était pas celle qui m'était destinée. Mon lien avec le hockey est primordial, et c'est ce que la plupart des gens connaissent de moi, mais ma carrière en enseignement me définit comme personne et fait de moi qui je suis. Dans la vie, parfois, les plans qu'on imagine ne se réalisent pas, mais si l'on demeure fidèle à l'esprit qui les animait, ils peuvent mener à quelque chose de mieux encore.

Chapitre 5
Faire une différence

Les sports ont monopolisé mon temps, mon attention et mon énergie durant mon enfance, mon adolescence et mes années universitaires. Par contre, lorsque je suis devenu un adulte et un travailleur reponsable, mon sport de prédilection ne se jouait plus dans un gymnase ou sur une patinoire. Mon nouveau terrain de jeu, c'était la classe.

L'enseignement m'a amené à exploiter mes aptitudes au maximum. Toutefois, le titre de professeur figurant sur mon brevet ne me suffisait pas. Les enfants avaient besoin de plus. Les écoles avaient besoin de plus. Et la société avait besoin de plus. Je suis arrivé à la conclusion, très tôt dans ma carrière, que je devais m'appliquer à changer la vie des jeunes. Je me suis donné la mission de devenir non seulement le meilleur enseignant qui soit, mais aussi d'exercer l'influence la plus positive possible sur mon entourage.

Je travaillais avec les enfants depuis ma jeunesse. J'avais commencé par en garder, puis je m'étais orienté vers le rôle de coach. À ma dernière année à l'école secondaire de Sudbury, j'étais entraîneur adjoint de l'équipe midget masculine de volleyball (les 15-17 ans). J'assumais la plupart des responsabilités de l'entraîneur-chef, qui était également directeur adjoint de l'école et avait donc un emploi du temps chargé. Par la suite, à l'Université Lakehead, j'ai animé des stages de basketball pour enfants et j'ai entraîné des élèves de niveaux secondaire et universitaire dans les ligues d'été.

Mes rapports avec les jeunes me font penser à l'attirance entre un aimant et l'acier. Les enfants ont toujours paru m'apprécier, ce qui me portait à les aimer un peu plus. Il semble que cette stratégie m'ait permis d'entretenir des relations positives au fil de ma vie professionnelle.

Un jour, une fillette d'environ huit ans m'a involontairement incité à m'interroger. Je venais de terminer une présentation devant les élèves à l'occasion du Mois de l'histoire des Noirs. Elle s'est avancée au micro, qu'elle atteignait à peine, et m'a demandé : « Monsieur Subban, pourquoi aimez-vous autant les enfants ? »

La petite venait inconsciemment de me lancer une belle balle courbe. Je ne me rappelle plus ma réponse, mais elle n'exprimait pas ce que je voulais dire ni ce que je croyais réellement. Prise sur élan.

J'ai été désarçonné. Cette question a galopé dans ma tête comme un jockey sur son cheval durant environ trois semaines. Il m'a fallu une profonde introspection pour trouver les mots que je cherchais. Si la petite fille lit ce livre, voici ce que je voudrais lui répondre : « Je les aime à ce point parce que l'amour est la chose la plus importante que je puisse donner, à elle et aux autres jeunes. Les enfants qu'on aime nous aiment en retour. Si on veut qu'ils s'intéressent à ce qu'on fait ou à ce qu'on dit, il faut communiquer avec eux et leur montrer qu'on se préoccupe de leur bien-être. Ces marques d'attention les accompagnent et les habitent comme l'oxygène qu'on respire. » Chaque fois qu'un enfant me disait : « Je vous aime, Monsieur Subban » ou « Je vous aime bien », je répliquais sur-le-champ : « Moi, je t'aime encore plus. »

Voilà pourquoi l'enseignement m'a semblé une voie logique. Par contre, j'ai vite pensé que l'éducation physique serait un choix trop facile étant donné mon amour du sport. Je voulais montrer la lecture, l'écriture, les mathématiques et la science, matière que j'aimais tellement que je suis allé chercher un autre diplôme à l'Université York pour pouvoir l'enseigner. Je ne voulais pas être perçu comme le sportif qui enseigne, mais bien comme Karl Subban, l'enseignant.

J'ai fait mes premières armes de 1985 à 1991 à l'école primaire publique Cordella, qui accueillait des enfants de la maternelle à la sixième année. On m'a d'abord confié une classe multiprogramme de quatrième et de cinquième année. De septembre à juin, j'ai eu l'impression de rouler dans une rue parsemée de panneaux d'arrêt. Je commençais une leçon ou une activité, mais, dès que je remarquais un manque d'attention des élèves, je m'interrompais et reprenais du début. Avancer. Arrêter. Avancer. Arrêter. En fait, c'est une bonne chose d'arrêter et de redémarrer. Il est aussi déconseillé de poursuivre un cours ou une leçon qui ne mène nulle part que de passer tout droit à un stop. J'ai vite appris à respecter ces panneaux de signalisation, surtout les rouges.

Au bout d'environ quatre ans, on a assigné à la titulaire de la classe voisine (une bonne amie) un groupe multiprogramme de troisième et de quatrième année qui avait mauvaise réputation. Cette perspective l'angoissait tellement qu'elle a refusé l'affectation et a menacé de quitter l'école. Notre amitié m'importait beaucoup et je voulais aussi la soutenir professionnellement.

Alors, sans trop me poser de questions, j'ai offert de prendre en charge ces 21 élèves qu'on disait très exigeants sur les plans scolaire, social et émotionnel. Je les appelais « la classe des 21 ». Parmi eux, 19 venaient d'une famille monoparentale. J'aurais pu trouver 21 motifs valables pour refuser cette tâche qui exigeait une solide expérience, mais j'ai sauté sur l'occasion parce que je croyais fermement que je pouvais avoir une influence positive sur ces enfants.

Ce qui est malheureux dans l'enseignement, c'est que, parfois, la réputation d'un groupe finit par se confirmer. Par ailleurs, pour une raison quelconque, certains éducateurs réussissent mieux avec des élèves qui vivent de grandes difficultés. D'autres préfèrent des jeunes prêts à apprendre et à collaborer. Selon mon expérience, par contre, la plupart des jeunes ont besoin que l'enseignant déploie des efforts additionnels pour les faire participer au processus d'apprentissage.

J'ai cru pouvoir relever le défi. Je constatais que ces enfants ne s'estimaient pas bons à l'école. C'est l'étiquette la plus préjudiciable que des élèves puissent s'attribuer. Ils doivent connaître leurs talents, sinon leur manque d'estime personnelle aura raison d'eux. Je ne sais pas exactement comment les autres professeurs les percevaient, mais, moi, j'ai vu qu'ils pouvaient s'améliorer. Je croyais en eux et en leur potentiel. Je voulais devenir l'enseignant aimant et attentionné qui les aiderait à développer leurs aptitudes.

J'étais un novice dans la profession, mais un vrai pro de l'acharnement au travail, du dévouement et de la détermination. Je me souviens d'avoir entendu que les cinq premières années en éducation sont celles où on apprend à enseigner. Je n'avais pas ces cinq années d'expérience. Les enfants sous ma responsabilité avaient de grands besoins et il fallait que quelqu'un exerce immédiatement une influence positive dans leur vie ; pas question d'attendre. Souvent, je suis parti de l'école stressé, fatigué et bousculé, mais toujours plus déterminé. J'ai adopté ces filles et ces garçons. Ils étaient *mes* enfants et ils avaient un besoin flagrant que quelqu'un change leur vie.

Pour apprendre à mieux les connaître et pour renforcer nos liens, c'est Karl Subban, l'homme, qui se présentait en classe et non M. Subban, l'enseignant. J'adorais fabriquer des cerfs-volants, alors nous en avons construit ensemble. J'adorais cuisiner et faire des gâteaux, et c'est ce que nous avons fait. Pour souligner tous les anniversaires, nous préparions un gâteau à la fin de chaque mois en suivant une recette de ma mère, généralement un gâteau aux carottes nappé d'un glaçage au fromage à la crème. C'est grâce à ces élèves que j'ai découvert ma propre recette de réussite personnelle et professionnelle comme enseignant, comme parent et comme entraîneur. Une façon de toucher les cœurs, de stimuler les esprits et d'agir concrètement.

Gérer l'ambiance de la classe est une chose, mais il en va autrement hors des murs de l'école. Avec ce groupe, j'ai appris que les enfants peuvent accomplir beaucoup plus que ce dont nous les croyons capables. Au milieu de l'année, nous avons fait un module sur l'Australie en études sociales. Comme activité finale, j'avais prévu emmener mes élèves voir une pièce sur un thème australien au théâtre Young People's de Toronto. Certains collègues ont tenté de m'en dissuader sous prétexte qu'ils ne le méritaient pas à cause de leurs résultats peu reluisants, qu'ils risquaient de transformer une expérience éducative positive en catastrophe, qu'ils se conduiraient mal et qu'ils dérangeraient. En un mot, qu'ils allaient faire honte à toute l'école.

Je ne partageais pas leur avis. J'ai communiqué mes attentes aux élèves. Je leur ai demandé de porter leurs plus beaux vêtements et de se comporter le mieux possible. Je leur ai confié que certaines personnes les croyaient incapables de faire une sortie réussie, d'écouter les consignes, de collaborer et d'apprendre, ce qui a stimulé leur esprit de compétition. Les jeunes étaient résolus à montrer à ces gens qu'ils avaient tort.

Le jour venu, mes élèves sont arrivés à l'école dans leur tenue du dimanche. Ça commençait bien. Au théâtre, ils étaient les mieux habillés, ils se sont bien conduits et ont répondu à mes attentes, contrairement à d'autres enfants qui couraient partout dans la salle comme s'ils étaient en récréation. Leur comportement était à la hauteur de leur apparence. Je leur avais dit qu'ils seraient capables de bien se tenir et c'est ce qu'ils ont fait. Cette sortie a été une expérience d'apprentissage positive. Je leur ai fait confiance et ils ont eu confiance en moi.

J'ai été aussi exigeant pour toutes les autres sorties organisées durant ma carrière. Une fois tout le monde dans l'autobus scolaire, je montais à l'avant et je faisais taire les enfants surexcités. Je leur disais : « J'ai un bon nom et une bonne réputation, alors ne gâchez pas tout. Si vous ne vous comportez pas bien, ils vont appeler M. Subban et demander quel genre d'école je dirige. S'il vous plaît, ne ternissez pas ma réputation. Vous savez combien de temps ça m'a pris à la bâtir ? »

Les petits prenaient mon message au sérieux. Je voulais que ma voix d'éducateur s'imprime dans leur esprit, comme celle de mes parents l'avait fait en moi.

Les élèves de la classe des 21 progressaient lentement, mais je constatais tout de même une amélioration. Une de mes techniques, que j'ai améliorée au fil des ans, consistait à établir des relations avec les jeunes. En éducation, on aime parler des rapports avec les élèves, de l'importance de la valorisation.

Pendant ce temps, je me documentais pour perfectionner mes méthodes pédagogiques. J'étais constamment à la recherche de livres sur le sujet. L'école Cordella ne se trouvait pas très loin du bureau du conseil scolaire, à l'angle de l'avenue Eglinton Ouest et de la rue Keele. Certains jours, je m'y rendais à l'heure du dîner pour emprunter des revues spécialisées. J'essayais d'en apprendre le maximum, notamment sur l'enseignement de l'écriture ou sur les méthodes qui fonctionnent avec les jeunes allophones.

Je cherchais à rendre mes cours plus concrets que théoriques. J'ai expérimenté l'enseignement thématique, par exemple le module sur l'Australie. Nous faisions aussi des séances de remue-méninges, je demandais aux élèves quels sujets les intéressaient, eux, et c'est ce que nous étudions. En fait, ce qui comptait n'était pas vraiment le contenu, mais l'acquisition de compétences. Je voulais qu'ils lisent, qu'ils écrivent, qu'ils soient attentifs. Mon objectif, c'était un apprentissage interactif centré sur l'enfant.

Le plus important, toutefois, avec les jeunes de la classe des 21, c'était de les toucher, de bâtir une relation avec eux et de m'assurer qu'ils savaient que j'avais leurs intérêts à cœur. J'ai eu la chance d'enseigner des matières qui m'amusaient, comme la science. Les expériences simples sont une excellente façon de stimuler l'imaginaire des enfants. Tout en rendant l'apprentissage agréable et en leur montrant que je tenais à eux, je leur fixais des objectifs ambitieux. Je leur faisais des commentaires pertinents, je les félicitais pour leurs efforts et leurs progrès.

La seule chose qui m'a manqué avec ce groupe, c'est une plus grande participation des parents. Les parents qui sont disposés et aptes à s'intéresser aux apprentissages de leurs jeunes peuvent souligner les erreurs de l'enseignant, ce qui lui permet de se perfectionner. J'accepte bien les critiques dans la mesure où elles sont constructives. Je n'étais qu'un jeune professeur et je suis sûr que j'ai fait des gaffes. Ça fait partie de la profession, jusqu'à un certain point.

Ces enfants étaient très difficiles, mais ils ont appris des choses cette année-là. Et moi aussi. Leur comportement s'est amélioré et ils ont été à la hauteur de mes attentes. Je savais qu'ils avaient du potentiel et j'aurais voulu être encore un meilleur enseignant parce que mes élèves, eux, étaient prêts à apprendre.

À mes débuts, je croyais important de faire acte de présence à la salle des professeurs. C'est davantage qu'un refuge : c'est un lieu pour bavarder, fraterniser, se tenir au courant des affaires touchant l'école et se faire connaître. Cet endroit me rappelle le vestiaire d'une équipe sportive. Les enseignants d'expérience y sont les rois et les reines, et les nouveaux doivent éviter de s'asseoir sur leurs chaises ou de monopoliser les discussions. La recrue doit rentrer dans le rang.

Par contre, j'ai découvert assez rapidement que je n'aimais pas toujours l'ambiance de ce «vestiaire». Les gens remâchaient les mêmes sujets: les problèmes de leadership, les parents qui s'engagent trop ou pas du tout, les mauvais comportements des jeunes.

Le pessimisme peut envahir n'importe quel environnement, mais, moi, je voyais toujours le verre à moitié plein, pas à moitié vide. Je n'ai jamais été du genre à me plaindre les bras croisés: ce n'est pas productif et ça ne me semble pas une bonne attitude. Je voulais me prémunir contre cette maladie contagieuse.

J'ai finalement décidé d'aller moins souvent à la salle des professeurs. Je ne sais pas qui a dit ça, mais c'est très approprié: «Si vous ne pouvez pas changer les gens qui vous entourent, changez d'entourage.» C'est exactement ce que j'ai fait. J'allais dans ce local comme j'allais chez le médecin: en cas de nécessité seulement.

Je précise que j'aimais mes collègues sur le plan personnel. Ils m'ont beaucoup aidé, en m'incitant, par exemple, à présider le comité des programmes d'études. Toutefois, je reste convaincu que le potinage et le négativisme que j'ai observés dans beaucoup de salles des profs ne profitent ni aux jeunes enseignants ni au moral de l'ensemble des employés.

En fait, cela nuit à l'école. À quelques occasions, nous avons dû prévenir les enseignants de surveiller leurs paroles, car les aides-éducateurs ou d'autres membres du personnel pouvaient surprendre leurs conversations. Si vous me dites que l'élève X ne se comporte jamais bien et que cet élève se trouve dans ma classe l'année suivante, cette opinion devient le point de départ de ma relation avec lui. C'est un danger. Je suis déjà contaminé et je risque de ne pas laisser de chance à cet enfant, de ne pas me donner la chance de tisser des liens avec lui. Le même constat vaut pour les parents réputés difficiles.

Par contre, une de mes visites à la salle des professeurs reste inoubliable. Un matin, tous les enseignants avaient été convoqués juste avant la fin des cours. Dès que nous avons été tous réunis, chacun à sa place habituelle, un vétéran m'a demandé de me lever, puis il a prononcé un discours : « Karl, nous savons que tu as un groupe d'enfants très difficile et que tu t'es même porté volontaire pour t'en occuper. Nous aimons le fait que tu ne t'es jamais plaint du comportement de tes élèves. Tu as toujours été positif et nous voulons t'en féliciter. »

On m'a mis autour du cou une médaille d'or en carton attachée au bout d'une ficelle et portant les mots « Professeur n° 1 de Cordella ».

Je n'arrivais pas à y croire : un groupe d'enseignants expérimentés avaient fait l'effort de me récompenser parce que je faisais mon travail. Cette marque de reconnaissance m'a donné des ailes. J'étais sans voix, mais pas sans émotion : débordant de joie, je me souviens d'avoir remercié mes collègues pour cette distinction.

Les éloges nous transportent. Ils sont rares, à la maison comme à l'école. Pourtant, nous avons tous besoin de commentaires positifs, aussi subtils soient-ils, pour progresser. Je ne peux pas me targuer d'une réussite spectaculaire avec ce groupe, mais de petites victoires quotidiennes. Je devais parfois regarder par le chas d'une aiguille pour trouver chez un élève un accomplissement digne de mention, mais c'est ce dont la classe des 21 avait besoin.

La médaille remise par mes collègues avait beau être en carton, elle valait son pesant d'or.

Au début de ma carrière, j'ai tâché de devenir le meilleur enseignant possible. Mes efforts ont été remarqués, je crois. À l'époque, je ne songeais pas à me lancer en gestion, puisque je commençais dans le métier, mais tout a changé après une rencontre avec un parent « difficile » et le représentant local du conseil scolaire, Steve Mould.

Nous nous étions réunis dans un coin de la bibliothèque. Le père de trois ou quatre de nos élèves portait des verres fumés. Nous ne pouvions pas voir ses yeux, mais nous entendions ce qu'il avait à dire. Les détails sont confus aujourd'hui, mais c'était une histoire de race et la plainte visait le directeur de l'école. À mon avis, les récriminations de cet homme n'étaient pas fondées et je le lui ai dit. Dans le milieu de l'éducation, nous nous sentons parfois muselés par les politiques et les protocoles, mais je n'étais probablement pas dans la profession depuis assez longtemps pour qu'ils me gênent. Le problème a été résolu à la fin de la réunion, à la satisfaction de tous.

Par la suite, M. Mould m'a dit : « Karl, tu sais quoi ? Tu devrais songer à aller en administration. » Il a vu que j'avais de la facilité à m'affirmer et à dire les choses telles qu'elles étaient. Aujourd'hui, comme à l'époque, je crois qu'il faut essayer de jeter un pont entre deux parties qui s'opposent pour que les gens, les idées et les propos se rejoignent. Autrement, on ne progresse pas.

Peu après la suggestion de M. Mould et fort de mes trois années d'expérience en enseignement, je me suis inscrit à une formation à l'Université York pour me qualifier comme directeur d'école. Deux ans plus tard, j'étais prêt à postuler un emploi de directeur adjoint au conseil scolaire de la ville de York. Je me souviens très bien de ce que j'ai dit à la fin de l'entrevue d'embauche. Devant les membres du comité de sélection, j'ai sorti un polaroïd pris avec les enseignants lors de la remise de ma médaille en carton portant les mots « Professeur n° 1 de Cordella ». J'ai déclaré que cet hommage de mes pairs était une des principales raisons pour lesquelles je me sentais prêt à occuper ce poste. Ma candidature a été acceptée et je suis arrivé à l'école primaire publique Roselands pour la rentrée scolaire de 1991-1992.

Après beaucoup d'efforts et avec un peu de chance, ma vie professionnelle prenait son envol. Je réalisais mon rêve de travailler dans une école avec des enfants, de les aider à développer leurs habiletés physiques et mentales. Et, sur le plan personnel, des événements mémorables m'attendaient.

Chapitre 6

Devenir parents

La veille du jour de l'An nous remplit souvent d'enthousiasme lorsque nous pensons à toutes les possibilités qui s'offrent à nous. Nous espérons toujours que l'année sur le point de commencer sera meilleure que celle qu'on voit dans le rétroviseur. C'était le cas le soir où j'ai dit adieu à 1984. J'avais hâte d'accueillir 1985 : nouvelle année, nouveaux espoirs, nouvelles promesses. J'étais loin de me douter à quel point ma vie allait changer cette nuit-là.

J'ai passé la journée du 31 décembre 1984 à m'installer dans un appartement au nord d'Etobicoke avec mon plus

jeune frère, Markel, et sa blonde. J'avais terminé ma formation d'enseignant le printemps précédent et j'avais déménagé à Toronto après avoir obtenu mon diplôme. Un vieil
ami de Sudbury, qui vivait à Ottawa, m'a appelé :

— Karl, je ne vais pas très bien ces temps-ci. Qu'est-ce
que tu fais ce soir ?

Je lui ai répondu :

— Mon copain Keith organise un party. Viens à Toronto
et on s'y rendra ensemble.

J'avais connu Keith, qui était originaire de Trinidad, à
l'Université Lakehead. Il habitait à North York, à l'angle de la
rue Jane et de l'avenue Lawrence. Une tempête faisait rage ce
soir-là. Les routes étaient enneigées et la température chutait.
Nous nous sommes réfugiés avec soulagement dans l'appartement de mon ami où nous avons été chaleureusement accueillis. De plus en plus de gens arrivaient et nous nous amusions
ferme. Plus tard dans la soirée, on a frappé à la porte. Je me
souviens des paroles exactes de Keith quand il a ouvert : « Bonsoir,
foxy lady. Allez, entre. » Maria Brand faisait son entrée.

Elle avait envisagé de se rendre à une autre fête. En fait,
elle avait de grandes espérances en cette veille du jour de l'An.
Avant de sortir de chez elle, elle avait annoncé à son amie
Olive : « Aujourd'hui, je vais rencontrer mon mari. » J'ignore
où exactement elle croyait faire cette rencontre, mais ce n'était
pas au party où Olive voulait aller. Maria connaissait les invités à cette fête et ne souhaitait pas y passer la soirée. Par contre,
elle ne savait pas que son futur époux se trouvait parmi eux.
Dans la vie, nous avons souvent une idée de ce que nous dési-
rons, mais nous ne savons pas où le dénicher.

Maria a fait ce soir-là ce que font les bons amis : elle a mis
de côté ses sentiments et ses préférences pour accompagner
Olive à la fête chez Keith, son voisin d'en haut.

Pour ma part, j'avais des projets moins ambitieux. Je voulais simplement me détendre après une rude journée passée à déménager. Toutefois, j'ai eu de la difficulté à détacher mon regard de la belle Maria. Elle s'était mise sur son 36. Quand Keith l'a débarrassée de son manteau ajusté qui avantageait sa jolie silhouette, je l'ai vue dans sa robe en soie bleue et ses hautes bottes, et mon esprit a été obnubilé.

Une autre chose a toutefois monopolisé mon attention : les gargouillis de mon estomac. On n'avait pas encore servi à manger et, comme j'avais faim, je tournais autour du bol de pop-corn. Je voulais aborder Maria, mais la nervosité me retenait et, quand je suis nerveux, je m'empiffre. Après m'avoir surpris plusieurs fois la main dans le maïs soufflé, elle m'a demandé : « Pourquoi manges-tu autant de pop-corn ? » La glace était rompue.

Maria et moi avons passé le reste de la soirée à faire connaissance. Au moment de partir, vers quatre heures du matin, je l'ai transportée dans mes bras jusqu'à son auto pour lui éviter de glisser sur les trottoirs glacés et de tomber dans un banc de neige.

Je ne voulais pas que la soirée prenne fin. Maria a refusé que je la raccompagne chez elle. J'ai tout essayé pour la faire changer d'avis, mais elle a tenu bon. Elle a toutefois récompensé ma ténacité en m'invitant à une fête du Nouvel An. L'année 1985 commençait donc sous de bons auspices. Je suis passé la prendre chez elle plus tard ce jour-là pour l'accompagner à cet autre party et nous n'avons plus jamais regardé derrière nous.

Maria m'a immédiatement attiré pour une raison toute simple : elle me rappelait ma mère. Je ne souffrais pas du complexe d'Œdipe, mais je dois avouer que maman a joué un grand rôle dans ma vie et Maria possédait beaucoup de ses qualités : son apparence, sa patience, son sens de l'humour et son amour de la cuisine. Mais plus encore, nous sommes devenus de bons amis. Je pouvais discuter avec elle, comme je le faisais avec ma mère à qui j'ai parlé presque chaque jour jusqu'à sa mort.

Selon moi, les gens se laissent influencer par leur tête, leur cœur et leurs tripes pour prendre des décisions. La pensée rationnelle, c'est utiliser sa tête de manière logique. Les décisions émotionnelles viennent du cœur. Le sentiment au fond de nous, c'est de l'intuition. Je me suis toujours fié à mon intuition, particulièrement lorsque j'ai rencontré Maria. C'est mon intuition qui m'a dit qu'elle serait la femme idéale pour moi.

Maria habitait dans un appartement sur le cours Greentree, qui se trouvait près du siège social du conseil scolaire de la ville de York au 2, promenade Trethewey. Je passais de plus en plus de temps chez elle. Elle me préparait les meilleurs repas qui soient et, comme j'avais constamment faim, mon estomac et mon cœur étaient comblés. Au bout d'un an, j'avais graduellement délaissé Markel pour m'installer avec Maria, un arrangement qui serait permanent, j'en étais sûr.

Maria et moi avions un lien très fort et nous partagions les mêmes opinions sur ce que nous voulions dans la vie. Moi, par exemple, je souhaitais décrocher un poste d'enseignant et avoir des enfants. J'avais à peine terminé mes études universitaires et je sentais que le moment était venu de me caser. La fête était finie. Il me fallait trouver du travail et fonder une famille. Et, après des années de fréquentations sans lendemain, j'étais mûr pour organiser une noce.

Le samedi 5 juillet 1986, le temps était complètement différent de celui qu'il faisait le jour de notre rencontre, un an et

Maria

demi auparavant. Le vent polaire et la tempête de neige avaient cédé leur place à un ciel nuageux et une humidité qui nous enveloppait comme une lourde couverture imbibée d'eau. Il faisait chaud dans notre appartement. Des gouttes de sueur perlaient sur mon front et glissaient le long de mon dos. J'étais seul, prêt à partir, vêtu de mon complet, puisque nous avions respecté la coutume voulant que les fiancés ne se voient pas la veille de leur mariage. J'ai appelé Maria, qui avait passé la nuit chez sa sœur à Vaughan, au nord de

Toronto, pour savoir si elle était prête à se rendre à l'église où nous devions nous marier. Hélas ! non.

Maria est enfin partie pour l'église anglicane St. Anne de Toronto avec son chauffeur : son grand frère, Livingston, au volant d'une Cadillac bleu pastel. Je priais pour que la vieille auto tienne le coup jusqu'au parvis de l'église. Ma prière a été exaucée et j'ai vu surgir la voiture ornée de banderoles et de pompons sous les coups de klaxon des automobilistes. Rien ne pouvait effacer le sourire du visage de Maria : ni le klaxon défectueux de la Cadillac, ni la chaleur suffocante, ni son retard. Tout ce qui comptait, c'étaient la magie de cette journée, notre joie débordante, le bonheur et la hâte.

Ma mère, Fay, avait participé à toute l'organisation. Elle avait préparé et décoré les gâteaux, cuisiné des plats et confectionné la robe de mariée qui a requis des retouches de dernière minute. Cette tenue blanc cassé, qui me faisait penser à une montagne enneigée, jouait avec mon imagination et asservissait mon regard. La longue traîne à froufrous témoignait des talents de styliste et de couturière de ma mère.

Il était 16 heures et nous avions une heure de retard, mais la cérémonie s'est déroulée sans anicroche et nos quelque 400 invités étaient impatients de goûter au festin servi dans la salle paroissiale. Les membres de nos familles avaient préparé toute la nourriture. Les seules personnes que nous avions engagées étaient le photographe et le disc-jockey. Malgré le ciel nuageux, il y avait suffisamment de visages souriants autour de nous pour illuminer la fête et nous donner un magnifique album de photos. Nos parents et amis se sont surpassés pour faire de cette journée une réussite. Il y a eu quelques petits problèmes, mais nous les avons réglés le jour même, comme nous continuons à le faire aujourd'hui.

L'appartement de Maria, qui n'avait qu'une chambre à coucher, suffisait à peine pour deux personnes. Il semblait encore plus petit après notre mariage parce que nous avons dû empiler les cadeaux (plus nombreux que les dons en argent) dans le salon, qui nous servait aussi de salle à manger. Impatients de déménager, nous cherchions un logement de deux chambres dans le quartier, mais Maria, qui travaillait comme agente de prêts hypothécaires à la Banque canadienne impériale de commerce, avait calculé que les versements mensuels à l'achat d'une maison modeste seraient l'équivalent d'un loyer. Pourquoi ne pas acquérir notre propre demeure et faire fructifier notre argent plutôt que le donner à un étranger ? Ainsi, quelques mois après notre mariage, nous avions économisé suffisamment pour acheter une petite maison à Brampton. Nous l'avons vendue au bout d'un an avec un bon profit pour nous installer dans une résidence plus grande.

Maria gère bien nos avoirs, ce qui me réjouit parce qu'elle m'a rappelé récemment une phrase que je lui avais dite quand nous nous sommes rencontrés : « Je préfère une maison pleine d'enfants à un compte en banque plein d'argent. » Mon souhait est devenu réalité !

Nous n'avons jamais discuté du nombre d'enfants que nous voulions avoir, mais j'ai toujours su que j'aimais les petits et que j'adorerais être père, puisque j'aimais enseigner aux jeunes, travailler avec eux et les entraîner. Je suis devenu professeur entre autres parce que je savais qu'un seul enfant ne me suffirait pas et que je ne pourrais jamais en avoir 10 ou 12 comme je le désirais. D'ailleurs, je lançais souvent à mes élèves : « Quand vous êtes ici, dans les murs de mon école, je suis votre père et votre mère. »

Tout le monde dit qu'il faut profiter de la période où on élève ses enfants parce qu'ils grandissent à une vitesse folle. C'est aussi l'impression que nous avons eue. Avant de nous en rendre compte, nous avons eu le bonheur d'avoir cinq enfants que j'aimais surnommer nos « cinq de départ », comme au basketball.

Bien entendu, ils ne sont pas arrivés dans notre vie en même temps. Nous avons commencé notre famille avec nos deux filles, Nastassia et Natasha, qui s'entendent à merveille, comme de bonnes amies. Taz, qui avait trois ans à la naissance de sa sœur Tasha, avoue en avoir été jalouse : « J'ai hurlé quand maman est montée dans la voiture avec elle. J'ai tellement hurlé que mes parents ont dû quitter l'autoroute pour sortir Tasha de l'auto. J'ai alors arrêté de pleurer, mais quand ils l'ont réinstallée sur le siège arrière, je me suis remise à brailler. Je n'étais pas très aimable avec les nouveaux venus. J'étais l'aînée, que voulez-vous. »

Taz s'est rapidement habituée à sa jeune sœur et je ne me souviens pas de les avoir vues se disputer. Taz était tranquille comme une petite souris, tandis que sa cadette me faisait penser au quatrième trio au hockey, qui se définit par son énergie et sa rudesse. Quand on ne voyait pas Tasha, on l'entendait généralement chanter *Have You Ever Seen the Girl ?*, sa chanson préférée qu'elle a composée elle-même et qu'elle entonnait chaque fois que nous acceptions de l'écouter. Elle aimait aussi jouer à la poupée et dessiner. Taz, elle, adorait la lecture et on la surprenait souvent un livre à la main dans un coin tranquille de la maison. Nous lui avons donné des dizaines de livres de la série *Chair de poule*. Comme nos deux filles ont commencé à faire ce qui leur plaisait dès leur plus jeune âge, elles ont rapidement découvert les domaines où elles réussissaient. Leurs journées étaient partagées entre l'école, le sport et les loisirs.

J'aimais beaucoup patiner et jouer au basket, deux activités que je pratiquais avec mes filles. Pas seulement à l'occasion, mais jusqu'à quatre fois par semaine. Je rêvais qu'elles excellent dans autre chose que leurs études. Je voulais qu'elles développent leurs talents pour le patinage et le basketball.

L'ambiance de la maison Subban était évidemment moins chaotique avant l'arrivée de nos trois fils hockeyeurs, qui s'est échelonnée sur six ans.

Taz a gardé de bons souvenirs de cette période précédant leur naissance: « On faisait la belle vie. Tous les vendredis soirs, on allait au restaurant Shanghai à l'angle de Denison et d'Old Weston. On appelait ça les "vendredis fast-food". Avec l'arrivée des garçons, nos "vendredis fast-food" sont devenus des "vendredis maison". Tout était plus fou. C'est ce que je me rappelle. »

Pernell Karl est né en 1989 et je lui ai appris très tôt à attraper une balle. Quand il a été capable de se tenir sur ses deux jambes, de lancer et de botter un ballon, je lui ai montré comment faire. Nous utilisions habituellement un ballon de plage parce que c'est coloré, gros et mou. Mon fils avait hâte aussi d'apprendre les chiffres et les lettres. En ayant deux sœurs aînées, il avait deux professeures de plus à sa disposition. Comme il était le bébé de la famille, il jouissait de l'attention de tous. Il voulait imiter les adultes et ses sœurs, et il y avait plein de bras autour de lui pour assurer sa sécurité, pour le motiver, pour l'encourager.

Les filles patinaient déjà toutes seules quand P.K. a chaussé ses premiers patins, vers l'âge de deux ans et demi. Il a réussi à se tenir sur deux fines lames de métal après que j'ai passé quelques journées à me briser le dos pour essayer de le soutenir et lui apprendre à garder l'équilibre. Comme les filles, il a franchi l'étape des « jambes en réglisse » assez rapidement.

Une fois terminée la phase des « jambes de bois », il était prêt à s'élancer seul sur la glace. Je le revois qui essayait d'attirer mon attention : « Papa, regarde ce que je peux faire ! » Plus on patine, plus on s'améliore. C'était le cas de P.K. et il était fier de me montrer ses exploits.

À la naissance de Malcolm, en 1993, et de Jordan, en 1995, nous avions déjà troqué notre deuxième maison à Brampton contre une résidence de quatre chambres à coucher dans un nouveau lotissement du quartier Rexdale, au nord d'Etobicoke. Quand j'ai vu la maison la première fois, j'ai refusé de descendre de l'auto et j'ai dit à Maria : « On n'en a pas les moyens. » Elle a fini par me convaincre d'entrer et, peu de temps après, nous signions une demande de prêt hypothécaire. Des années plus tard, nous étions heureux de l'avoir achetée : elle se trouvait près de l'Université York, ce qui tombait bien, puisque nous n'avions pas assez d'économies pour permettre à Taz de poursuivre ses études à l'extérieur de Toronto. En outre, il y avait plusieurs patinoires extérieures à proximité, ce qui rendait l'endroit idéal pour la pratique du hockey. Aujourd'hui, Taz, son mari Andre et leurs trois fils habitent dans cette maison. C'est difficile de s'en défaire parce qu'elle renferme tant de souvenirs.

La dynamique a changé au fur et à mesure que la famille grandissait et que mes filles assumaient plus de responsabilités. Elles jouaient même parfois le rôle de parents additionnels.

Taz m'a raconté : « Je gardais souvent. C'était beaucoup de travail, mais je ne me rappelle pas que c'était un fardeau. Malcolm et Jordan sont pratiquement nés coup sur coup. Il y avait aussi beaucoup de vaisselle. Nous, les filles, on se chargeait du ménage, de la cuisine et tout ça. »

Taz a eu sa première voiture pendant ses études en enseignement à York : « Je pensais me procurer une Toyota Camry,

L'Équipe Subban

mais le coffre était trop petit pour contenir un sac de hockey. J'ai donc acheté un VUS pour pouvoir transporter mes frères à l'aréna. Il fallait que j'aide mon père. Les trois garçons jouaient dans trois lieux différents et, à l'époque, ma mère ne savait pas conduire. Tout a changé quand j'ai obtenu mon permis. »

Il ne fait aucun doute que Maria et moi sommes redevables des sacrifices que nos deux filles ont faits pour leurs frères. Les garçons aussi, d'ailleurs. Par exemple, c'est Taz qui a accompagné Jordan au prestigieux tournoi de hockey The Brick Invitational, à Edmonton, parce que ma femme et moi ne pouvions pas y aller. Jordan le reconnaît : « Mes sœurs ont toujours joué un rôle important pour nous. Sans elles, nous n'aurions pas autant de succès. »

Maria et moi n'avons jamais décidé de nous arrêter à cinq enfants : Jordan a été notre dernier parce que Maria est tombée malade quand elle était enceinte. Elle avait une grossesse à risque et a dû être suivie de près pour traiter une hypertension artérielle persistante.

Ma femme a arrêté de travailler au début de sa grossesse pour ne pas nuire à la santé du bébé. Selon moi, elle devait s'occuper d'elle avant de penser à son fils, comme les agents de bord le mentionnent avant un décollage, dans l'éventualité où les masques à oxygène se déploieraient. Alors que Maria accordait la priorité à l'enfant, c'est sa santé qui me tracassait.

Maria a remporté la bataille grâce à ses médecins et à sa conviction que l'esprit peut dominer le corps, mais elle a failli perdre la guerre. Elle est tombée malade à la maison deux semaines après la naissance de Jordan et a dû être hospitalisée à l'unité de soins intensifs durant environ sept jours. Elle s'en est remise lentement. Ma femme est la détermination incarnée. Cette épreuve nous a appris à ne pas tenir nos enfants ni notre santé pour acquis.

Quand la maisonnée grouillait d'enfants, j'avais besoin de beaucoup d'énergie. Je commençais ma journée avec un réservoir plein, mais, le soir venu, je manquais d'entrain et j'ignorais si je pourrais me rendre au bout de la course (mon lit). Notre plus grand problème, comme parents, c'était que la ligne d'arrivée se déplaçait sans cesse. On se couchait pour un repos bien mérité, mais quelque chose nous obligeait à coup sûr à nous relever.

Je me souviens d'une froide nuit d'hiver, lorsque Malcolm et Jordan ont eu la varicelle. Ils étaient agités et ne parvenaient pas à s'endormir à cause de la fièvre et des démangeaisons. En fait, soit ils ne pouvaient pas trouver le sommeil, soit ils ne le voulaient pas, et la nuit a cédé la place à l'aube au son de leurs pleurs. Pour les soulager, nous avons essayé tous les trucs que nous connaissions et qu'on nous avait recommandés, mais rien ne marchait, pas même la prière. Notre solution de dernier recours : les habiller et les emmener faire un tour d'auto. Nous espérions que l'air frais les endormirait. Il n'y avait que nous et quelques taxis sur la route. Cela fonctionnerait-il ? Nous sommes rentrés une quarantaine de minutes plus tard, alors que le soleil pointait à l'horizon, et nos deux fils avaient toujours les yeux grands ouverts. La ligne d'arrivée de la journée précédente s'était déplacée au lendemain. C'est ça, être parent.

Il y a d'autres moments où les parents passent subitement de la joie à l'horreur. Un après-midi, j'étais au rez-de-chaussée lorsque P.K., qui avait trois ans, est entré dans la chambre de Tasha, six ans, avec un ballon de plage. Je les entendais s'amuser, comme d'habitude, mais soudain leurs rires se sont transformés en hurlements. Je me suis précipité à l'étage où m'attendait une vision cauchemardesque : ma petite fille, le visage ensanglanté.

Le ballon lancé par P.K. avait heurté le plafonnier en verre qui était peut-être mal fixé. Quoi qu'il en soit, il est tombé sur le parquet, s'est brisé et un tesson s'est logé dans l'œil de Tasha.

Taz et P.K. sont restés à la maison pendant que je filais avec ma fille et Maria à l'urgence de l'hôpital général d'Etobicoke, à une dizaine de minutes de chez nous. Je n'aurais pas conduit plus vite si mon auto avait été équipée de gyrophares. Mon cœur battait à tout rompre, j'avais les paumes moites et je pensais au pire : je craignais que Tasha perde son œil. J'ai ralenti, par crainte d'un autre accident.

Les médecins ont admis que la situation était grave et notre inquiétude a augmenté quand notre fille a été transportée en ambulance à l'hôpital pédiatrique SickKids, au centre-ville de Toronto. On a confirmé mes craintes : elle risquait de perdre un œil.

C'était une période stressante pour notre famille, même si Tasha était en d'excellentes mains et que nous avions toutes les raisons du monde de garder espoir. Heureusement, une seule opération chirurgicale a suffi pour qu'elle conserve la vue. Le bon côté de cet accident, c'est qu'il a soudé Tasha et son frère. Les épreuves rapprochent les gens. On le constate souvent dans le milieu du sport quand les membres d'une équipe se rallient lors des finales. Ils travaillent ensemble – *un pour tous, tous pour un* –, ils persévèrent et ils ressentent la même douleur. C'est ce qui s'est passé avec mes deux enfants. Comme un bon coéquipier, P.K. a encouragé sa sœur à guérir pendant cette période traumatisante.

Les accidents surviennent inévitablement, mais je me demandais quand même si je n'aurais pas dû les surveiller plus étroitement. Je ne me rappelle pas ce que j'ai fait de ce ballon de plage, mais, par la suite, il n'y a plus eu autant de ballons dans la maison et nous avons remplacé tous les abat-jour aux arêtes tranchantes. Tasha a eu une paire de lunettes, qu'elle a portée de bonne grâce. Ses cicatrices ont fini par disparaître et son œil a complètement guéri, mais comme parent je m'inquiète constamment. Nous souhaitons ce qu'il y a de mieux pour nos enfants, nous prions pour eux, mais nous ne savons jamais quand surviendra la prochaine crise.

Tasha a subi une autre blessure grave à 12 ans en jouant avec P.K., alors âgé de 9 ans, mais cette fois je les surveillais. Elle raconte elle-même : « P.K. et moi, on faisait les choses les plus stupides parce qu'on était toujours en compétition. Mais c'est moi qui finissais par me blesser. »

Je les avais emmenés courir dans les collines d'un parc près de chez nous. Après, je leur avais donné la permission de jouer. Tasha et P.K. avaient décidé d'aller se balancer. Selon ma fille, ils faisaient un concours à savoir qui irait le plus haut : « J'étais beaucoup plus haute que mon père, à environ trois mètres dans les airs, quand le siège s'est tout bêtement détaché de la chaîne et que je suis tombée. En chute libre. Je me suis écrasée dans le bac à sable, qui avait un fond en métal. »

La blessure était grave au point où nous avons dû appeler une ambulance. Heureusement, nous avons pu ramener Tasha à la maison le soir même, mais cette blessure a mis fin à sa jeune carrière de basketteuse et elle souffre encore de douleurs lombaires récurrentes.

Si je me fie aux impressions et aux hypothèses que j'ai accumulées au cours de mes 30 années d'expérience comme père, comme enseignant et comme directeur d'école, j'en viens à la conclusion qu'il y a 3 grandes catégories de parents, dont certaines se recoupent. La parentalité est un processus dynamique : nos enfants évoluent constamment sur les plans physique, émotionnel, social et intellectuel. Ils changent dès qu'on pense les avoir compris.

La première catégorie est le « pilote automatique ». Les parents s'absentent pendant de longues périodes et leurs enfants manquent de structure, de supervision et de modèles de comportement. Sans ligne directrice, ils passent le plus clair de leur temps avec des jeunes de leur âge et sont vulnérables aux influences négatives. Les entraîneurs, les enseignants et les groupes communautaires s'efforcent de combler les lacunes, mais les enfants parviennent difficilement à progresser, à réussir et à rester dans cette voie. Ils ont du mal à prendre leur envol parce que leur entourage les entraîne vers le bas. Ils éprouvent souvent une grande rage qu'ils déversent sur la société. Les adultes qui travaillent avec ces jeunes rivalisent constamment avec les champs de force émotionnels autour d'eux.

Le deuxième type de parents est le « sur-mesure ». Ces parents ont tout compris et, puisqu'ils sont parfaits, leurs enfants ne font jamais rien de mal. Ceux-ci sont élevés de façon à mettre toute leur énergie à plaire à maman, à papa, à leurs entraîneurs et à leurs professeurs. Ils grandissent dans la boîte que leurs parents ont conçue pour eux et ils se plient à toutes leurs règles. Ils savent comment trouver des excuses et jeter le blâme sur les autres. Le mot « blâme » me fait penser à « faible » : les enfants ne deviennent pas plus forts en accusant les autres, ils s'affaiblissent. Tels les designers qui créent des vêtements ajustés à la perfection, les parents adeptes du sur-mesure croient que leur mission consiste à concevoir dans les moindres détails chaque étape du développement de leur progéniture. Ils considèrent que les entraîneurs et les professeurs sont des obstacles sur la route du progrès. Pour la plupart, leurs enfants travaillent uniquement pour les satisfaire et ne réussissent donc pas à développer leur plein potentiel.

Le troisième genre est le « parent sauveteur », le modèle que Maria et moi avons essayé d'adopter. Ce sont ceux qui enseignent la natation à leurs enfants, puis grimpent sur la chaise du sauveteur. Ils leur montrent à réfléchir seuls. Au fur et à mesure que les petits vieillissent – sur les plans physique, émotionnel, intellectuel et social –, ces parents s'éloignent graduellement, mais ils sont toujours prêts à les aider. Ils sont des GPS quand les enfants ont besoin d'être orientés, des médecins quand ils se sentent mal, des banquiers quand ils manquent d'argent et des policiers quand ils dépassent les bornes. Mes propres parents refusaient que je sois un « suiveux ». Ils voulaient que j'aie assez de courage pour tracer une nouvelle voie ou pour m'engager dans la moins fréquentée. Les parents sauveteurs perçoivent le potentiel de leurs enfants et créent un environnement qui leur permet de le voir eux aussi. Ces jeunes apprennent à nager dans tous les cours d'eau : agités, rapides, sales, profonds ou pas.

Si on compare l'éducation à la gestion d'une entreprise, on peut dire que Maria a été la meilleure associée dont on puisse rêver. Notre entreprise était dotée d'une vision, d'une mission et d'un plan d'action. Nous connaissions nos rôles respectifs et nous ne nous gênions pas mutuellement. Maria me soutenait, mais elle n'hésitait jamais à exprimer ses sentiments ni à imposer sa volonté si elle estimait que je n'agissais pas dans l'intérêt des enfants. Par exemple, ça me rendait malheureux quand Taz ou P.K. refusaient de faire leurs *drills* dans le sous-sol, et ma relation avec eux en souffrait. Maria, elle, trouvait les mots qu'il fallait, elle leur faisait un câlin et tout allait mieux.

TAZ

Nos parents avaient tous les deux les mêmes objectifs. Ils voulaient qu'on réussisse à l'école, qu'on ait une carrière, qu'on se donne au maximum dans tout ce qu'on entreprenait. Papa était celui qui nous inculquait cela et maman s'assurait qu'on portait des vêtements propres, qu'on mangeait et qu'on allait bien mentalement. Mon père était aussi celui qui nous poussait physiquement. Il nous disait : « Bon, on va sortir et vous allez faire des sprints et vos 1000 sauts à la corde quotidiens. » Dans le sous-sol, qui n'était pas aménagé, papa nous faisait faire des dribles, des sauts à la corde, des pompes et autres exercices du genre. Nos deux parents s'entendaient sur le fait que, si on ne se donnait pas à 100 % dans quelque chose, ça ne valait pas la peine de le faire du tout.

[Après un match] Maman était plutôt du genre à nous féliciter, tandis que papa disait : « C'était satisfaisant, mais tu n'as pas eu les cinq rebonds que tu aurais dû avoir, tu n'as pas fait ceci, tu n'as pas fait cela. » Cette analyse critique du jeu fonctionnait pour P.K. Dans mon cas, l'approche a été efficace jusqu'à un certain point, puis je me suis rendu compte que je n'en pouvais plus. Je n'écoutais plus. P.K., lui, était réceptif parce qu'il a une personnalité différente de la mienne, à mon avis. Malcolm et Jordan aussi. Papa ne voulait pas être méchant. Il pensait simplement : « Je veux que tu t'améliores, alors voici ce que nous allons faire. » Il voyait tout ça. Ma mère était plutôt celle qui nous encourageait. Ils s'équilibraient l'un l'autre.

JORDAN

C'est toujours plus facile de parler à sa mère. Mon père essayait constamment de me donner des conseils pour que je m'améliore, mais ma mère, elle, me disait : « Jordan, fais ce que tu aimes. » Maman était juste… un peu plus indulgente, un peu moins dure avec moi. Ils étaient tous les deux très attentionnés, très positifs, ils nous encourageaient. Et ils me ramenaient à l'ordre quand c'était nécessaire.

P. K.

À certains moments, mon père adoptait l'approche sévère et ma mère faisait preuve d'indulgence. À d'autres moments, c'était tout le contraire. Alors, ils travaillaient très bien ensemble. Souvent, ils n'étaient pas d'accord : l'un d'eux croyait qu'ils devaient être plus fermes, tandis que l'autre disait : « Écoute, lâche un peu. »

Mais il n'y a pas de méthode parfaite pour entraîner un enfant ou le réconforter. Je pense que plus votre fils ou votre fille franchit d'obstacles, mieux ce sera. Ce qui m'a permis de réussir dans ma carrière, c'est que j'ai toujours persévéré quand quelqu'un m'attaquait ou essayait de m'abattre, et cette attitude me vient de mon expérience au hockey lorsque j'étais jeune. Mes parents ne m'ont jamais traité en bébé dans ces moments-là. Ils n'étaient pas là pour me prendre par la main. Ils me disaient : « Au bout du compte, il va falloir que tu te tiennes debout, que tu sois responsable. Si tu joues aussi bien que tu le prétends, alors tu dois le prouver. »

Nous étions presque toujours avec nos enfants. La personne avec laquelle nous passons le plus de temps est celle qui nous influence le plus, et Maria et moi voulions tous les deux être ces influences. Il faut bien entendu aimer inconditionnellement ses enfants. Ils ont besoin de notre amour et de notre soutien émotionnel. Quand ils savent que leur bien nous tient à cœur, ils écoutent ce que nous avons à leur dire. Si nous nous soucions d'eux, nous allons aussi les discipliner et leur fournir les ressources dont ils ont besoin pour réussir. C'est la condition de leur succès. Sans elle, nos filles n'auraient jamais passé des heures à faire des exercices de basketball ou à courir sur un terrain accidenté, et nos fils ne se seraient pas entraînés à lancer des rondelles dans le sous-sol. Papa était là avec eux. On ne peut pas sous-estimer cela. P.K. n'aimait pas à ce point le hockey, pas plus que mes petits-enfants ne sont passionnés par le patinage. Ce qui intéressait P.K., ce que désirent nos petits-enfants, c'est de passer du temps avec Maria et moi – je suis prêt à en débattre avec n'importe qui.

La discipline dépend parfois de notre éducation. J'ai grandi en Jamaïque où, suivant l'influence et le sens de l'autorité britanniques, on a recours à l'occasion au châtiment corporel. Maria n'a pas été élevée de la même façon. Dans notre famille, il y a eu toutes sortes de méthodes disciplinaires. Il y a eu des temps de retrait. Il y a eu des cris et probablement des paroles qui n'auraient pas dû être lancées. Et puis, il y a eu « le regard ». Quand je jette ce regard, mes enfants savent exactement ce que je pense. Il fait encore effet aujourd'hui.

Comme ma mère, Maria n'a jamais aimé les méthodes les plus sévères. Quand j'étais jeune, j'ai pris quelques fessées et, pour le meilleur ou pour le pire, mes garçons et mes filles en ont reçu à leur tour. Lorsque P.K. recevait une petite correction, l'instant d'après, tous les enfants rentraient dans le rang.

Maria et moi avons eu nos plus grands désaccords au sujet de la discipline quand il était question de sport. Si un enfant méritait une punition, Maria le menaçait en disant : « Tu n'iras pas à ton entraînement » ou « Tu n'iras pas à ton match ». Je ne croyais pas à cette méthode : il aurait été contre-productif de l'empêcher de jouer au hockey.

Au bout du compte, les garçons n'ont jamais manqué le hockey. À mon avis, il suffisait de les envoyer dans leur chambre, d'éteindre la télé ou de leur imposer de nouvelles tâches. Par ailleurs, l'équipe est importante. Si un jeune s'absente d'un match ou d'un entraînement, il laisse en quelque sorte tomber ses coéquipiers. Quand on interdit à un enfant d'aller à son cours de piano ou à sa partie de hockey, il risque de vouloir abandonner. Je suis persuadé que le sport peut changer une vie et même parfois la sauver. C'est pourquoi, dans mes fonctions de directeur d'école, je n'étais pas du genre à interdire une récréation ou un cours d'éducation physique.

Pour souligner notre cinquième anniversaire de mariage, Maria et moi avons organisé un barbecue à la maison avec nos parents et amis. Un de mes bons copains a profité de l'occasion pour m'avouer qu'il n'avait jamais cru que notre union durerait aussi longtemps. Il était présent le soir où j'ai rencontré Maria et il a assisté à notre mariage. Il est toujours mon ami et Maria est toujours ma femme. Il n'a pas décelé dans notre relation ce que, moi, j'avais perçu. J'avais vu un avenir commun et je l'ai même senti en prononçant mes vœux.

Un cinquième anniversaire est un jalon important, tant dans le mariage que dans l'enseignement. Si on peut survivre aux cinq premières années d'un couple et d'une carrière en éducation, tout ira bien. Ça a été mon cas. J'ai pris ma retraite après 30 ans dans le milieu scolaire, mais je ne prendrai jamais ma retraite de mon union avec Maria. Celle-ci se poursuivra jusqu'à ce que la mort nous sépare. Nous avons fait en sorte que notre mariage fonctionne et nous n'arrêterons pas.

Quelle est la recette de notre réussite ? L'amour, la confiance, l'empathie et l'écoute sont les premières choses qui me viennent en tête. Toutefois, dans notre cas, l'ingrédient spécial a été d'élever cinq enfants. Ce grand projet nous a rapprochés et nous a amenés à poursuivre notre aventure commune. L'éducation nous a conduits à faire soit des choses nouvelles, soit des choses difficiles. Nous avions besoin l'un de l'autre et nos petits avaient besoin que nous nous organisions pour que tout fonctionne. Le temps que nous avons investi dans nos enfants, c'est aussi du temps que nous avons investi dans notre couple. Du temps personnel de qualité donne des relations saines et un mariage sain. Je pouvais compter sur Maria et elle savait qu'elle pouvait compter sur moi, surtout dans les moments difficiles. Nous avons travaillé jour et nuit comme si c'était naturel. Nous étions les deux entraîneurs de l'Équipe Subban et nous continuons à partager cette tâche avec bonheur.

Nous n'étions pas toujours d'accord, mais nous ne perdions jamais de vue ce qui avait le plus d'importance pour nous: nos enfants. Depuis le début, nous relevions tous les défis qui se présentaient à nous comme couple et comme parents. Nous construisions des bases solides, qui ont été capitales pour survivre à ce qui allait mettre notre résilience le plus à l'épreuve, ce qui nous attendait et allait accaparer nos vies durant des années.

Chapitre 7

Le hockey mineur

Un vendredi soir, je me trouvais devant un sac de hockey ouvert sur le plancher du salon. J'en sortais l'équipement – du vieux et du neuf – donné à P.K. par mes collègues Barb Smales et David Bince. P.K., alors âgé de quatre ans, était assis sur le canapé et contenait difficilement son enthousiasme. Le lendemain, il allait disputer la première partie de hockey de sa vie avec les Flames dans la ligue de l'aréna Chris Tonks. Je n'avais pas la moindre idée de ce que je faisais.

Alors que j'extirpais les objets bizarres du sac pour la répétition générale, j'avais l'impression d'assembler les pièces d'un casse-tête sans avoir vu l'image sur la boîte. J'étais perdu et, malheureusement, les tutoriels de YouTube n'existaient pas encore. L'espèce de jarretière me mystifiait complètement, sans compter les lanières des épaulières. J'ai résolu une partie de l'énigme ce soir-là et le reste, le lendemain matin dans le vestiaire en observant furtivement les autres parents.

Pour les premiers matchs, j'habillais P.K. à la maison parce que je ne voulais pas qu'on rie de moi à l'aréna. C'était comme apprendre à conduire, j'étais nerveux au début, mais j'ai fini par comprendre et c'est rapidement devenu une deuxième nature. P.K. s'initiait à un nouveau sport et moi aussi : entraîner les enfants au hockey mineur, une activité passablement différente de ma formation d'enseignant dans le système scolaire.

À sa première saison dans la ligue locale, P.K. côtoyait des enfants deux ou trois ans plus âgés que lui, mais il s'intégrait bien au groupe. Il était déjà habile sur ses patins. Il ne comprenait peut-être pas toutes les subtilités du jeu en raison de son âge, mais il pouvait tenir le rythme, manier la rondelle et se déplacer avec elle. Une fois, il a lancé le disque dans le filet de son équipe – ce qui lui a valu brièvement le sobriquet de « Wrong Way » (mauvaise direction) –, mais, dans l'ensemble, il s'est bien débrouillé cette année-là et j'étais encouragé par ses progrès sur la glace.

Un élément clé de la réussite de nos filles et de nos garçons était, selon moi, que nous accordions plus de valeur aux entraînements qu'aux matchs. Je me rends compte maintenant qu'un des plus beaux cadeaux que j'ai offerts à Taz, Tasha, P.K., Malcolm et Jordan, c'est de les avoir aidés à exceller dans un domaine à un jeune âge parce que cela leur a permis d'accroître leur estime personnelle.

La saison suivante, nous avons emmené P.K. à l'aréna Pine Point d'Etobicoke. Tout le monde parlait de ses exploits dans la ligue locale. L'année où il a eu 5 ans, il a fait partie de l'équipe d'élite des 6 ans et a compté 19 des 21 buts de sa formation. Beaucoup de gens doutaient de son âge : il était grand et semblait plus costaud encore parce que je lui achetais de l'équipement d'une taille supérieure pour le garder plus longtemps (et le refiler à ses frères plus tard). À l'âge de six ans, nous l'avons sorti de la ligue locale pour le faire jouer avec le West Mall Lightning, une équipe supérieure. Il faisait partie des Super 8s, des hockeyeurs d'élite de huit ans. Nous avons appris, à la fin de la saison seulement, qu'il n'avait pas le droit de jouer avec des enfants deux ans plus vieux que lui.

La graine du hockey avait été semée longtemps avant la naissance de mes fils, quand j'étais adolescent à Sudbury. Même si je n'ai jamais fait partie d'une véritable équipe, j'ai toujours imaginé que mes garçons réaliseraient ce rêve qui n'était pas à ma portée et qui était né en regardant *La soirée du hockey* et en patinant en famille.

Je n'obligeais pas les enfants à regarder les parties à la télé. P.K. était une boule d'énergie quand il était petit et il ne pouvait pas rester tranquille. Moi, je manifestais ma joie ou ma rage devant l'écran, tandis qu'il courait vers moi, me sautait dessus ou s'asseyait à mes côtés en criant en direction du téléviseur comme s'il comprenait ce qui se passait. Les enfants sont devenus des fans de ce sport parce que ma femme et moi étions de fervents amateurs. Ayant grandi à Toronto, Maria encourageait les Maple Leafs. Quand le Tricolore se mesurait aux Leafs, celui qui avait soutenu l'équipe gagnante avait le droit de narguer l'autre jusqu'au prochain affrontement des deux formations. Le hockey faisait entrer plaisir, joie et rires dans notre vie familiale. Ainsi, le samedi soir où P.K. m'a annoncé qu'il voulait « jouer au hockey comme ces gars-là, à la télé » en regardant les Canadiens, il baignait dans ce sport depuis longtemps déjà.

Apprendre à patiner est probablement l'élément le plus important pour devenir un bon joueur de hockey. Le patinage était notre principale activité familiale pendant les mois d'hiver et nous nous y adonnions un peu partout dans la région de Toronto. C'était aussi habituel pour nous que manger en famille.

Quand nous habitions à Brampton, une de nos patinoires préférées se trouvait au centre Bramalea City. Une sortie me reste en tête. Nous nous étions garés dans le stationnement de la patinoire extérieure un vendredi soir de printemps. Betsy, ma Toyota Corolla de 1983, était juste assez grande pour quatre personnes, mais nous avions déjà un passager supplémentaire : P.K., qui était sur le point d'avoir trois ans. Il prenait place entre ses sœurs à l'arrière et Maria était à l'avant. Elle avait à ses pieds un sac de plastique contenant un thermos de chocolat chaud et des verres de styromousse. Le stationnement était exceptionnellement vide et j'avais pu me garer à proximité de la patinoire. Normalement, le vendredi, l'endroit fourmillait d'adolescents et de familles avec de jeunes enfants. On entendait le frottement des lames sur la surface glacée au son de la musique qui sortait des haut-parleurs.

Ce soir-là, par contre, la patinoire était silencieuse. Une alerte météo avait mis en garde les citoyens de la région de Toronto d'éviter les activités extérieures à cause des risques pour la santé, surtout pour les plus petits. Quand il fait un froid mordant, comme c'était le cas ce jour-là, on ne veut pas bouger. On a l'impression que le froid colle au corps. Lacer les patins assis sur le banc de béton était douloureux, particulièrement pour moi qui portais seulement un survêtement. Nous avions notre chorégraphie : les enfants s'asseyaient de chaque côté de moi et posaient une jambe sur mes genoux. Je laçais le patin de l'un, puis le patin de l'autre. Je nouais même ceux de Maria, jusqu'au jour où elle est tombée et s'est foulé le poignet. Ce fut la fin de sa carrière de patineuse.

Ce vendredi-là, Taz, Natasha et P.K. étaient bien protégés du vent froid par leurs combinaisons de neige. Mes doigts étaient engourdis quand j'ai eu fini de chausser tout le monde. J'ai soufflé sur mes mains endolories, puis j'ai réussi à enfiler mes patins et à amorcer lentement le tour de la glace. Inutile de préciser que nous ne sommes pas restés très longtemps, mais nous avions bien mérité de déguster notre chocolat chaud.

Quand le froid s'installe, le bassin d'eau du square Nathan Phillips, au pied des tours incurvées de l'hôtel de ville, est transformé en patinoire. C'est une des premières glaces extérieures à être aménagées et son ouverture souligne le début officieux de l'hiver à Toronto.

Je n'étais pas satisfait du coup de patin de P.K., même s'il était supérieur à la moyenne des jeunes de son âge. Je savais que plus il s'exercerait, meilleur il deviendrait, et plus il commencerait tôt dans l'année, mieux ce serait. À l'hiver 1994-1995, alors qu'il était en maternelle, P.K. s'était donné pour objectif de patiner tous les jours. C'est pourquoi nous nous élancions sur la glace du square Nathan Phillips à 22 heures.

Bien entendu, j'aurais préféré me rendre au centre-ville plus tôt en soirée, mais c'était impossible à cause de mon travail.

J'avais posé ma candidature pour un poste de directeur adjoint au programme de cours du soir pour adultes à l'institut collégial Runnymede. Les cours commençaient à 18 heures et se terminaient vers 21 heures. J'avais besoin de cet emploi pour acquérir de l'expérience comme directeur adjoint, parce que je voulais plus tard diriger une école primaire. Ces soirs-là, je quittais l'école entre 21 heures et 21 h 30, je me rendais à la maison, je me changeais, puis je réveillais P.K., qui s'était couché vêtu de sa combinaison de neige. Nous montions dans l'auto et nous partions au centre-ville.

Quand la séance de patinage libre se terminait, vers 22 heures, la foule laissait graduellement la place aux hockeyeurs, bâton à la main. Rapidement, ils devenaient les plus nombreux et P.K. se retrouvait agenouillé au milieu de la glace pour un petit rituel. Tous les joueurs jetaient leurs bâtons en tas et P.K. en pigeait un à la fois pour former les équipes. Il adorait ça. Les plus âgés passaient la rondelle aux enfants pour les laisser compter. C'était l'esprit du hockey à son meilleur.

Je n'ai jamais joué au square Nathan Phillips, mais je marchais autour de la surface rectangulaire en regardant P.K. et en pensant au plaisir que me procurait ce sport quand j'habitais la rue Peter, à Sudbury. Victime de la fièvre du hockey, mon fils se considérait déjà comme un vrai joueur. Les touristes aimaient voir ce petit garçon noir patiner le soir au milieu des adultes. Nous restions jusqu'à une heure ou deux de la nuit, nous mangions une pointe de pizza, puis nous rentrions à la maison. Il n'y avait pas de maternelle à plein temps à l'époque et, comme P.K. fréquentait l'école l'après-midi, il pouvait se lever tard le matin. Nous y allions chaque soir pendant deux ou trois semaines, en attendant l'ouverture des patinoires publiques d'Etobicoke-Nord.

Alors, nous n'avions plus à nous rendre au centre-ville pour que P.K. puisse s'entraîner.

Quand nous caressons un rêve, il s'ancre en nous et il devient plus réaliste. C'est ce que Maria et moi faisions comme parents. Nous regardions les parties ensemble à la télévision et nous prenions le temps d'accompagner nos enfants lorsqu'ils s'entraînaient et jouaient. Au fil du temps, je me suis rendu compte qu'il était important non seulement de nourrir leur rêve de faire carrière au hockey, mais aussi d'améliorer leurs compétences de vie pour en faire de bonnes personnes.

Le « plan de cours » sportif des garçons était axé sur quatre formes d'exercice : patiner, lancer des rondelles, manier le bâton et jouer au hockey à l'extérieur. Nous faisions ces activités « programmées » dans leur GPS tout au long de l'année, mais c'étaient les parties en plein air qui les amusaient le plus. C'était comme leur dessert préféré : ils étaient impatients de jouer et ne s'en lassaient jamais. En hiver, le hockey se pratiquait surtout sur la patinoire extérieure du parc Sunnylea d'Etobicoke. Les garçons ne quittaient pas la glace tant qu'il y restait des « rats de patinoire ». Je leur apportais toujours un thermos de chocolat chaud et des verres. Ils n'avaient jamais froid parce qu'ils bougeaient constamment. Ils enlevaient même des pelures au fur et à mesure que l'exercice faisait augmenter leur température corporelle.

Je n'ai manqué aucune des parties que les garçons ont disputées à l'extérieur. Quand Malcolm et Jordan apprenaient à patiner, je faisais le tour de la glace avec eux pendant que P.K. jouait au milieu avec les plus vieux. Dès que Malcolm et Jordan ont été prêts à jouer, je me tenais à l'écart comme un sauveteur qui surveille de loin. Je n'ai jamais eu à sauter sur la glace pour les rescaper. Les garçons plus âgés gardaient l'œil sur les plus jeunes. Contrairement à ce qui se passait dans les matchs de hockey organisé, les adultes n'intervenaient jamais. Il n'y avait ni arbitre, ni juge de ligne, ni juge de but, ni admirateur, ni marqueur, et personne ne recevait de pénalité. C'était du hockey dans sa forme la plus pure, des jeunes qui jouaient pour le simple plaisir.

Les enfants adorent s'amuser. C'est comme ça qu'ils passent le plus clair de leur temps. Les priver de sport, surtout s'ils en ont envie, c'est leur refuser un rite de passage. Ma femme et moi nous sommes servis de l'amour de nos filles pour le basketball et de la passion de nos fils pour le hockey afin de leur enseigner l'importance de réussir dans un domaine, mais aussi d'améliorer certaines compétences de vie. Les habiletés au hockey permettent à un joueur d'exceller sur la patinoire, tandis que les compétences de vie permettent à une personne d'être plus productive, plus heureuse et en meilleure santé toute son existence.

En 1993, nous avons déménagé sur la promenade Arborwood, à Rexdale, un quartier au nord d'Etobicoke, près de l'hippodrome Woodbine. Malcolm et Jordan y sont nés. La maison comptait quatre chambres et une grande cour. Nous ne l'avons pas payée une fortune, mais elle valait un million de dollars à nos yeux. C'était plus qu'un toit sur nos têtes, c'était un endroit où pouvait s'épanouir notre éthique familiale axée sur le travail, l'apprentissage et le jeu. Le dicton voulant que la maison soit la première école et les parents, les premiers enseignants, a été inventé pour nous.

Notre demeure était pleine de vie et on y trouvait une foule de choses à faire. Dès qu'on franchissait le seuil, on apercevait les jouets, les bâtons de hockey et les petits filets éparpillés un peu partout. La maison était aménagée comme une classe de maternelle avec plusieurs centres d'apprentissage ou d'activités. Il y avait des livres en abondance et, avant que les enfants sachent lire, ils pouvaient feuilleter leur bouquin en écoutant des cassettes audio ou suivre le texte sur ordinateur. Nous avions toute une variété d'équipement d'éducation physique et un piano dans le salon. Notre voisine immédiate enseignait cet instrument à Taz et à Tasha. Les garçons ne suivaient pas de leçons, mais ils ont tout de même appris à jouer. Il était aussi facile de prendre un bâton de hockey que de s'asseoir au piano et d'y piocher un peu. Les enfants avaient à leur portée du papier et des crayons de bois ou de cire pour dessiner. Une de nos activités préférées était la fabrication de cerfs-volants avec des baguettes de bambou, de la colle et du papier de soie coloré. Nous accordions de l'importance au jeu libre et nous n'imposions jamais une activité de préférence à une autre.

Comme j'étais enseignant, je passais tout l'été avec les enfants. Nous cuisinions ensemble. J'adorais faire des gâteaux et les petits s'amusaient à mesurer les ingrédients. Nous préparions aussi des brioches de Pâques en suivant une recette découpée dans le *Toronto Star* il y a plus de 25 ans.

La cour donnant sur la promenade Arborwood avait trois fonctions principales. Premièrement, c'était un endroit sécuritaire pour jouer par temps chaud. Deuxièmement, on y faisait pousser du raisin, des cerises Bing et des poires. J'y avais aussi aménagé un potager qui occupait toute la largeur du terrain sur une profondeur d'environ un mètre et demi. J'adorais cultiver des légumes et les voir pousser. Et je prenais un grand plaisir à partager ma récolte.

Enfin, notre cour a servi de patinoire durant une quinzaine d'années et son entretien faisait partie de ma routine hivernale. Un collègue enseignant, Don Norman, m'en a donné l'idée parce qu'il en aménageait une chez lui et à son école, Harwood. Il m'a fourni les instructions. Je les ai améliorées en ajoutant des bandes et une bâche que j'ai commandée après avoir vu une annonce dans le *Hockey News,* je pense.

La préparation de la surface d'environ neuf mètres sur neuf mettait à l'épreuve ma patience, ma résilience et mon acharnement. La phase la plus facile du procédé, c'est clouer et assembler la bande et installer la bâche sur le sol. Ensuite, on l'arrose pour la maintenir en place jusqu'au gel. L'hiver se pointait parfois avant Noël, ce qui me permettait d'avoir une base bien solide.

Mais si, pendant une journée ou deux, la température grimpe au-dessus du point de congélation, on doit recommencer à zéro. La météo n'offre aucune garantie. Il faut des températures froides constantes et une certaine quantité de précipitations. Comme le progrès est toujours lent, on remarque difficilement la glace qui épaissit. Le secret, c'est qu'il faut arroser la surface un peu chaque jour. Je me levais parfois à trois heures du matin, au moment où le mercure est au plus bas, pour effectuer cette tâche.

Les garçons pouvaient ainsi patiner tous les jours et acquérir une aisance qui leur permettait de se démarquer de la plupart des joueurs de leur âge. Leur responsabilité était de patiner et la mienne, d'entretenir la glace. Quand le temps se radoucissait, je recouvrais la surface d'une couche de neige pour la protéger de la chaleur du soleil.

Ce projet m'a causé d'autres soucis. Au bout d'une dizaine d'années, la bâche s'est usée et l'eau s'est écoulée dans la cour du voisin. Elle a gelé pendant la nuit et l'homme s'est retrouvé involontairement avec une patinoire chez lui ! Il a prévenu Maria que je devais renoncer à cet aménagement

P.K. sur la patinoire de notre cour

avant qu'il se casse le cou en sortant les ordures. Après avoir essayé en vain de réparer la bâche, je me suis résolu à en acheter une neuve chez Home Depot.

Quand la glace n'était pas à mon goût, j'emmenais les garçons à une des patinoires municipales de la région de Toronto ou de Mississauga. Je connaissais tous les horaires et la distance ne me posait aucun problème.

Au cours de ces années, j'ai appris une leçon qui s'applique, je crois, à tous les parents : il est important de ne pas se servir des enfants des autres comme mesure étalon. On doit fixer ses normes personnelles. Comme je le dis toujours, le temps et l'énergie que je perds à observer les enfants des autres sont du temps et de l'énergie que je pourrais consacrer à aider mes fils et mes filles à repousser leurs limites.

Quand nous n'avions que 10 minutes pour patiner, parce que j'étais fatigué ou que les petits étaient malades, nous en profitions tout de même. Notre état d'esprit a toujours été de nous améliorer et j'essayais aussi de développer la même mentalité chez mes élèves. On travaille pour devenir meilleur, pas pour avoir de bonnes notes. Autrement, si on obtient un A, pourquoi devrait-on continuer à déployer autant d'efforts ? Peu importe la note, on peut faire plus et mieux.

Mes trois fils ont commencé à jouer dans la ligue locale vers l'âge de quatre ans. P.K., Malcolm et Jordan ont tous les trois fait leurs débuts avec les Bulldogs d'Etobicoke.

Je compare la ligue de hockey locale à la maternelle. Tout est neuf. L'entraîneur agit comme le fait un premier enseignant et les coéquipiers rappellent les camarades de classe. Il y a de l'équipement neuf et un uniforme qu'il faut s'habituer à porter. Il faut apprendre des règles et se plier à la routine. Et certains entrent à la maternelle avec une longueur d'avance sur les autres parce qu'ils ont été exposés à un environnement riche et stimulant au cours de leurs cinq premières années passées à la maison.

Comme ces enfants qui commencent la maternelle du bon pied, mes trois garçons ont excellé dans la ligue locale. Jouer, s'exercer et s'entraîner au hockey était devenu naturel dès leur cinquième anniversaire. Chaque équipe de la ligue locale organisait ses joueurs en trois lignes : A, B et C. La ligne A réunissait les meilleurs, la ligne B, les joueurs moyens, et la ligne C regroupait les petits qui tenaient difficilement sur leurs patins. Dès leur première année de hockey, P.K., Malcolm et Jordan ont toujours fait partie de la ligne A, puisqu'ils étaient déjà capables de patiner et de manier la rondelle.

MARIA

Mes enfants ont développé le goût du sport parce qu'ils réussissaient bien. Quand les gens disent : « Mes enfants n'aiment pas ceci ou cela », je leur explique que les parents doivent y consacrer du temps. Le hockey exige un engagement considérable qui rebute beaucoup de parents.

L'argent est un autre problème, mais on ne dépense pas tant que ça avant le calibre AAA où il y a beaucoup de déplacements et de frais d'hôtel. Si vos enfants évoluent au hockey mineur, emmenez-les à la patinoire une fois par semaine jouer une partie et s'entraîner. Certains croient qu'il faut leur faire apprendre le patinage de puissance. Non, ce n'est pas nécessaire. Emmenez-les patiner librement chaque jour pour qu'ils améliorent leur technique. Apportez un livre et lisez pendant que vos enfants s'amusent. Une fois qu'ils maîtrisent leur coup de patin, alors là, vous pouvez leur faire découvrir le patinage de puissance. Les parents croient à tort qu'il faut tout faire en même temps et ils mettent beaucoup de pression sur leurs jeunes.

P.K. a commencé le patinage de puissance à six ans, mais il excellait déjà sur deux lames. Il détestait ça, il détestait se lever le dimanche matin. Il pleurait, même. Je lui disais : « Si tu veux jouer et si tu veux t'améliorer, tu dois le faire. Si tu ne souhaites pas être meilleur, tu n'y es pas obligé. » Je leur expliquais les choses telles qu'elles étaient. « Si tu rêves de jouer dans la LNH, tu dois faire du patinage de puissance, alors décide-toi. » C'était comme ça que je lui parlais. Karl, lui, disait simplement : « Tu y vas, un point c'est tout. »

Les parties avaient lieu le samedi matin. Un boucher et sa famille tenaient un stand devant l'aréna Pine Point où ils servaient des sandwichs au *peameal bacon* (du porc saumuré enrobé de farine de maïs). Encore aujourd'hui, je me rappelle la délicieuse odeur. Nous avions tous hâte d'en manger après les matchs. Ce fumet était la seule chose qui pouvait momentanément me distraire des exploits de mes fils.

Je me souviendrai toujours aussi de la passion contagieuse des parents dès que nous franchissions les portes de l'aréna. Elle me rappelait le jour de la rentrée après les vacances d'été, lorsque les élèves gonflés à bloc revenaient à l'école débordants d'énergie et d'enthousiasme. Les parents et les enfants encourageaient les joueurs, criaient, hurlaient pendant les parties. Avec l'esprit de compétition qui s'ajoutait, les adultes pouvaient rapidement perdre le sens des réalités. « Lance ! Passe ! Patine ! Patine ! Concentre-toi ! »

Chaque match était rythmé par les cris de joie soulignant les buts et les victoires, et les silences accueillant les arrêts manqués et les défaites. Je n'étais pas du genre à crier ni à gueuler. J'ai plutôt passé de longues heures à enregistrer les garçons sur vidéo, juste pour en garder un souvenir et non pour m'en servir comme outil pédagogique. On ne m'entend pas quand on regarde ces centaines d'heures de hockey immortalisées sur pellicule, mais on perçoit les cris de Maria qui encourage tous les joueurs, et pas seulement nos fils.

Je n'exhibais pas toujours ma passion du jeu sur les gradins. Elle s'exprimait autrement. Un hiver, P.K. avait une grosse grippe un jour de match. Ma tête – et la voix de Maria – me disait qu'il ne devait pas jouer, mais mon cœur pensait le contraire. Toute la matinée jusqu'au moment de partir pour l'aréna, j'ai cherché en vain des signes d'amélioration. P.K. avait toujours une forte fièvre et manquait d'énergie.

J'ai habillé mon fils malgré les protestations de Maria et il a joué pour me faire plaisir. Toutefois, je me suis rendu compte que j'avais commis une grave erreur en observant P.K., malade et léthargique, en train d'essayer de patiner. J'en étais même gêné.

Par la suite, j'ai présenté mes excuses à Maria, mais malheureusement pas à P.K., et je me suis juré de ne plus jamais répéter cette erreur. Je me suis souvenu de ma règle d'or comme éducateur : toujours prendre des décisions dans l'intérêt de l'enfant et de sa santé. Encore aujourd'hui, dès que je commence à faire l'éloge de mes exploits comme père de famille, Maria me ramène à l'ordre en me rappelant le choix irréfléchi que j'ai fait ce samedi-là.

À l'époque où nos garçons jouaient au hockey mineur, mon plus grand défi consistait à contenir mes émotions après les parties. Lorsqu'ils perdaient, j'avais l'impression d'avoir subi une défaite moi aussi. Quand ils remportaient leur match du samedi, j'étais de merveilleuse humeur durant toute la semaine. Ce sont ces montagnes russes d'émotions qui ont incité Richard, l'entraîneur de P.K., à dire aux parents de l'équipe d'élite des six ans (P.K. en avait cinq) de mieux prendre soin de nous, à défaut de quoi nous risquions de ne pas survivre à nos années de hockey mineur. Il avait raison : nous n'aurions pas pu continuer à gaspiller autant d'énergie à nous préoccuper des victoires ou des défaites de nos enfants. J'ai toujours trouvé que le hockey faisait ressortir le meilleur de nous… et parfois le pire.

Coach Richard nous a prodigué d'autres précieux conseils. Lors d'une réunion, il a expliqué aux parents que les entraîneurs ne reconnaissaient pas le statut de superstar. Il n'a nommé personne, mais P.K. était le meilleur patineur et le meilleur compteur de l'équipe. Après la rencontre, j'ai eu l'impression que l'entraîneur m'avait dit : « Karl, P.K. n'a pas besoin de sentir qu'il est une vedette à l'âge de cinq ans. » Il avait tellement raison. Nous avons appris, au fil des ans, que le but pour des parents de joueurs n'est pas de transformer leurs enfants en vedettes, mais simplement d'en faire de meilleurs hockeyeurs.

Les jeunes doivent faire certaines choses sur la glace pour que leur équipe gagne, mais ils ne sont pas en mesure – intellectuellement, socialement, physiquement ou émotionnellement – de faire ce que nous voulons qu'ils fassent la journée où nous le souhaitons. Lorsque P.K., Malcolm et Jordan ont commencé à jouer au hockey, ils patinaient bien et savaient manier le bâton, mais ils n'étaient pas toujours prêts à se jeter dans la mêlée. Je gardais l'espoir que ces aptitudes leur viennent avec le temps et, en effet, chacun de mes fils s'est amélioré à son propre rythme.

L'enseignement m'a appris que les enfants franchissent des étapes de développement différentes et possèdent des caractéristiques distinctes. Plus ils sont jeunes, plus ils réfléchissent de manière concrète. En vieillissant, ils passent à un mode de pensée plus formel. Dès que j'ai pu transposer cette connaissance dans le domaine du hockey, je me suis rendu compte que je n'avais qu'à lâcher prise et à me laisser transporter, à m'amuser. J'ai appris cette leçon avec P.K. et, quand Malcolm et Jordan ont commencé à jouer, je n'étais plus aussi intense. P.K. étant l'aîné des garçons, sa pratique du hockey a mobilisé beaucoup de notre énergie.

Le sport prenait du temps. Notre vie était divisée en trois : du temps pour la famille, du temps pour le sport et du temps pour le travail et l'école. Les périodes consacrées au sport étaient les plus exigeantes et les plus difficiles à organiser. Avec trois garçons qui s'entraînaient et jouaient au hockey aux quatre coins de la ville, et deux filles qui étaient membres d'une équipe d'élite de basketball, nos samedis et nos dimanches étaient toujours embrouillés. Nous avons manqué certaines parties des filles ; nous allions seulement les conduire puis les chercher. Quand elles ont été plus vieilles, nous étions plus à l'aise de les confier à d'autres parents ou de leur laisser prendre les transports en commun, souvent avec leurs coéquipières. Pendant de nombreuses années, nous n'avions qu'une voiture. Lorsque Taz est entrée à l'Université York, elle s'est acheté un véhicule et nous a aidés en conduisant ses frères à leurs matchs et à leurs entraînements.

Mon ami Dave Bince nous donnait parfois un coup de main. Un samedi, il a emmené P.K. à une partie de la ligue locale. P.K. était perdu dans la conversation et, sans regarder Dave, il l'a appelé « papa ». À partir de ce moment, Dave a commencé à me dire à la blague que P.K. avait deux pères. Ça ne m'a jamais dérangé ; je savais qu'il faudrait un village pour élever mes enfants et un autre pour former des joueurs de la LNH.

Je n'ai jamais cru qu'il fallait soudoyer les enfants pour qu'ils réussissent, mais certains ne s'en privaient pas, comme le frère de ma mère, oncle Owen. Un jour, il est venu de Sudbury pour nous rendre visite. P.K. se préparait à aller jouer une partie de la ligue locale. Avant qu'il parte à l'aréna Pine Point, oncle Owen a sorti un billet de cinq dollars de sa poche et l'a brandi en promettant à P.K., avec un grand sourire : « Tu en auras un comme ceci à chaque but que tu compteras aujourd'hui. »

Maria et moi étions contre cette attitude qui équivalait à nos yeux à un pot-de-vin, mais nous n'avons rien dit cette fois-là. Mon oncle venait rarement nous voir et nous ne pensions pas que cet événement isolé entraverait la motivation de notre fils. Comme d'habitude, P.K. a joué avec brio. Il a marqué cinq buts et était impatient de réclamer son dû à oncle Owen.

Dans la voiture, sur le chemin du retour, j'en ai profité pour lui donner une courte leçon de mathématique. Nous avons passé tout le trajet, un quart d'heure environ, à compter par bonds de cinq. Oncle Owen a appris lui aussi quelque chose ce jour-là : il n'a plus jamais offert d'argent à P.K. et à ses frères pour les encourager à marquer.

Il y a deux types de motivation : extrinsèque et intrinsèque. Le marché qu'oncle Owen a conclu avec P.K. est un exemple de motivation extrinsèque. Lorsque la récompense provient de l'extérieur, les enfants finissent par se désintéresser et leur attrait pour le jeu s'envole en fumée. La motivation intrinsèque vient de la personne elle-même. Lorsqu'on joue par intérêt, ou parce que c'est amusant et qu'on aime être avec les autres, on le fait pour soi-même. Et quand on fait quelque chose pour soi-même, on s'y adonne plus souvent et pendant plus longtemps, et on devient meilleur.

Une des recettes pour s'améliorer consiste à retirer les sources de distraction. Quand ils étaient sur la glace ou sur le banc, nos fils cherchaient toujours à savoir où nous étions (assis ou debout) dans l'aréna, surtout dans les premières années. Comme Maria et moi ne voulions pas nuire à leur concentration, nous nous cachions pour leur enlever l'envie de fouiller les gradins du regard et pour diminuer leur angoisse de séparation. Ça fonctionnait. Au fil du temps, peu leur importait où se trouvaient papa et maman. L'aréna, la glace, la rondelle, les arbitres, les fans, les coéquipiers et leurs adversaires ne les distrayaient pas et ne représentaient plus l'inconnu. Leur objectif consistait à s'immerger dans leur partie, à se laisser emporter en se disant : « J'adore ce sport et je peux y jouer. »

Même si je crois que les enfants tirent de nombreux avantages à jouer et faire du sport, Maria et moi avions des opinions bien arrêtées sur l'importance pour nos garçons de prendre le hockey au sérieux en vieillissant. Un jour, Maria mangeait avec une amie du secondaire et la conversation a porté sur le hockey. Quand son amie lui a expliqué que ses enfants jouaient seulement pour s'amuser et faire de l'exercice, ma femme a répliqué que nous avions une approche différente : « Si nos enfants veulent simplement s'amuser, je vais les laisser dans la ligue locale. S'ils veulent seulement faire de l'exercice, je vais leur payer un abonnement au gymnase. » Le hockey coûtait cher et nous cherchions à obtenir un certain rendement sur notre investissement. Nous croyons encore que *les buts qu'on se fixe sont ceux qu'on atteint* et qu'*on récolte ce qu'on sème*. Nous nous attendions à plus. À beaucoup plus.

MARIA

Quand P.K. jouait pour les Sénateurs dans la catégorie bantam, je lui ai dit : « Tu as 14 ans maintenant, tu es assez vieux. S'ils ne te font pas jouer, tu sais ce que tu dois faire. Peu importe le temps qu'on t'accorde, tu y vas. Si on te donne 10 secondes, fais quelque chose : saute sur la glace, encaisse un coup, compte un but ou fais une bonne passe. Tu dois agir, peu importe la durée de ta présence sur la glace. Ne saute pas sur la patinoire en boudant. »

Les enfants doivent comprendre que c'est la politique du hockey. On te fait jouer en fonction de ta façon de jouer. C'est comme ça. C'est comme ça que nous avons préparé P.K. et, quand il a joué avec l'équipe de Belleville, il était prêt à ça.

Lorsque l'entraîneur le gardait sur le banc, mon fils savait qu'il devait se tenir prêt pour le changement de ligne suivant. C'est la même chose dans la LNH. Alors, nous l'avons aidé à comprendre : ce n'est pas comme au hockey mineur où vous êtes trois bons joueurs à tenir l'équipe sur vos épaules et qu'on vous donne la totalité du temps de jeu. Rendu à ton calibre, tu dois être productif pour mériter ton temps de jeu.

Un jour, nous étions au Vaughan Iceplex à Toronto. C'est une patinoire double qui sent le moisi et le moteur de la Zamboni crache trop de fumée. Mais ça n'a jamais eu d'importance. Ça reste du hockey et on s'y habitue. P.K., qui avait environ huit ans, participait à un tournoi printanier. Il est sorti du vestiaire en larmes en disant qu'un garçon sur la glace l'avait traité de nègre.

Comme c'était la première fois que nous vivions une situation semblable, nous n'avions pas eu l'occasion de discuter avec lui du sens de ce mot. Mes parents non plus ne m'en avaient jamais parlé. Ça ne serait pas arrivé en Jamaïque et, à Sudbury, mes enfants ne sont jamais rentrés à la maison en se plaignant d'un commentaire raciste. Quant à moi, je n'avais jamais fait l'objet de telles injures.

Maria a eu la même réaction que moi. Nous avons dit à P.K. qu'il était inutile de pleurer parce que ce n'était qu'un mot. Nous avons probablement lancé le proverbe *Les coups font mal, mais les injures ne causent pas d'enflure.* Les enfants qui ressemblaient à P.K. étaient peu nombreux à jouer au hockey, alors je suis pas mal certain qu'il avait remarqué sa différence. Mais là, quelqu'un avait souligné cette particularité d'une façon qui ne lui plaisait pas.

La deuxième fois qu'un tel incident s'est produit, nous étions en tournoi à Waterloo, en Ontario, et P.K. devait avoir environ neuf ans. En passant devant un groupe de parents pour me rendre à la section réservée à notre équipe, j'ai entendu beaucoup de cris. Je me suis retourné et j'ai aperçu, au milieu de l'agitation, un *hockey dad* de notre équipe dont le fils joue maintenant dans la LNH. Quelqu'un avait fait une remarque méprisante à l'endroit de P.K. et cet homme s'était porté à sa défense. Il a toujours refusé de me répéter les paroles qu'il avait entendues, mais je peux en imaginer la teneur.

Les conseils que j'ai donnés à mes fils dans le cas d'incidents comme ceux-là ont évolué avec le temps. C'est un sujet tellement délicat. Selon moi, plus ils apprennent jeunes à réagir à ces situations, mieux c'est. Le racisme est une réalité de la vie. On peut ne pas aimer une personne pour une foule de raisons : sa taille, ses vêtements, son poids… Qui sait ? Les gens sont tous différents d'une façon ou d'une autre et être différent, ce n'est pas un défaut.

J'ai toujours dit à mes enfants que prêter attention au racisme a les mêmes conséquences que bon nombre de distractions dans la vie : dès qu'on s'y attarde, on perd de vue notre but. On n'arrivera jamais à l'endroit où on veut aller. Alors, pourquoi se laisser distraire ?

D'après moi, la meilleure façon de réagir consiste à développer son potentiel. Si certains ne croient pas en nous à cause de la couleur de notre peau, la meilleure façon de leur donner tort et de prouver le contraire au reste du monde, c'est de devenir quelqu'un.

Certains n'acceptent pas ce point de vue. Je ne peux pas les empêcher de penser à ce qu'on leur a dit ou à ce qu'ils croient qu'on pense d'eux, mais je ne veux pas m'en mêler. Si P.K. s'était arrêté à tous les commentaires négatifs qu'on lui a faits, il ne serait pas arrivé là où il est aujourd'hui. Il les a toujours ignorés.

Plus d'une fois, on m'a demandé si j'avais la même opinion en public et en privé. « C'est une chose de projeter cette attitude devant les caméras et les microphones, disent certains, mais qu'en est-il quand vous êtes seul ? Dans ces moments de tranquillité, est-ce que les commentaires racistes réussissent à s'insinuer dans votre esprit ? » Je réponds non, parce que ces paroles ne feraient que plomber mon moral. Mon opinion ne change pas derrière des portes closes. J'ai dit à P.K. qu'il était capital de « changer de chaîne » parce qu'on ne parvient jamais à se libérer des médisances si on les rumine. Cela prend de l'entraînement, par contre, et P.K. a eu largement l'occasion de s'entraîner.

La conviction la plus importante qu'on doit avoir, c'est de croire en soi. Quelle belle leçon à enseigner à nos enfants ! Cela (peu importe la réalité négative que ce « cela » représente) vous affecte seulement si vous y prêtez attention. Si quelqu'un lance une banane sur la glace, vais-je arrêter de jouer ? Jamais de la vie !

Après un tournoi, un entraîneur a prédit à P.K., qui était jeune à l'époque, qu'il ne réussirait jamais à faire carrière au hockey. Mon fils avait deux options : soit croire cet homme sur parole et cesser de jouer, soit continuer. J'aime bien dire : « Il faut traverser des épreuves pour devenir quelqu'un. » Il faut avoir connu l'adversité. Ces difficultés sont comme des examens : si on ne les réussit pas, on n'atteindra pas ses objectifs. Le prix à payer, ce sont les entraînements, les sacrifices et les critiques. Et il y aura beaucoup de voix pour critiquer et prétendre qu'on n'est pas assez rapide, qu'on n'est pas bon à la défense ou qu'on n'a pas le sens du jeu. J'ai expliqué un jour à mon fils : « Tu dois composer avec trois sens pour réussir : le sens du hockey, le bon sens et le non-sens. Tu utilises ton sens du hockey sur la glace, tu fais appel à ton bon sens à l'extérieur de la patinoire et tu dois savoir réagir devant le non-sens, parce qu'il y en a beaucoup. »

J'ai donné ce conseil à tous mes enfants, car je voulais qu'ils l'aient bien compris quand ce ne serait plus moi qui les entraînerais. Je souhaitais que mon conseil soit comme la lueur d'un lampadaire lorsqu'il fait nuit et comme le soleil qui éclaire leurs pas le jour venu.

J'ai vécu un grand moment de hockey au Beatrice Ice Gardens de l'Université York, à Toronto, quand P.K. jouait dans la GTHL avec les Reps de Mississauga. Ils affrontaient une équipe qui avait une bien meilleure fiche que la leur. Avant ce match, l'entraîneur Martin Ross avait annoncé aux jeunes et à leurs parents qu'un invité spécial passerait les voir. Juste avant la mise en jeu, la rumeur s'était propagée : le grand Jean Béliveau, ex-capitaine des Canadiens de Montréal, livrerait le discours d'avant-match dans le vestiaire. Comme j'aurais aimé être une petite souris pour entendre ses paroles !

Quand les joueurs se sont élancés sur la glace pour leur échauffement de cinq minutes, leur énergie et leur fébrilité étaient palpables.

Une fois la partie commencée, M. Béliveau est venu s'asseoir avec moi. Je n'en suis pas encore revenu. Il m'appelait par mon prénom et nous discutions comme si nous étions de vieilles connaissances. Il m'a parlé de P.K., de sa carrière avec le Tricolore et de notre rôle de parent. Il m'a raconté que, il y a une vingtaine d'années, on remettait aux parents de jeunes hockeyeurs du Québec un carton vert ou un carton rouge. Ceux qui avaient un carton vert pouvaient regarder jouer leur enfant, les autres devaient quitter les gradins parce que leur comportement était inapproprié. J'ai été très heureux ce jour-là d'avoir reçu un carton vert qui m'a permis de côtoyer une des légendes du hockey.

Dans le vestiaire, Jean Béliveau avait expliqué à P.K. que, à titre de capitaine, il travaillait *pour* son équipe et qu'il avait le devoir d'aider ses coéquipiers à jouer mieux. C'est comme s'il avait injecté une dose d'adrénaline dans chaque jeune. Grâce à sa touche magique, les garçons n'étaient plus les mêmes, ils jouaient différemment.

Les années de hockey mineur occupent une place centrale dans nos vies. Nous avons vécu des expériences capitales pour le développement des compétences sportives de nos enfants et pour notre formation comme parents d'athlètes. Ce que je retiens de cette époque, c'est que le hockey compte, mais que les gens comptent davantage. P.K., Malcolm et Jordan ont adoré pratiquer ce sport, mais ce qui était plus important encore, c'est qu'ils ont aimé le temps que le hockey leur a permis de passer avec papa et maman.

Comme l'a dit Maria, « ce que le hockey apporte, comme tout sport, c'est qu'il rapproche les parents et les enfants parce qu'on passe avec eux du temps qu'on ne passerait pas normalement tous ensemble. Si vous vous limitez à travailler, quand vous rentrez à la maison, vous êtes fatigué et vous regardez la télé. Mais quand vous assistez à une partie, vous passez ce temps avec vos enfants, vous leur achetez un chocolat chaud, vous parlez du match. C'est une activité familiale. C'est ce qui me plaît de ce sport : il permet de rapprocher les membres de la famille ».

Les enfants gardent eux aussi de bons souvenirs de cette époque. Les anecdotes fusent lors des voyages que les équipes de la LNH organisent chaque année pour les joueurs et leurs mères. « Tous les gars parlent de leurs mères et de ce qui les rend spéciales, a expliqué Maria. Ils se souviennent des jours où on se pressait pour leur préparer à souper. Les parents rentraient fatigués à la maison ; malgré tout, ils s'assuraient que tout était prêt. J'ai demandé à P.K. : "Tu te rappelles que je me dépêchais de faire le souper pour ensuite t'emmener à ta partie ?" Ces joueurs de la LNH ont 30 ans et ils se souviennent encore de toutes les choses que leur maman a faites pour eux. »

Chapitre 8
La règle des 24 heures

— Allez, P.K., viens-t'en !

Assis sur le banc, mon fils de 10 ans m'a regardé, intrigué, puis il a reporté son attention sur la glace où jouait son équipe.

J'ai répété :

— Allez, P.K., viens-t'en !

Il a compris mon ton. Il m'a regardé de nouveau et je lui ai fait signe de me suivre vers le vestiaire.

Une fois à l'intérieur, je lui ai dit :

— Enlève ton équipement. On rentre chez nous. C'en est fini avec cette équipe-là.

Perplexe, un officiel est entré :

— Qu'est-ce que vous faites ?

Il craignait que je commette une grave erreur et s'est empressé de me dire qu'il n'avait jamais vu un parent retirer son enfant de l'équipe en plein match.

— Vous le voyez bien.

P.K. m'a demandé :

— Qu'est-ce qu'on fait avec le chandail ?

— On le laisse ici.

C'en était fini avec les Red Wings de Toronto, une des équipes d'élite de la GTHL de la catégorie atome AAA.

Dans le feu de l'action, je ne m'étais pas rendu compte de l'impact de ma décision. P.K. se retrouvait sans équipe et, s'il ne jouait plus dans une formation d'élite, son rêve de faire partie de la LNH s'éloignait comme une rondelle qu'il aurait frappée avec son bâton.

Je ne me rappelle plus quelle était la goutte qui avait fait déborder le vase ce jour-là. En fait, ce n'était pas un seul événement, mais plutôt un problème récurrent : Maria et moi avions tous deux l'impression que le développement de P.K. comme athlète était entravé et que son estime personnelle en souffrait.

On peut faire deux choses quand on décèle un problème : soit on attend en espérant qu'il disparaîtra, soit on le règle si on remarque qu'il devient la norme. Avec le temps, nous nous étions rendu compte qu'il perdurait.

J'ai un souvenir très vif d'un incident survenu lors d'un jeu en infériorité numérique. À la demande de l'entraîneur, Harry Evans, P.K. avait sauté sur la glace, mais lorsqu'il avait eu le contrôle du disque, Harry s'était mis à crier : « Garde la rondelle ! Garde la rondelle ! » Il voulait que P.K.

laisse écouler le temps plutôt que de faire une passe ou d'essayer de compter un but. Assis sur les gradins, je ne comprenais pas ce qui arrivait. Pourquoi l'entraîneur ordonnait-il à P.K. de conserver le disque? Il ne réclamait ça d'aucun autre joueur. P.K. a été sur la glace durant deux ou trois minutes et on ne lui a jamais demandé de lancer la rondelle, ce qui aurait été tout à fait normal en infériorité numérique. Mais non, l'entraîneur continuait à crier: «Garde la rondelle!»

Après, P.K. est allé sur le banc durant 10 minutes alors que ses coéquipiers avaient régulièrement 2 ou 3 minutes de temps de jeu. Les équipes de ce calibre ont généralement trois trios et deux joueurs de centre, et les jeunes font des rotations. P.K. était centre à l'époque.

Ma femme et moi avons toujours pris soin de ne jamais dire aux entraîneurs quoi faire lorsqu'il était question de notre fils. Nous n'avons jamais rien demandé concernant les autres joueurs de sa ligne ou le temps de jeu. Jamais personne ne m'a entendu dire: «Ce jeune-là a eu cinq minutes de temps de jeu, alors P.K. devrait en avoir autant.» Malgré tout, je trouvais injuste que mon fils reste assis pendant 10 minutes entre les rotations.

Il y avait un autre problème pendant les entraînements. Harry et ses deux adjoints répétaient un jeu ou un exercice en avantage numérique, par exemple, mais ils ne faisaient pas participer P.K. Il y avait cinq joueurs, mais mon fils n'était pas du nombre. Je me souviens que Harry avait dit à P.K.: «Peux-tu aller là-bas? On va trouver quelqu'un qui peut lancer une rondelle dans le filet.»

Je sais que la vie est injuste et que tout le monde n'est pas traité équitablement, mais nous voulions que P.K. sente qu'il faisait partie de l'équipe. À 10 ans, les enfants sont encore influençables. P.K. avait le devoir d'obéir à son entraîneur et il lui devait le respect. C'est ainsi que nous l'avons élevé. Toutefois, il recevait des messages contradictoires. Nous savions qu'il n'était pas fier de lui parce que nous en parlions. Un parent sait quand son enfant est heureux. Chaque fois qu'on se rend à la patinoire, ça devrait être comme aller à une fête d'anniversaire, mais ce n'était pas le cas.

MARIA

C'est moi qui ai d'abord constaté les problèmes parce que Karl n'assistait pas à tous les entraînements. Le coach organisait un exercice et P.K. restait sur les côtés à ne rien faire.

Ensuite, nous remarquions qu'on ne faisait pas jouer P.K. pendant les parties. Il demeurait sur le banc en pensant avoir fait quelque chose de mal. Ce n'est pas sain pour un garçon de 10 ans. Il restait à ne rien faire et l'entraîneur ne lui disait rien. C'était du hockey mineur, pas la LHO ni la LNH. Tout ce que veulent les enfants, c'est jouer. La saison venait de commencer et, à cette période, on s'attend à ce que l'entraîneur emploie tout le monde. Mais il n'utilisait pas notre fils. Ce n'était pas que P.K. manquait une présence sur la patinoire de temps à autre. Non : il ne jouait pas du tout.

Pendant les matchs et les entraînements, je m'asseyais sur les gradins avec Maria. Nous restions souvent à l'écart des autres spectateurs pour nous concentrer sur P.K. et discuter en privé. Les gens savaient ce qui se passait. C'est facile à voir quand un joueur reçoit des commentaires négatifs.

Le directeur de l'équipe doit notamment gérer les plaintes de 12 à 15 couples de parents. Nous avions fixé un rendez-vous pour lui faire part de nos inquiétudes concernant la communication des messages. Les parents des joueurs de hockey s'inquiètent surtout lorsqu'ils ont l'impression que leurs enfants ne sont pas traités équitablement. Ce n'est rare ni à l'école ni dans une équipe de hockey. Les gens ne parlent pas toujours à nos enfants comme nous le souhaiterions et ils les traitent différemment aussi.

Nous nous inquiétions de l'estime personnelle de P.K. Les enfants sont résilients, mais leur confiance dépend de leurs réalisations, ainsi que de l'acceptation, des commentaires et du soutien que leur accordent les adultes qui comptent dans leur vie. Quand ces personnes font fi de leurs réussites et de leur apport à l'équipe, quand les enfants ne sont plus à l'aise dans leur environnement et quand ils ne ressentent plus de joie, ils perdent leur motivation et leur inspiration.

Après nous avoir écoutés, le directeur de l'équipe nous a promis de communiquer nos griefs à l'entraîneur. D'après mon souvenir, il n'y a eu ni discussion ni rencontre de suivi. Tout ce qu'il nous restait à faire, c'était attendre pour voir si P.K. se sentirait mieux et si notre inquiétude diminuerait. Comme cela ne s'est pas produit, nous avons retiré P.K. des Red Wings.

Notre priorité, à la suite de ma décision, était de faire en sorte que notre fils réintègre une équipe de haut calibre. J'avais fait ce geste pour éloigner P.K. d'une situation que ma femme et moi jugions dommageable afin qu'il poursuive son développement et qu'il excelle au hockey. Je n'avais pas cherché à devenir l'objet des discussions de la GTHL. À mon grand désarroi, c'est exactement ce qui s'est produit.

Tout le monde sait que les parents se comportent mal parfois. J'en ai vu qui se battaient et hurlaient. J'ai crié moi aussi, j'ai même cassé un bâton quand mes émotions avaient pris le dessus. Lorsqu'une telle chose se produit, il est difficile de comprendre ce qu'on fait dans l'aréna. J'étais devenu le « parent à problème ».

Les gens adorent parler et j'ai donné aux parents de la GTHL un excellent sujet de discussion. Certains voulaient savoir ce qui m'avait porté à agir de la sorte. J'ai toujours répondu ceci : « Je peux vous raconter ma version de l'histoire, mais l'équipe de P.K. n'est pas là pour vous donner la sienne. Ce ne serait juste ni pour elle ni pour ma famille. » La conversation s'interrompait sur-le-champ, du moins en ma présence.

Il y avait une question sur toutes les lèvres : « Quand P.K. reviendra-t-il au jeu ? » La rumeur circulait selon laquelle les Red Wings ne dégageraient pas P.K. Selon les règles de la GTHL, un joueur signe un contrat avec une équipe et s'inscrit auprès de la ligue et de Hockey Canada. Comme l'équipe possède les droits sur le joueur jusqu'à la fin de la saison, les Red Wings n'étaient nullement tenus de libérer P.K. Nous avons retiré P.K. en octobre et la saison se poursuivrait jusqu'en mars ou avril. Je savais bien que personne n'obtenait de libération du jour au lendemain, mais les jours et les semaines passaient.

C'était comme si le temps s'était arrêté chez les Subban. Je n'ai jamais voulu empêcher P.K. de gravir les échelons du hockey. Je me suis mis à douter de la pertinence de ma décision prise sur un coup de tête. Pendant ce qui nous a semblé être une éternité, P.K. n'a pas eu d'équipe.

Après toutes ces années, Maria croit encore que j'ai fait ce qu'il fallait faire, mais j'aurais au moins souhaité avoir suivi la règle des 24 heures. Le hockey est un jeu chargé sur le plan des émotions. Selon une règle tacite, il faut attendre 24 heures après un match si on a quelque chose à dire à un entraîneur et vice-versa.

J'aurais pu profiter de ce conseil que j'ai si souvent donné aux élèves qui avaient de la difficulté à contenir leurs émotions.

Je dessinais un bonhomme allumettes à cheval et je leur expliquais : « Le cheval qui galope, c'est ta colère, et le cavalier, celui qui maîtrise le cheval, c'est toi. Le cheval qui galope de plus en plus vite représente ta colère qui augmente. Si tu ne fais pas ce qu'il faut, tu vas tomber de ta monture et tu vas te faire mal ou blesser les autres. Tu dois tenir fermement les rênes pour dominer la bête. Fais ralentir le cheval, descends, éloigne-toi de la rage et prends de longues inspirations. » J'attendais quelques secondes pour que l'enfant comprenne l'analogie, puis je lui demandais :

— Qui commande ?

— Moi, Monsieur Subban.

— Eh oui.

Par contre, le jour où j'ai retiré P.K. de son équipe, mes émotions ont eu raison de moi et j'ai lâché les rênes.

P.K.

Quand on a 10 ans, la seule chose à laquelle on pense, c'est jouer, peu importe l'endroit et l'activité. Tous les enfants de 9 ou 10 ans qui pratiquent un sport devraient pouvoir le faire en s'amusant, prendre plaisir à travailler avec leurs coéquipiers et apprendre à être des membres à part entière de l'équipe.

À certains moments pendant ma carrière au hockey mineur, mon problème n'était pas d'avoir plus de temps de jeu, c'était de pouvoir pratiquer un sport que j'adorais tout en m'amusant et en m'améliorant. Mais il fallait aussi que mes parents soient en mesure de me protéger des blessures émotives. Je pense que, dans de nombreux cas, des choses sont arrivées et mon père et ma mère les ont réglées de la façon qu'ils jugeaient être la meilleure à l'époque. Mes parents ne sont pas parfaits, mais je suis sûr qu'ils ne changeraient rien à leurs décisions parce que, de toute évidence, ils en ont pris beaucoup qui ont porté des fruits.

Au bout du compte, je crois que la majorité des parents de joueurs ont une vision idéalisée de leurs enfants, mais pas les miens. Quand je commets une erreur, ils sont toujours capables de me parler dans le blanc des yeux : « P.K., tu ne peux pas faire ceci ou cela. » Toutefois, quand ils ont eu à prendre ma défense, ils ont décidé de m'éloigner de ce qu'ils considéraient comme un environnement toxique qui risquait de m'empêcher d'être un bon joueur de hockey et de continuer à simplement m'amuser.

Je ne regrette rien de ce que mes parents ou moi avons fait. On apprend au fil de notre vie, et je pense que toute chose a des côtés positifs et négatifs. Les gens peuvent bien se dire : « Karl aurait-il dû attendre à la fin de la partie ? » Peut-être, mais il a lancé un message en agissant de la sorte. Il a pris ma défense et je le défendrai.

Je me souviens de l'attente interminable avant de recevoir des nouvelles de l'équipe de P.K. Les Red Wings nous ont convoqués à une réunion avec Rick Cornacchia, le président, et Harry Evans.

J'étais très nerveux en arrivant dans le stationnement et en pénétrant dans l'aréna. Mon grand ami David Bince nous accompagnait, P.K., Maria et moi. En plus d'être directeur d'école, David connaissait le milieu du hockey. Je voulais qu'il s'exprime en notre nom afin que mes émotions ne nuisent pas à la discussion. Cet ami de confiance n'aurait pas hésité à me dire si je m'y prenais mal. J'étais assez avisé pour éviter de me pointer à cette réunion avec de la fumée me sortant par les oreilles. Ce qui était fait était fait. J'avais la mine basse et je tenais à faire ce qui était approprié pour mon fils.

P.K. attendait à l'extérieur de la pièce, mais David est entré. Je l'ai présenté à Rick Cornacchia dont je n'ai jamais oublié les paroles : « C'est une affaire entre le club et la famille. Karl, si tu insistes pour que ton ami assiste à cette réunion, c'est fini. » La décision a été facile à prendre, même si David était déçu de ne pas pouvoir nous aider.

La rencontre a donc eu lieu sans Dave. Rick a expliqué qu'il n'avait jamais rien vécu de tel. Partout où il allait, les gens lui demandaient pourquoi P.K. ne jouait pas. Il avait reçu de nombreux appels à ce sujet. Il a précisé que mes décisions pouvaient nuire à l'avenir de P.K. dans le milieu du hockey. Je lui ai dit que je ne voulais pas être celui qui ferait échouer le rêve de mon fils. Le moment était venu pour moi de ravaler ma fierté, de dire les paroles appropriées et de faire les gestes qui s'imposaient. Ce n'était pas seulement une question de hockey, mais de vie en général.

À la fin de la réunion, nous n'avions obtenu aucune garantie que P.K. serait libéré pour intégrer une autre équipe de la GTHL cette saison-là. Rick avait proposé qu'il joue au sein de l'Ontario Minor Hockey Association, mais les nombreux déplacements à l'extérieur de Toronto auraient été trop exigeants pour notre famille. Nous croisions les doigts. Nous avions un peu d'espoir, mais, d'après les rumeurs, la saison de P.K. était à l'eau, du moins à Toronto. Maria et moi avions envisagé une autre solution : envoyer P.K. vivre chez mes parents à Sudbury pour qu'il puisse jouer au hockey mineur dans ma ville natale.

Nous avons analysé la situation sous tous ses angles en souhaitant un règlement rapide. Nous étions impatients de refaire partie d'une équipe. Nous nous ennuyions du trajet jusqu'à l'aréna, des boissons chaudes que nous buvions pour nous réchauffer. Nous avions envie de voir notre fils sur la glace en train de faire ce qu'il adorait. Les conversations avec les autres parents nous manquaient. Où et quand P.K. remettrait-il ses patins pour jouer ou s'entraîner avec une équipe ? Nous n'en avions aucune idée, mais nous avons prié. Je crois que Dieu répond toujours à nos prières. Le problème, c'est qu'Il ne dit jamais quand Il va les exaucer.

Le téléphone a sonné peu après notre rencontre avec les Red Wings. C'était une bonne nouvelle : le club avait libéré P.K., qui pourrait jouer avec les Reps de Mississauga, une autre équipe de classe AAA de la GTHL. Les parents d'un joueur des Reps avaient accepté l'offre des Red Wings et un échange avait été organisé. J'ignore qui en a eu cette initiative, mais c'était la nouvelle que nous espérions et P.K. avait la deuxième chance que je lui souhaitais. Une seconde chance comme celle-là est aussi la dernière pour beaucoup d'enfants. Nous n'avons pas pris ça à la légère. P.K. pouvait recommencer à jouer au hockey. Il pouvait quitter le banc des pénalités où je l'avais envoyé et non seulement poursuivre son rêve, mais aussi s'amuser comme le faisaient tous les jeunes de 10 ans.

Les Reps de Mississauga étaient une équipe moyenne, alors que les Red Wings faisaient partie de l'élite, mais cela nous importait peu. Pour nous, ce n'était pas une rétrogradation, mais bien un changement positif puisque les Reps voulaient de P.K. À l'époque, mon fils avait la réputation d'être un bon joueur, grand et fort, qui savait décocher des tirs puissants, et les autres enfants avaient hâte de jouer avec lui.

Cette équipe convenait parfaitement à P.K. L'entraîneur, Martin Ross, avait souhaité recruter P.K. plusieurs mois auparavant, mais nous nous étions déjà engagés avec les Red Wings. L'attitude plus décontractée des Reps était mieux adaptée au style de jeu de notre fils. Qui plus est, alors que les Red Wings n'avaient pas besoin de P.K. pour gagner, les Reps, eux, pouvaient bénéficier de ses talents.

La première partie de P.K. avec sa nouvelle équipe semblait tout droit sortie d'un film de Disney. C'était un vendredi soir et les Reps affrontaient nuls autres que les Red Wings sur leur propre patinoire. Dans les semaines précédant cette partie, nous avions entendu des rumeurs selon lesquelles nous avions joué la carte du racisme pour lui trouver une équipe, que nous avions attribué la cause des problèmes de P.K. au fait qu'il était noir. Je n'ai jamais vu ni envisagé la situation sous cet angle. La rumeur disait maintenant que les Red Wings allaient « sortir » P.K. La foule était venue voir la machine des Red Wings exterminer P.K. et les Reps.

J'avais pris l'habitude de filmer toutes les parties de P.K. Ce soir-là, j'ai appuyé sur le bouton « Enregistrer », mais j'ai dû arrêter. L'ambiance était trop chargée et la lentille de la caméra vidéo ne me permettait pas de voir tout ce qui se passait. Je tenais à tout voir, tout sentir, tout entendre. L'aréna était plein à craquer et il y avait de l'électricité dans l'air. Je n'avais jamais rien vu de tel lors d'une partie de hockey mineur de la saison régulière. L'arbitre a laissé tomber la rondelle et le jeu a débuté. Quelle sensation ! C'est ce qui m'avait manqué : regarder mon fils jouer dans la GTHL. Ce match a probablement été le meilleur de P.K. dans sa carrière au hockey mineur : il a compté quatre buts et a obtenu une mention d'aide. Un de ses buts a été particulièrement mémorable : il a patiné le long de la bande et a lancé le disque par-dessus l'épaule du gardien dans le coin supérieur du filet. Quand la sirène a retenti, à la fin de la partie, l'équipe de mon fils avait écrasé les Red Wings sur leur propre territoire par le compte de 5 à 1. D'après Martin Ross, les gens parlent encore de la performance de P.K. Selon lui, c'était le meilleur match de sa vie.

Ce soir-là, des adultes ont afflué pour voir des enfants jouer à un jeu d'enfants et ils n'ont pas été déçus. Les jeunes ont joué, ils ont distrait la foule et ils se sont amusés. Au bout du compte, la victoire importait peu. Je me suis alors rappelé la raison pour laquelle nos enfants pratiquent le hockey et pourquoi nous les emmenons à l'aréna.

Toutefois, avec du recul, je dois avouer que c'est la partie que j'aimerais avoir filmée.

Le lendemain, nous avons recommencé. Les Reps affrontaient les Red Wings sur leur glace au Beatrice Ice Gardens. Si je me souviens bien, nous avons perdu 5 à 2. Nous avons remporté la première partie et les Red Wings, la deuxième. Notre vie de hockey était revenue à la normale. Les étoiles étaient alignées de nouveau.

P. K.

Je me souviens de cette première partie. J'ai toujours été le genre de joueur qui adore ces moments où tout le monde regarde. Il faut se dépasser pour faire changer les choses et il va sans dire que c'était un match très émouvant pour moi. En fait, j'étais excité d'affronter mes anciens coéquipiers et motivé par la volonté de les battre.

Mon entraîneur, Martin Ross, tout un personnage, a beaucoup aimé cet affrontement et s'en est bien amusé. Nous sommes encore de très bons amis. Il est responsable des souvenirs et des produits dérivés au sein de mon entreprise. Je me rappelle que je riais beaucoup et que j'étais détendu avant le match. C'est probablement pourquoi je jouais aussi bien.

Ce n'est pas compliqué pour moi, le hockey. J'aime le sport et je saute sur la glace pour m'amuser. Au bout du compte, je n'ai jamais douté que j'allais jouer de nouveau. J'en avais la certitude.

Au hockey mineur, j'ai défendu les couleurs de beaucoup d'équipes en difficulté comme les Reps. Je ne m'habitue pas à perdre, mais je m'habitue à ce que mes coéquipiers comptent sur moi. J'ai toujours été entouré de joueurs qui pouvaient se fier à moi pour organiser une stratégie efficace quand l'issue de la partie en dépendait. D'après moi, c'est ce qui définit un joueur étoile ou une vedette, un des meilleurs joueurs du match.

Finalement, la situation a été très avantageuse pour P.K. Elle m'a fait prendre conscience d'un fait capital au sujet du hockey mineur : ce qui compte le plus, ce n'est pas de remporter des matchs, mais de relever des défis. Il est aussi important de faire face à l'adversité que de savoir patiner, lancer la rondelle et manier le bâton. Un jeune hockeyeur doit apprendre à relever des défis, notamment celui de travailler fort pour gagner au sein d'une équipe comme les Reps. Si la victoire est trop facile, il n'a pas l'occasion de se développer et de s'améliorer.

À cet âge-là, acquérir de bonnes habitudes et développer sa force de caractère est plus important que la victoire. En nous rendant à l'aréna avec P.K. pour sa première partie avec les Reps, je lui ai dit : « Tu dois sauter sur la glace et leur montrer de quel bois tu te chauffes. » Ce garçon de 10 ans est revenu au jeu sans avoir perdu confiance en lui. Il est allé sur la patinoire et il a fait ce qu'il fallait. Ça prenait plus que des compétences au hockey. Sa force intérieure commençait à prendre forme.

Si P.K. était resté avec les Red Wings, j'ignore à quel point il se serait amélioré, mais je sais que les joueurs de sa nouvelle équipe, les Reps, devaient travailler ensemble et plus fort que leurs adversaires pour réussir. Au bout du compte, ça a été une bonne chose pour P.K. Son entraîneur, Martin Ross, a joué un rôle considérable dans cette expérience positive. J'aimais son attitude qui était davantage adaptée aux enfants, contrairement à l'approche des Red Wings. Au hockey mineur, il y a trop d'entraîneurs qui traitent à tort les jeunes comme s'ils étaient des professionnels.

P.K. nourrissait encore le rêve de jouer dans la LNH et il apprenait de précieuses leçons avec les Reps de Mississauga. En sautant sur la glace, ses coéquipiers et lui ignoraient s'ils allaient obtenir les deux points de la victoire ni même s'ils décrocheraient le point du match nul. La plupart du temps, ils subissaient une défaite, mais ils apprenaient ce qu'ils devaient faire pour gagner.

J'ai appelé Harry Evans pendant la rédaction de ce livre. Je lui suis très reconnaissant d'avoir accepté d'être interviewé. Voici ses souvenirs du court passage de P.K. avec les Red Wings.

HARRY

[Pendant la saison 1998-1999] P.K. a joué avec Steven Stamkos dans la catégorie novice au sein des Canadiens Junior. L'équipe a remporté le championnat de la ville et la Coupe Carnation. L'année suivante, chaque entraîneur essaie de recruter des joueurs. J'ai rencontré Karl et j'ai évoqué la possibilité que P.K. vienne jouer dans les rangs atomes avec les Red Wings de Toronto. Nous avions une formation très talentueuse, une des trois meilleures de la ligue. Après plusieurs rencontres et entraînements sur la patinoire, les Subban ont décidé de se joindre aux Red Wings. Le camp d'essai a eu lieu en avril, nous avons formé l'équipe et nous avons joué au hockey d'été. P.K. a disputé une bonne quinzaine de matchs pendant la saison estivale.

Nous avons eu congé en juillet et, en août, nous avons tenu notre camp d'entraînement. Il s'est bien passé. Le tournoi présaison, que nous avons remporté, a marqué le début de nos activités et la saison régulière a commencé immédiatement après la fête du Travail. Un soir, vers la mi-octobre ou un peu plus tard – nous avions déjà disputé une quinzaine de parties au calendrier –, en plein match contre je ne sais plus quelle équipe, Karl a dit à P.K. qu'il était temps de partir. P.K. s'est levé du banc et est sorti. Je ne disais jamais grand-chose pendant les parties. Après le match, je suis allé dans le vestiaire et P.K. ne s'y trouvait pas. Le lendemain, j'ai téléphoné pour savoir quel était le problème.

Karl m'a annoncé :

— Ça ne fonctionnera pas et nous aimerions obtenir la libération de P.K.

Je lui ai dit :

— À ce moment-ci, je ne peux pas parce que nous avons tout juste le nombre de joueurs requis.

C'est-à-dire 15. Avant de laisser aller un joueur, quel qu'il soit, je devais en engager un autre pour le remplacer.

Rick Cornacchia était le président des Red Wings à l'époque. Je l'ai donc appelé pour lui raconter l'histoire. Il m'a demandé :

— Qu'est-ce que tu vas faire ? As-tu quelqu'un en tête ?

Je ne pensais à personne et je me suis mis à faire des appels.

Les Red Wings venaient d'être vendus à Paul Fenwick et Randy Hebscher. Il se trouvait que le fils de Paul, Zack Fenwick, jouait avec les Reps de Mississauga dans le même groupe d'âge que P.K. Nous avons discuté et Fenwick est venu jouer avec les Red Wings, tandis que P.K. a été échangé aux Reps. Il a fallu environ une semaine pour nous assurer que Zack accepterait de se joindre aux Red Wings.

Ensuite, nous nous sommes rencontrés, Karl, Rick et moi. La réunion a duré une vingtaine de minutes. Karl a dit qu'il voulait que P.K. quitte l'équipe, que ce n'était pas un bon jumelage. Il croyait que ça ne fonctionnerait pas et a demandé sa libération.

[Une fois Karl sorti de la pièce,] Rick a voulu mon avis. Je lui ai répondu :

— J'aimerais bien le garder, mais ce n'est pas une bonne chose s'il est malheureux. Ça ne marchera pas.

Rick m'a ensuite demandé :

— As-tu le nombre de joueurs réglementaire ?

— Ouais, parce que le jeune Fenwick veut venir jouer avec nous. On aura le nombre requis.

Et à ce moment-là, nous avons accordé la libération de P.K. [P.K. a commencé à jouer avec les Reps deux semaines après son départ des Red Wings.]

Je crois que la plupart des entraîneurs observent la règle des 24 ou des 48 heures. Ce délai laisse à tout le monde le temps de se calmer, de se ressaisir, de bien réfléchir et d'avoir l'occasion de parler au jeune à la maison, en privé, pour savoir ce qui s'est vraiment passé. Dans beaucoup d'arénas, nous nous trouvons d'un côté, les parents sont de l'autre et ne voient que de leur point de vue. Ils ignorent ce qui est arrivé pendant la partie. Ils ne savent pas qu'un garçon s'est blessé et que, pour cette raison, il a manqué une présence sur la glace, par exemple. Et la tension est forte. Le hockey est un jeu de passion. Quand ça devient trop émotif, il se dit des choses qu'on regrette par la suite.

Ce soir-là, oui, je crois que Karl n'a pas eu un comportement approprié. Je me souviens qu'il est venu derrière le banc et a dit : « P.K., c'est le temps de partir. » Le jeune m'a regardé et je lui ai dit : « Tu dois faire ce que ton père te demande. » Karl ne s'est jamais fâché contre nous. Rien n'a été dit. Aucune parole désobligeante. Personne n'a crié, personne n'a élevé la voix. Il a simplement indiqué à P.K. que c'était le moment de partir, un point c'est tout.

On a demandé à Harry s'il était au courant de nos inquiétudes concernant l'estime personnelle de P.K., s'il savait que notre fils se sentait lésé par sa méthode d'entraînement et le traitement différent qui lui était réservé.

HARRY
Ils ne m'ont rien dit. C'est la première fois que j'en entends parler. Parfois, il n'y avait que deux centres et P.K. était l'un d'eux. On essaie de faire participer tout le monde. Le jour où P.K. a quitté le

match, nous avions commencé très lentement. Nous avions récolté trois pénalités coup sur coup, nous jouions donc à trois contre cinq. Pendant les six ou sept premières minutes, nous étions en désavantage numérique et nous avions une équipe solide. Nous naviguions dans un champ de mines, on tentait de faire plaisir à tout le monde, de faire jouer tout le monde. On essayait d'intégrer quatre ou cinq gars tôt dans le match. On est venus à bout des pénalités, mais on a essayé de faire jouer tous les ailiers dans une situation d'infériorité numérique au cours de ces six ou sept minutes de jeu. [Personne n'est resté sur le banc durant 10 minutes.] Je crois que ça a été le tournant décisif et je pense qu'ils n'ont pas aimé que P.K. ne soit pas sur la patinoire tous les deux changements de trio, puisque, comme il était un des deux centres, il était généralement sur la glace une présence sur deux.

Pour ce qui est de la façon dont je l'ai traité, j'essayais d'agir avec lui comme j'agis avec tout le monde. S'il a senti les choses autrement, j'espère que ça n'a pas diminué son désir de jouer ni la volonté de sa famille de participer, mais je ne pense pas avoir voulu le traiter différemment. J'essayais de l'inclure.

On n'a jamais demandé à me rencontrer. Il n'y a rien eu de ça. J'aurais aimé que ce soit le cas. Si j'avais pu changer quelque chose à la situation, j'aurais dit : « Asseyons-nous et voyons si nous pouvons en discuter. » Toutefois, on pense au passé et on se rend compte qu'on n'a pas eu cette occasion. Le moyen le plus facile de régler cette histoire a été de laisser arriver les choses. J'aurais aimé qu'il finisse la saison avec nous, c'est le seul regret que j'ai. Et s'il avait décidé de s'en aller après, eh bien, ça aurait été dans l'ordre des choses. C'est pour ça qu'il y a 12 équipes dans la GTHL et qu'on peut déplacer les joueurs.

Je suis toujours resté en contact avec P.K. Il n'y a jamais eu de problème. Malcolm a joué un an avec les Reps dans la catégorie midget (j'étais entraîneur des Reps d'un calibre différent) et je voyais P.K., Karl et Maria à l'aréna. On se saluait chaque fois. J'ai toujours aimé cette famille. Karl allait d'un endroit à l'autre avec les garçons, mais Maria était très dévouée à P.K. Elle le suivait à chaque entraînement et à chaque partie. Maria est une personne très, très gentille. Très terre à terre. Karl était celui qui se levait pour vous parler. Il est directeur d'école, il n'a pas peur de parler, mais nos rencontres ont toujours été cordiales et je n'ai jamais éprouvé de rancune à son endroit.

J'ai aimé la période où P.K. a joué avec nous. C'était un garçon amusant et son but était d'avoir du plaisir. J'aurais voulu que ça marche. J'aimais cet enfant et il avait de bonnes aptitudes. Il avait une belle éthique de travail. Je ne connais pas beaucoup de jeunes qui se rendraient seuls à l'aréna Westwood à six heures et demie ou sept heures du matin pour s'entraîner une demi-heure ou une heure. P.K. était seul sur la glace avec un tas de rondelles. Je l'ai surpris plusieurs fois en train de s'entraîner au fil des ans, de lui-même, intensément. On remarquait sa volonté dès son plus jeune âge. Et il avait le soutien de ses parents.

Ce qui s'est passé avec les Red Wings de Toronto a rapidement été oublié. J'ai revu Harry des années plus tard à Barrie, en Ontario, alors que P.K. jouait dans la LHO avec les Bulls de Belleville contre les Colts de Barrie. Harry habitait à côté et était venu voir un de ses anciens joueurs : P.K. Subban. Il était heureux de nous revoir et très fier de P.K. et de ses réussites. Il ne nous a pas évités, bien au contraire : il est venu s'asseoir avec nous.

Harry est toujours un entraîneur respecté de la GTHL. Il enseigne le hockey à des garçons de 13 à 15 ans, à la barre des Reps AAA de Mississauga. Chaque année, lui et des milliers d'autres personnes au pays donnent leur temps et leur énergie pour faire découvrir à des garçons et des filles le plaisir de jouer au hockey. Sans eux, ce sport n'existerait pas. Si Harry lit ces lignes, j'aimerais lui dire : « Harry, merci de tout ce que tu fais pour nos enfants. »

Chapitre 9
Malcolm, le garçon du milieu

Dans la maison de l'Équipe Subban, c'était du hockey à temps plein les samedis et dimanches matins. Le corridor du rez-de-chaussée se transformait en aréna pour des matchs intenses de mini-hockey. D'ailleurs, le plancher qui a vu de nombreuses luttes était marqué par les larmes, la sueur et même une ou deux gouttes de sang, comme une vieille arène de boxe. Les photos de hockey qui ornaient un mur créaient le décor idéal pour notre aréna maison. Les autres murs arboraient des marques noires et des entailles. Ces traces laissées par le plaisir, la compétition, les buts et les célébrations sont disparues depuis longtemps. Les murs ont été réparés et repeints. Taz, son mari et leurs trois garçons en ont fait leur maison, mais l'écho de ces joutes résonne encore.

Jordan était le plus assidu des joueurs du corridor. La fin de semaine, Maria et moi essayions de dormir juste un peu plus, mais, dès sept heures, il occupait déjà le couloir. Il vidait un panier à linge, le renversait sur le côté pour en faire un filet et le faisait tenir en place avec des souliers. En guise de rondelles, il utilisait des rouleaux de ruban adhésif, des balles de tennis, une chaussette roulée en boule… enfin, tout ce qu'il pouvait inventer. Jordan déjouait ses adversaires fictifs en faisant des feintes, comptait des buts dans des filets surveillés par des gardiens imaginaires et remportait chacun de ses matchs. Nous tolérions ses jeux jusqu'à ce qu'il décide de tenir aussi le rôle de l'arbitre. Il s'armait alors d'un sifflet (un objet facile à dénicher dans la maison d'un directeur d'école et entraîneur) et c'en était fait des espoirs de grasse matinée pour les petits et les grands Subban. On criait rapidement « Silence ! », mais Jordan faisait la sourde oreille comme le font des fans chahutant sur les gradins.

Jordan ne jouait pas toujours seul. Maria et moi avons souvent été réveillés, la fin de semaine, par le cliquetis de bâtons qui s'entrechoquaient, par le bruit de corps qui se heurtaient ou qui frappaient un mur, par le choc d'un panier à linge contre la porte d'entrée et par des cris tonitruants : « Et c'est le but ! » ou « Tu triches ! » P.K. et Jordan se livraient à un concours pour déterminer qui arriverait à compter le plus grand nombre de buts dans le filet gardé par Malcolm. C'était P.K. qui riait le plus fort, criait le plus fort et frappait le plus fort en direction de Malcolm qui, sur les genoux, semblait jouer la partie de sa vie. Malcolm et Jordan se plaignaient parfois de l'éthique sportive douteuse de P.K.,

Malcolm dans la ligue locale

mais nous savions qu'il valait mieux ne pas nous en mêler. Le match finissait quand Malcolm et Jordan en avaient assez des tactiques de P.K.

Que ce soit sur la patinoire de la cour, sur celle du parc ou dans le couloir avec ses frères, Malcolm était toujours le premier à occuper le filet. Quand il a commencé à jouer dans la ligue locale, il sautait sur toutes les occasions pour garder les buts. Il a même été gardien d'une équipe de soccer dont j'étais l'entraîneur.

Pourtant, je ne croyais pas que Malcolm avait un avenir comme gardien. Il a toujours été un des patineurs les plus rapides de son équipe, sans compter qu'il était habile avec le bâton et marquait des buts avec la précision d'un tireur d'élite. Quand j'étais son entraîneur, et quand on l'y poussait, il pouvait se faufiler entre les joueurs pour aller compter un but si la situation l'exigeait. Je pouvais toujours lui confier la garde des meilleurs de l'équipe adverse. Je savais qu'un jour il jouerait du hockey de haut calibre. Malcolm donnait l'impression que tout était facile, alors, bien entendu, je voulais qu'il évolue sur le terrain plutôt que devant le filet.

Une autre raison me faisait hésiter : nous ne voulions pas augmenter notre fardeau financier en achetant un équipement de gardien si ce n'était qu'une envie passagère. Les enfants souffrent parfois du syndrome du magasin de jouets : ils ne se contentent pas d'un cadeau, ils veulent les avoir tous. Je croyais que Malcolm finirait par aimer jouer sur la patinoire. Le jouet qu'on achète et qu'on rapporte à la maison devient celui avec lequel on s'amuse le plus souvent.

Puisque Malcolm était né en décembre, il était toujours parmi les plus jeunes de son équipe. Il était un joueur avancé malgré tout, mais, sur le plan social, il était maladivement timide. Quand je l'ai emmené à ses premières parties de hockey, il ne se levait pas du banc pour aller jouer. Lors des changements de ligne, cinq enfants sautent sur la glace et les cinq suivants s'avancent, mais Malcolm ne bougeait pas. Je l'apercevais qui me cherchait des yeux sur les gradins. Je me disais que, si j'étais son entraîneur, nous réglerions ce problème et j'avais raison. C'est donc ce qui m'a amené à être son coach durant ses six premières saisons, sauf lorsqu'il jouait dans la ligue locale. Quand Malcolm a eu six ans, j'entraînais l'équipe d'étoiles d'Etobicoke, qui était le point d'entrée des joueurs d'élite. J'avais conclu un marché avec lui : dans la ligue locale, je n'étais pas son entraîneur, alors il pouvait être gardien de but, mais quand il jouait dans l'équipe sélecte de papa, il devait m'écouter.

Malcolm me rendait fou pendant la période d'échauffement lors des parties des étoiles. Devinez ce qu'il faisait ? Il allait se planter devant le but. Ensuite, il a intégré la ligue A, puis a été recruté par les Rangers AAA de North York. Là encore, il m'affolait pendant les entraînements en tournant toujours autour du filet. Je lui lançais donc mon « regard », celui qui disait : « Malcolm, mais qu'est-ce que tu fais ? »

Son désir d'être gardien ne diminuait pas avec les années, alors pourquoi ne pas le laisser faire, n'est-ce pas ? Vous devez comprendre à quel point il devenait un bon joueur. Je me rappelle certains des meilleurs éléments de son groupe d'âge – comme Ryan Strome qui évolue maintenant dans la LNH – et Malcolm était à leurs côtés à chaque étape. Aussi, à l'époque où j'étais entraîneur, nous n'avions jamais assez de joueurs et mon fils se démarquait. Grâce à lui, notre équipe était très compétitive. À mon avis, au début de sa carrière, Malcolm était soit le meilleur de sa formation, soit le meilleur dans l'aréna. Il savait qu'il était talentueux et il jouait bien… quand il le voulait.

Je me souviens d'un match en particulier, alors que j'étais son entraîneur. Malcolm était dans l'équipe des huit ans, appelée les Super 8s, qui affrontait des joueurs un an plus vieux. Nous perdions 4 à 0 et Malcolm a inscrit un but à la fin de la deuxième période. Un autre joueur a compté un deuxième but au début du dernier tiers, mais nos adversaires ont marqué à leur tour, ce qui portait le pointage à 5-2. Malcolm a ensuite ouvert la machine : il a fait trois buts en troisième période, parvenant ainsi à égaliser la marque. C'était magnifique de le voir ainsi exploiter son talent devant tout le monde.

Mais Malcolm n'avait pas fini de nous éblouir. En supplémentaire, il a signé le but vainqueur. Il a compté cinq buts contre des joueurs plus âgés. Comprenez-vous mon hésitation à le poster devant le filet ?

Même si Malcolm était notre meilleur joueur, son jeu me frustrait parfois et je me demandais : « Pourquoi ne se force-t-il pas plus ? » J'avais invité l'entraîneur Kam Brothers à venir aider les jeunes à développer certaines compétences individuelles et à parfaire le jeu d'équipe. Nous avions besoin de beaucoup d'amélioration dans ces deux domaines. Toutefois, c'était le manque de passion et de motivation de Malcolm qui avait le plus choqué Kam. Il constatait, comme moi, le potentiel illimité de mon fils et il m'avait fait la remarque très juste que Malcolm ne jouait pas comme il voulait jouer.

Kam avait bien raison, mais je ne savais pas quoi faire.

La dernière année où j'ai entraîné Malcolm, il faisait partie des Rangers de North York, une équipe de la GTHL. La saison suivante, il devait accéder à la catégorie peewee. J'ai senti qu'il était temps de couper le cordon ombilical et de laisser mon fils sous la supervision d'un autre coach. En outre, mes tâches devenaient trop exigeantes avec mes trois garçons passionnés de hockey. Je ne pouvais pas être à trois endroits en même temps.

La première année chez les peewees est très compétitive et les dépisteurs commencent à parler de perspectives d'avenir dans le cas de certains joueurs. Nous avions discuté avec quelques représentants des Canadiens Junior AAA, qui auraient adoré avoir Malcolm. J'étais aux anges : il avait la possibilité de continuer à jouer à la défense dans une équipe d'élite. Toutes les pièces du casse-tête s'assemblaient.

Toutefois, j'étais sur le point d'apprendre une leçon importante comme parent. Quand on travaille avec ses enfants, ce n'est pas tout de voir leur potentiel, il faut aussi savoir deviner ce qu'ils ont dans le cœur. Je voyais Malcolm de l'extérieur seulement et je n'avais pas encore trouvé le chemin jusqu'à son cœur. Je savais ce que je souhaitais pour mon fils, mais j'ignorais ce que Malcolm voulait pour Malcolm.

Tout a changé un jour de 2006. Taz m'a annoncé qu'elle devait me parler d'un sujet délicat au nom de Malcolm. Elle était en quelque sorte son agente familiale et était chargée de me communiquer un message important : Malcolm ne voulait plus jouer au hockey à moins d'être gardien de but. Soit il se tenait devant le filet, soit il quittait la glace complètement.

D'après Maria, Malcolm avait toujours souhaité être gardien de but, mais nous avions ignoré ses volontés. Ou plutôt, j'avais ignoré ses volontés. Ce jour-là, j'ai compris que je ne ferais plus jamais abstraction des désirs de mon fils, que je ne pourrais plus jamais le faire. Nous pouvons savoir ce qui attend nos enfants seulement quand nous découvrons ce qu'ils ont en eux.

MARIA

Malcolm m'a dit :

— Je veux être gardien de but.

J'ai répété, pour être bien sûre :

— Tu veux être gardien de but ?

— Si vous ne me laissez pas jouer devant le filet, j'abandonne.

L'affaire était réglée : il deviendrait gardien de but.

Je lui ai dit qu'il allait peut-être devoir jouer dans une ligue locale.

— Ça ne me fait rien.

Voyant que Malcolm, un jeune hockeyeur de calibre AAA, était prêt à accepter une rétrogradation pour réaliser son rêve, j'ai compris que sa décision était ferme. Je lui ai dit que les enfants de la ligue locale ne savaient pas jouer.

— Je m'en fiche, maman. Je vais vous prouver que je peux être gardien de but.

Les gens ont dit que nous étions devenus fous. Tout le monde en parlait dans la GTHL : « Vous allez transformer un bon défenseur en gardien de but ? Mon Dieu, mais qu'est-ce que vous faites là ? »

Comme Maria l'a raconté, nous avons expliqué à Malcolm la situation, nous lui avons dit que nous ne savions pas s'il allait commencer au calibre A, AA ou AAA, mais nous lui avons promis de tout faire pour le soutenir.

MALCOLM

Déjà quand j'étais petit et que je jouais dans la ligue locale, je souhaitais garder les buts. Dès qu'un coéquipier voulait sauter son tour, je me précipitais devant le filet. Quand j'avais six ou sept ans et que j'étais encore défenseur, je me souviens que nous avions une période de jeu simulé entre les deux lignes bleues. Je portais mon uniforme habituel, mais j'avais enfilé le bouclier et la mitaine de gardien, et je m'étais installé devant le but. La rondelle lancée par un jeune avait frappé mon bras et je m'étais mis à pleurer. Mon père avait dit : « Bien fait ! Maintenant, sors du filet. »

C'était plutôt comique, mais ça ne m'a pas arrêté. Je jouais comme gardien de but dès que j'en avais la chance. J'en ai rêvé toute mon enfance. Quand mon père a arrêté d'entraîner mon équipe, j'étais censé me joindre à une des quelques équipes peewees, mais j'ai dit à ma sœur Taz que j'abandonnais à moins de devenir gardien de but. Ensuite, j'ai annoncé la nouvelle à mes parents.

À vrai dire, j'aurais occupé toutes les positions, mais je voulais vraiment être gardien. Quand je regardais les vidéos de Don Cherry, j'aimais les extraits montrant les gardiens de but. Je reculais les enregistrements et je les visionnais à répétition, même quand je ne jouais pas encore à cette position-là.

C'est simple : être gardien de but, c'est ma passion. J'adore faire des arrêts spectaculaires. Je suis un type pas mal compétitif et, d'après moi, c'est la position la plus importante. Le gardien de but est celui qui peut aider le plus son équipe. Je sens que, si je joue bien mon rôle, on a de meilleures chances de l'emporter. J'y suis pour beaucoup dans la victoire de mon équipe.

L'esprit de compétition règne dans notre famille. Mes deux parents ont cette attitude. Nous l'avons certainement héritée d'eux. Je ne tolère pas de perdre, encore moins si c'est contre des amis ou des membres de ma famille. Je déteste ne pas réussir quelque chose. Soit je joue sans arrêt jusqu'à ce que je sois bon, soit je ne joue pas, c'est l'un ou l'autre, mais habituellement je joue sans arrêt jusqu'à ce que je m'améliore.

Je suis heureux que Malcolm se soit senti à l'aise de se confier à sa sœur aînée. On veut que nos enfants puissent parler à quelqu'un. C'était également important à l'école. Si un élève refusait de s'adresser à M. Subban, le directeur, il pouvait aller voir le directeur adjoint ou un enseignant avec qui il se sentait à l'aise de discuter.

Je savais bien que Malcolm était spécial. D'autres gens l'avaient remarqué. Son enseignant de sixième année, Don Norman, m'a déjà dit ceci : « Malcolm deviendra un grand athlète. Il réussira, peu importe ce qu'il choisira. » Malcolm faisait partie de l'équipe de saut à la corde. Chaque année, ses compagnons et lui réalisaient des figures inimaginables pour l'activité de financement Sautons en cœur. Malcolm exécutait des mouvements qui mettaient en valeur ses capacités.

Il avait la souplesse d'un gymnaste, des mains lestes au bout de ses longs bras, de longues jambes et des pieds qui se posaient doucement au sol. Ses qualités athlétiques brutes me portaient à croire que la transition de joueur à gardien de but se ferait sans heurts.

Ça ne m'a pas empêché de chercher d'autres preuves.

Un des *hockey dads* de l'équipe de P.K., Scott Strang, était entraîneur de gardiens de but. Je lui ai parlé des projets de Malcolm et il m'a dit qu'il viendrait chez nous pour lui lancer des rondelles sur notre patinoire dans la cour. J'ai remis un gant de baseball à mon fils parce qu'il n'avait pas l'équipement réglementaire et je les ai observés de la fenêtre de la cuisine. Scott est entré au bout d'une trentaine de minutes et m'a annoncé : « Tu sais quoi, Karl ? Je lui lance directement la rondelle et il ne bronche pas. Je vise légèrement en direction de la tête et il n'a pas peur. » Scott m'a dit qu'il percevait l'énergie et la passion qui habitaient Malcolm. Ça a été le tournant décisif. Nous avons accepté, c'est tout.

Malcolm a dû affronter une grande difficulté pour entreprendre sa nouvelle carrière de gardien de but : trouver une équipe. Les Canadiens Junior ne voulaient pas de ses services à ce moment-là, puisqu'ils n'avaient pas besoin d'un gardien de but. Je voulais qu'il joue pour une équipe AAA de la GTHL. Si ça ne fonctionnait pas, nous allions essayer le calibre AA, puis le calibre A.

Beaucoup de gens du milieu du hockey étaient sceptiques. Le poste de gardien de but est très technique et Malcolm n'avait reçu aucune formation digne de ce nom. On a beau lire un livre sur la conduite automobile, ça ne prépare pas à rouler sur l'autoroute. Quand il atteint l'âge de 12 ans, un gardien de but de calibre AAA en Ontario a déjà suivi des centaines d'heures d'entraînement. Malcolm traînait de la patte dans ce domaine.

Peu importe, je demeurais optimiste. En plus de ses qualités athlétiques, Malcolm avait confiance dans ses capacités à défendre son filet. Il voulait que son adversaire frappe le disque vers lui parce que chaque tir portait en lui un défi : « Je te mets au défi de compter un but. » Après de nombreuses conversations, quelques déceptions et beaucoup de prières, Jamie Fawcett, l'entraîneur des Young Nationals de Toronto, une équipe de la GTHL, a recruté Malcolm comme deuxième gardien. Fawcett était un type rusé ; il a fait signer deux cartes à mon fils : une de gardien de but et une de joueur. Je le soupçonnais d'avoir engagé Malcolm au cas où il abandonnerait son rêve pour revenir à la défensive. Il était plus facile de trouver rapidement un gardien remplaçant qu'un défenseur d'élite de calibre AAA.

Malcolm a joué sa première partie devant le filet à l'aréna Westwood, dans le quartier nord d'Etobicoke. J'avais un trac terrible. C'était incroyable. Maria et moi avons eu de la difficulté à entrer dans l'aréna pour le voir jouer. Le complexe comportait cinq patinoires et Malcolm jouait sur la deuxième. Nerveux, nous avons regardé la partie à travers la buée des petites fenêtres carrées percées dans les portes en nous dandinant.

MARIA

À sa première partie, j'ai dit : « Ils vont tous le mitrailler, chacun leur tour. »

Mais Malcolm a tenu bon et ces rondelles n'ont pas pénétré dans le filet.

IL A GAGNÉ LE MATCH ! Je vous le dis, mon Dieu ! Il a gagné le match.

La mémoire est étrange, parfois. Maria et moi, nous nous rappelons que Malcolm a remporté sa première partie, mais le souvenir de notre fils est différent.

MALCOLM

Nous avons égalisé la marque 1 à 1. Nous affrontions l'équipe appelée le Regional Express Yellow. Ce dont je me souviens, c'est qu'il y a eu une mêlée derrière le filet, ou devant, et je l'observais, mais la rondelle est arrivée devant moi et je n'y prêtais pas attention. Ils n'ont pas marqué, mais je me suis rendu compte que je ferais mieux de garder les yeux sur la rondelle.

Au début de la deuxième partie, je n'étais plus nerveux et je me disais : « C'est facile. » Je venais de faire un match nul, mais j'ai laissé passer 6 buts et nous avons perdu 6 à 5. Ce pointage m'a ramené sur terre.

J'ai eu de bons résultats au cours de ma première année. Je ne me rappelle pas si j'ai été nommé meilleur gardien, mais je pense que les commentaires sévères de l'entraîneur Jamie Fawcett m'ont aidé.

Ma femme et moi avons réussi à calmer notre nervosité et à regarder les matchs de Malcolm à partir des gradins, comme le font tous les parents attentionnés. Je sais maintenant que ce n'était pas l'état de mes nerfs qui m'empêchait de regarder Malcolm pendant qu'il apprenait à garder les buts, c'était ma crainte de le voir échouer. Mais mon fils, lui, n'avait pas peur. Une des premières équipes qu'il a affrontées était les Marlboros de Toronto, encore une fois à l'aréna Westwood. Il s'agissait de l'équipe qui avait remporté le plus grand nombre de victoires dans notre division. Nous avons été déjoués et avons reçu plus de tirs que nous en avons décoché, mais Malcolm arrêtait les lancers les uns après les autres. Je pense que cette partie s'est terminée par un pointage nul.

La performance de Malcolm au cours de la saison a fait taire les incrédules. Il s'est démarqué par sa passion et son talent brut, en dépit de son manque d'entraînement à cette position. Malcolm avait réussi son passage au poste de gardien de but. Après chaque arrêt, Maria avait enfin l'occasion de chanter la chanson *Holy Moly, What a Goalie!*

La saison suivante, Malcolm a été un des gardiens des Marlboros de Toronto (les Marlies midget) et son équipe a remporté beaucoup de tournois de haut calibre, notamment le championnat de la ville. Même s'il a été retiré à quelques reprises à cause de mauvaises performances, Malcolm n'a jamais perdu confiance. Il possédait les aptitudes physiques et, grâce à son expérience de jeu, il se développait mentalement.

À l'âge de 16 ans, Malcolm a été recruté par les Bulls de Belleville de la LHO. Le jour du repêchage, en mai 2009, a commencé sur une note optimiste. Toutefois, la période d'attente avant de voir apparaître le nom du joueur (dans la LHO, le repêchage se fait par ordinateur) peut avoir raison de la confiance de n'importe qui. La ligue regroupe 20 équipes et chacune fait au moins un choix à chaque tour. Nous n'avions eu aucun indice de ce qu'il adviendrait de Malcolm au cours des mois, des semaines et des jours qui ont précédé le repêchage. Ce jour-là, son nom est apparu au onzième tour seulement. Il avait été choisi 218e sur 300 joueurs.

Il va sans dire que nous étions déçus. Malcolm était pratiquement en larmes, mais cette situation lui a fait prendre conscience, ainsi qu'à nous, de la quantité de travail qui l'attendait. La déception n'est pas une mauvaise chose si on la considère comme un rendez-vous avec la réussite. Le regard des dépisteurs ne concordait pas avec la façon dont Malcolm se voyait ni avec son potentiel.

Malcolm était emballé d'avoir été recruté par Belleville. Il poursuivait ainsi la relation de l'Équipe Subban avec les Bulls qui avait débuté avec P.K. Je n'oublierai jamais ce que David Branch, commissaire de la LHO et président de la Ligue canadienne de hockey (LCH), a déclaré aux joueurs et à leurs parents réunis lors du banquet du hockey midget: «Jouer au hockey dans la LHO est une chance, et non un privilège.» En évoluant avec les Bulls, Malcolm avait l'occasion de poursuivre son rêve et de progresser dans son sport.

Malcolm a participé au camp des recrues des Bulls au printemps puis au camp d'entraînement à la fin août. Malgré ses bonnes performances, il n'a pas été admis dans l'équipe et a dû retourner à Toronto pour développer et perfectionner ses compétences.

Dans son for intérieur, Malcolm croyait être prêt à jouer avec les Bulls, mais la décision ne relevait pas de lui. Les entraîneurs étaient mieux placés pour le savoir et, à mon avis, ils avaient pris la décision qui était à l'avantage de Malcolm. L'adversité profite à nos enfants. Comme une cuillerée de sirop Buckley, «ça goûte mauvais et ça marche». Cette fois-là – comme souvent par la suite –, Malcolm a dû se poser la question: «Vais-je laisser cet échec me détruire ou me construire?»

Un autre revers attendait Malcolm dans les coulisses du hockey. Ce que nous ne savions pas, c'était que l'équipe avec laquelle il avait joué l'année précédente à Toronto avait engagé un deuxième gardien de but. Malcolm n'était donc plus un Marlboro, il se retrouvait sans rien devant lui. C'était un moment pénible pour lui, très pénible. La seule équipe qu'il avait, c'était l'Équipe Subban.

Nous nous sentions désemparés devant la frustration de notre fils, mais nous savions une chose: l'attente nous montre à être patient et à ne pas tenir pour acquises les occasions qui s'offrent à nous. Nous avions attendu d'autres occasions avant et nous savions que quelque chose arriverait. Comme de fait, Malcolm a trouvé une équipe à la fin septembre : les Reps de Mississauga.

Il a travaillé très fort cette saison-là. Son gardien partenaire et lui ont défendu leur filet jusqu'à la finale du championnat national midget AAA du Canada – la Coupe TELUS – à Lévis, au Québec, en avril 2010. Plus le tournoi progressait, mieux Malcolm jouait. Il a mérité le droit de garder le filet lors de la finale qui a été télédiffusée partout au pays sur TSN. Il a intercepté 55 lancers, mais les Reps, qui disputaient leurs premières séries éliminatoires d'envergure nationale, ont fléchi et perdu 3 à 2 devant les champions en titre, les Hounds de Notre-Dame, une équipe basée à Wilcox, en Saskatchewan. Malcolm a été la vedette du match et sa présence a assis sa réputation d'excellent candidat au poste de gardien.

Avec du recul, je ne regrette pas la façon dont nous avons traité Malcolm. Je voulais que tous mes garçons soient de bons patineurs. Les gardiens de but ne font généralement pas beaucoup de patinage de puissance et, même lorsqu'ils en font, ils ne font pas les exercices. Le coup de patin et le maniement de la rondelle sont deux des plus grands atouts de Malcolm. En jouant, il a également beaucoup appris sur les tirs et les tireurs.

Je suis heureux que nous ayons fait en sorte qu'il puisse se consacrer à sa passion. Être gardien de but n'était pas le rêve que nous avions pour lui, mais parce que lui le souhaitait plus que tout, il a pu nous convaincre aisément. Une des choses les plus importantes qu'on peut faire pour ses enfants, c'est les écouter. Il faut leur prêter attention quand ils commencent à prendre leurs propres décisions, surtout concernant les objectifs qu'ils visent.

Après une saison dans la LHO, Malcolm a été recruté dans l'équipe nationale junior et a participé au Championnat du monde junior de hockey sur glace en Russie. À l'âge de 18 ans, il a été sélectionné au premier tour par les Bruins de Boston lors du repêchage de la LNH. Vêtu de son complet taillé sur mesure pour l'occasion, il s'est présenté sur la scène à Pittsburgh, en Pennsylvanie, pour rencontrer ses nouveaux patrons et enfiler son chandail devant la foule et les caméras. Il pleurait de joie et les larmes coulaient sur son visage comme les gouttes de pluie glissent sur une fenêtre. C'était une journée très émouvante pour lui, et pour une raison tout à fait justifiée. Il s'était beaucoup entraîné et avait travaillé d'arrache-pied pendant des années en espérant vivre ce moment où on prononcerait son nom.

Apparu aux yeux de tous comme un joueur du calibre de la LNH le jour du repêchage, Malcolm – comme P.K. avant lui et comme Jordan après lui – a été formé dans une petite ville sur la rive est du lac Ontario. Il a joué avec et contre certains des meilleurs jeunes joueurs au monde, sous l'œil vigilant d'un entraîneur exigeant mais attentionné, qui savait comment faire grandir de jeunes hommes, tant sur la glace qu'en dehors.

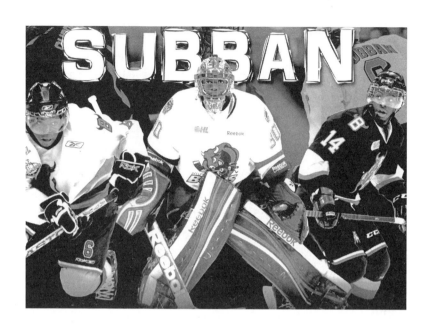

Chapitre 10

La belle vie à Belleville

Initier nos enfants au hockey mineur était facile comme *un, deux, trois*. Nous n'avions qu'à les inscrire dans une ligue locale, leur mettre leur uniforme et les laisser apprendre. La transition vers le hockey junior, par contre, ne va pas de soi.

Nous n'avons aucune garantie qu'un jeune sera repêché et, s'il l'est, qu'il jouera bel et bien avec l'équipe. Environ 500 000 garçons et filles s'inscrivent chaque année dans une ligue de hockey mineur un peu partout au Canada. À peine 1200 d'entre eux, âgés de 16 à 20 ans, jouent pour les 60 formations de la LCH, qui est considérée comme la meillcure ligue amateur sur le continent nord-américain. Entrer dans la LCH – qui réunit des équipes des grandes ligues de hockey junior de neuf provinces canadiennes et de quatre États américains – évoque le jeu de la chaise musicale. Il y a beaucoup plus de hockeyeurs que d'occasions de jouer pour la plus grande ligue junior au monde.

Quand la musique s'est tue, chacun de mes trois fils avait trouvé une chaise avec les Bulls de Belleville, une équipe de la LHO. En 2005, lorsqu'ils ont repêché P.K., qui avait alors 16 ans, nous étions loin de nous douter qu'ils allaient faire de même avec tous nos garçons. C'était le début d'une relation qui a duré 10 ans sur le calendrier, mais qui durera toute une vie dans nos cœurs.

Lorsque P.K. a été repêché, il n'était pas acquis qu'il serait admis dans l'équipe. Même si nous avions confiance en ses compétences et en son calibre, la décision ne relevait pas de nous. Le repêchage de la LHO a eu lieu en mai. Nous nous sommes rendus sur le site Web de la ligue (aucun mot de passe requis) et nous avons suivi le repêchage en direct. Après une pénible attente, nous avons enfin vu apparaître le nom de P.K. à la sixième ronde. Puis, George Burnett, entraîneur et directeur général des Bulls, a téléphoné à la maison pour souhaiter la bienvenue à P.K. au sein de l'organisation. Après cet appel, notre fils était beaucoup plus optimiste concernant son rêve de faire carrière dans le hockey.

Nous n'avons pas beaucoup célébré parce que l'affaire n'était pas encore dans le sac. Certaines familles que nous connaissions avaient prévu fêter le repêchage avec leurs proches. Nous, par contre, nous n'étions pas à l'aise de le faire parce que P.K. avait été repêché lors des rondes du milieu et n'avait pas de poste assuré. D'autant plus que les Bulls avaient choisi plusieurs défenseurs avant lui. Quelque temps auparavant, un parent m'avait dit que l'important, ce n'était pas le tour auquel un joueur était sélectionné dans la LHO, mais celui auquel il serait repêché quand il quitterait cette ligue. Je n'ai jamais oublié ce message, ce qui m'a aidé à orienter P.K. dans le processus de repêchage.

Nous n'avions pas de conseiller, même si certains joueurs repêchés en même temps que mon fils en avaient embauché un. Maria et moi avons donc eu recours à notre bon sens et avons exploré une deuxième option dans l'éventualité où P.K. ne se qualifierait pas pour jouer avec les Bulls. Nous avons communiqué avec les Icehawks de Milton, une équipe de la Ligue de hockey junior de l'Ontario. P.K. a participé au camp d'essai et a disputé un match hors concours avec cette équipe. L'entraîneur l'a aimé et souhaitait le recruter. Par contre, si les Bulls l'aimaient davantage, la décision serait facile à prendre, puisque la LHO est le meilleur terrain d'entraînement au monde pour les futurs joueurs de la LNH. Nous avons donc pris la route pour Belleville à bord de Ruby Red, notre fourgonnette Ford Aerostar, pour voir comment P.K. se débrouillerait à son premier camp d'entraînement de la LHO.

P.K. s'est entraîné intensivement cet été-là. Clifford Dorsett, un neveu de Maria qui vivait à Cambridge, en Ontario, nous avait parlé de Keith Vanderpool, un coach qui habitait dans sa rue. Maria l'avait contacté et nous étions impatients que P.K. se joigne à son groupe ; il allait côtoyer des joueurs de la LHO sur la piste et dans le gymnase. De plus, Keith organisait des matchs avec des professionnels et des juniors. Nous avons fait l'aller-retour à Cambridge, à une heure de chez nous, quatre ou cinq fois par semaine pour les entraînements de P.K., et même jusqu'à deux fois par jour. P.K. ne s'en est jamais plaint. Puisque Maria et moi étions engagés, il l'était aussi.

Les séances d'entraînement et de patinage ont porté les compétences de P.K. à un niveau supérieur et il était prêt à payer le prix pour être à son maximum au début du camp des Bulls. Notre objectif était simple : faire de P.K. le meilleur joueur sur la glace. Il était rapide sur la piste d'entraînement, mais il n'était pas le plus rapide. Il était fort dans la salle de musculation, mais il y en avait de plus forts que lui. C'était sur deux lames qu'il se distinguait de tous les autres.

Notre stratégie a été fructueuse. Les 48 heures du camp d'entraînement ont été les plus belles heures de P.K. au hockey. Désormais, la décision revenait aux Bulls.

À la conclusion du camp, l'équipe d'entraîneurs organise des rencontres individuelles avec chaque hockeyeur et sa famille pour leur présenter un compte rendu verbal du statut du jeune au sein de l'équipe. Puisque « Subban » se trouve vers la fin de l'ordre alphabétique, je croyais que nous allions attendre un certain temps avant de connaître le sort de P.K. Toutefois, avant même d'avoir pu nous asseoir, un officiel s'est adressé à nous : la direction de l'équipe voulait nous rencontrer sur-le-champ parce que P.K. était le premier choix. Il avait retiré son équipement de hockey et portait son sac à dos quand nous l'avons rejoint dans le corridor. Nous nous sommes présentés en famille à la rencontre avec l'entraîneur et directeur général George Burnett.

J'avais invité Keith Vanderpool à se joindre à nous pour la première rencontre avec le personnel des Bulls. P.K. avait encore son sac sur le dos quand nous nous sommes assis, comme s'il ne pensait pas rester longtemps. George lui a demandé :

— Où tu t'en vas ?

P.K. s'est contenté de sourire, puis George a ajouté :

— Où as-tu appris à patiner comme ça ?

Je ne me rappelle pas la réponse de mon fils, mais je sais qu'il a souri encore plus. Ensuite, George a prononcé une phrase que personne n'avait jamais dite à P.K. : « Je crois que tu vas te rendre au moins dans la LAH. » Avec un tel appui, je ne doutais plus qu'il serait un membre des Bulls.

Nous n'avons pas sauté de joie, nous n'avons pas hurlé ni crié dans le bureau de Burnett. Nous avons attendu d'être entre nous, dans notre auto. Le trajet de Belleville jusqu'à chez nous n'a jamais été aussi agréable ni aussi rapide.

Comme nous n'avions pas de conseiller, je me suis fié à George lorsque le temps est venu pour P.K. de signer une entente avec la LHO. Si j'acceptais de lui faire confiance pour entraîner mon fils et voir à son développement, je me disais qu'il pouvait en être de même pour son contrat. Quand le document a été prêt, nous l'avons tous signé et le statut de P.K. comme joueur de la LHO est devenu officiel. Pendant le camp d'entraînement, son objectif était d'être le meilleur sur la glace. Et il allait dorénavant jouer contre et avec les meilleurs juniors au monde.

Toute la famille s'est réjouie des réussites de P.K. Avant qu'il parte pour sa première saison dans la LHO, nous avons organisé un barbecue à la maison avec nos parents et amis. Être admis dans l'équipe des Bulls à 16 ans justifie largement une telle célébration. C'était une tradition familiale de souligner les anniversaires par un gros party et, lorsque nos enfants sont devenus plus vieux, nous avons ajouté à ce motif de célébration les réussites scolaires et sportives.

La plus grande inquiétude de Maria lors de cette année de repêchage n'avait pas été de savoir *si* P.K. allait être recruté, mais bien *où*. Elle ne se réjouissait pas du tout à l'idée qu'il doive s'exiler loin de Toronto pour jouer au hockey : à Sudbury, à Sault Ste. Marie, à Érié en Pennsylvanie ou à Saginaw au Michigan, par exemple. Moi, j'étais partagé. Je ne voulais pas jouer les trouble-fêtes ou imposer des exigences parce que je n'approuvais pas, comme parent, le fait de m'interposer dans cette occasion offerte à mon fils. Toutefois, je ne blâmais pas ma femme de vouloir garder son garçon près d'elle. Et c'est ce que nous offrait Belleville, qui se situait à deux tasses de café et 200 kilomètres de chez nous, par l'autoroute 401. Nous nous y sommes rendus si souvent au cours des années que notre voiture pourrait pratiquement nous y conduire toute seule. La météo n'était pas toujours agréable, mais nous avons fait ce trajet sans contravention ni accident pendant 10 ans.

Comme je l'ai déjà dit, ma première auto était un coupé sport Toyota Corolla 1983. J'avais acheté ce modèle neuf de l'année précédente pendant mes études à Thunder Bay. Je ne sais plus qui l'avait baptisée Betsy ni pourquoi. Cette voiture a rendu de fiers services à ma famille. On peut dire qu'elle avait du vécu et qu'elle était à notre main. Nos cinq enfants ont grandi dans ce véhicule, ils y ont joué, ils y ont mangé, ils y ont été malades et ils y ont dormi. Si on calcule son kilométrage, elle a probablement fait le tour de la terre à quelques reprises ! J'étais très attaché à cette auto que j'ai conservée pendant plus de 25 ans, même si elle n'était pas toujours sur la route. Au cours des premières années de P.K. à Belleville, je préférais m'y rendre avec Betsy parce qu'elle ne consommait que 20 dollars d'essence pour l'aller-retour. Avec Taz à l'université et mes deux autres fils au hockey mineur, chaque dollar comptait.

Un jour, nous avons décidé d'aller à Kingston, qui se trouve à environ une heure à l'est de Belleville, avec Betsy. Au retour, dès que j'ai pris la bretelle pour l'autoroute 401 en direction ouest, j'ai entendu un bruit provenant de l'arrière de la voiture. C'était aussi insistant que des pleurs de bébé, le genre de bruit qui nous force à prêter attention. Je me suis arrêté dès que la situation me l'a permis pour inspecter mon bazou. Je n'ai aucune connaissance en mécanique, mais j'ai décidé de circuler sur la voie de droite avec mes feux de détresse activés. Les freins fonctionnaient et le bruit était minime à faible vitesse. J'ai donc roulé lentement à un rythme régulier jusqu'à Toronto. Quand je suis allé faire inspecter la voiture, le garagiste m'a appris que le roulement de moyeu avait besoin d'être graissé. Betsy n'était pas prête à rendre l'âme.

Une autre fois, un jour de semaine, nous nous dépêchions de ramener P.K. à temps pour sa séance d'entraînement de 14 heures. À Cobourg, le pneu arrière droit s'est détaché de la jante. La bande de caoutchouc frappait contre la carrosserie en produisant un bruit de percussionniste de fanfare. P.K. ne voulait pas être en retard, nous non plus d'ailleurs, mais le pneu s'en fichait. Comme l'installation de la roue de secours risquait de prendre du temps, j'ai dû à regret me résoudre à téléphoner à l'entraîneur pour l'informer de notre retard. George, qui avait déjà vu ma Toyota, n'a certainement pas été étonné de recevoir mon appel.

Betsy a fini par nous abandonner sur le bord de la route près du chemin Weston et de l'avenue Lawrence Ouest, à Toronto. Nous avons été obligés d'acheter un modèle K de Chrysler, une voiture économique sans fioritures qui nous a rendu de bons services jusqu'à ce qu'elle ne puisse plus rouler. Nous avons donc acquis une Ford Aerostar, surnommée

Ruby Red. Même si nous avons eu d'autres véhicules, nous ne nous sommes pas débarrassés de Betsy. De temps à autre, nous l'emmenions au garage et elle reprenait du service.

Quand P.K. a signé son contrat pour jouer dans la LNH à Montréal, il m'a offert un Ford Expedition noir flambant neuf. George a eu l'occasion de voir mon VUS, puisque Malcolm et Jordan jouaient alors avec les Bulls. Je ne sais pas ce qu'il a pensé lorsqu'il m'a vu au volant de mon rutilant véhicule. Ce qui est sûr, toutefois, c'est qu'il savait d'où nous venions et tout le chemin que nous avions parcouru.

J'ai conservé Betsy jusqu'à l'automne 2013. Je venais de prendre ma retraite et nous quittions la résidence familiale sur la promenade Arborwood, à Rexdale, pour nous installer dans notre nouvelle maison à Nobleton, en Ontario. Maria a décrété: « Tu n'emporteras pas cette ferraille à Nobleton. » J'ai conduit ma fidèle complice à son dernier repos : le ferrailleur.

Malcolm, Jordan, Taz et Tasha avaient passé beaucoup de temps à Belleville. Ils avaient entendu toutes les histoires, bonnes et mauvaises, sur le fait de s'installer loin de la famille pour jouer au hockey dans la LHO. Ces expériences leur avaient enlevé la peur de l'inconnu, elles avaient répondu à nos questions et étaient devenues les rêves de nos garçons. À son arrivée à Belleville, Malcolm était plus que prêt.

MALCOLM

George Burnett essayait de nous inculquer une éthique professionnelle, à nous, les jeunes. Nous avions de 16 à 20 ans et ça représente un gros morceau dans la vie d'un adolescent. Ça peut vraiment définir notre façon de vieillir comme personne et avoir une grosse influence sur nous, plus tard dans la vie. Il nous préparait pour ce que nous voulions faire et essayions de réussir: devenir des joueurs de hockey professionnels.

Pour y parvenir, il faut se comporter d'une façon particulière. Il faut avoir de bonnes mœurs et être responsable. Il faut prendre soin de son corps. George essayait de nous inculquer ces valeurs et de nous organiser un environnement sécuritaire. Certains parents s'inquiètent lorsque leurs enfants quittent le foyer familial si jeunes, mais George a créé un environnement confortable et facile pour nous et pour nos parents.

Le départ de notre deuxième fils, Malcolm, pour Belleville s'est déroulé beaucoup mieux. Et lorsque Jordan a été repêché par les Bulls, nous connaissions le scénario par cœur.

La transformation de P.K., Malcolm et Jordan en hockeyeurs professionnels a débuté à Belleville avec coach George. Nos fils s'initiaient aux relations de presse grâce aux rencontres avec les journalistes. Ils ont donné des entrevues pour des magazines, des journaux, la radio et la télévision, et nous constations qu'ils s'amélioraient avec l'expérience. George a tellement bien joué son rôle d'exemple à suivre que les garçons lui ressemblaient parfois lors des interviews pour les médias électroniques.

Les jours de match, mes fils portaient toujours leurs plus beaux vêtements. Nous ne les avons jamais vus enfiler autre chose que leur complet ces jours-là. Après les parties à domicile, les joueurs et les membres de leur famille se réunissaient au même restaurant. Le comportement des garçons était exemplaire en tout temps. Ils savaient que George avait des yeux et des oreilles partout.

Mes fils doivent une fière chandelle à George et à son talent pour développer le potentiel des joueurs. P.K. a signé le chandail qu'il portait lors de sa première partie dans la

LNH, l'a fait encadrer et l'a fait livrer à George en témoignage de sa gratitude.

George avait suivi une formation en éducation, mais il a passé plus d'années à enseigner les patins aux pieds et derrière un banc que devant une classe. Il est un des meilleurs professeurs que j'aie jamais rencontrés. J'espère que mes petits-enfants trouveront eux aussi un George Burnett sur la route qui les mènera dans le monde du hockey.

George a joué un rôle si important dans le développement de nos garçons que j'ai estimé qu'il méritait de parler de son expérience avec l'Équipe Subban.

GEORGE

LE REPÊCHAGE DE P.K. : Nous négocions avec des jeunes de 15 ans et nous faisons beaucoup de spéculations, de projections. P.K. était un jeune homme doué d'un grand talent. Peu de joueurs repêchés après la quatrième ou la cinquième ronde finissent par jouer, mais je crois que cette situation s'explique en grande partie par l'engagement du jeune au cours de l'été précédant son premier camp d'entraînement et aussi par le travail qu'il fait la première année, tant sur la glace qu'au gymnase.

J'ai senti la grande détermination de P.K. dès que je l'ai rencontré pour l'inviter à faire partie de notre équipe, dès le premier jour du camp d'entraînement. Il s'engageait à faire le travail nécessaire et à se présenter au camp pour mériter son poste.

C'était exceptionnel d'avoir pu trouver, en sixième ronde, un joueur aussi talentueux. Mais cela peut arriver et nous avons eu la chance qu'il nous fasse profiter de son attitude formidable, de son éthique de travail et de ses compétences sur la patinoire, jour après jour.

J'ai fait la connaissance de Karl et de P.K. en 2005 à London, lors de la Coupe Memorial. Le repêchage était terminé et les joueurs venaient au championnat pour que nous ayons la chance de les rencontrer. Je me rappelle que j'étais assis dans la cour du centre John Labatt. J'ai eu l'impression que P.K. était un jeune homme qui avait une grande confiance et une grande détermination. Il m'a fait comprendre qu'il allait faire le travail nécessaire.

J'aime bien Karl. Il a toujours été un homme formidable, un vrai partisan de notre programme et de notre personnel. Je n'ai pas de mérite d'avoir traité avec un jeune homme aussi déterminé et une famille qui a été d'un extrême soutien au cours des 10 années où nous avons travaillé étroitement ensemble.

UNE COMPARAISON DES TROIS FRÈRES : Les circonstances ont été complètement différentes avec chacun des trois garçons. À la première saison de P.K., notre équipe était sur le point de devenir une très bonne formation. Au cours de l'année, nous avons fait un pas en avant comme organisation. [J'avais commencé à travailler avec l'équipe de Belleville] l'année précédente et P.K. était dans notre deuxième groupe de recrues. C'était un groupe unique et cela a marqué le début d'une période de quatre ans où nous avons été en position de remporter le championnat. Alors, les jeunes joueurs de notre programme qui prennent de grandes responsabilités comme P.K. ont été la colonne vertébrale de quatre grandes années.

Malcolm était différent. Karl m'attribue beaucoup de mérite, mais il est important de préciser que je n'étais pas responsable du repêchage de Malcolm ni de ceux de P.K. et de Jordan. Je dirais que j'ai eu un petit peu plus à voir avec le recrutement de Jordan seulement parce qu'il n'était pas un inconnu. C'était un peu hasardeux de recruter Malcolm. Il n'avait même pas la possibilité de retourner jouer au sein de l'équipe avec laquelle il était l'année précédente. Comme nous n'avions pas de poste pour lui quand nous l'avons repêché, nous l'avons envoyé à Mississauga et il s'est rendu en finale. Il a eu une grosse année de développement et cela a été un bon exemple pour nous – que ce soit P.K., un choix de sixième ronde, ou Malcolm, repêché au onzième tour, voilà deux jeunes hommes qui ont profité d'une occasion. Ils n'étaient pas prisonniers de la réputation accolée aux choix de première ronde ni de toute la publicité qui vient avec.

Malcolm a participé au camp l'année suivante et nous avions prévu l'envoyer à notre équipe affiliée à Wellington. Tout était organisé avec la famille aussi. C'était un genre de grand plan de repli. Nous étions forts dans les buts. L'année précédente, nous avions repêché au premier tour un jeune homme du même âge que Malcolm, Tyson Teichmann, qui était l'élite de son groupe d'âge. Et nous avions l'autre gardien qui était le meilleur du programme. Nous ne cherchions pas quelqu'un comme Malcolm, mais il a tellement bien joué au camp d'entraînement que nous n'avions pas d'autre choix que de le garder.

Nous avions une équipe plus faible cette saison-là. Comme beaucoup de nos joueurs avaient quitté le calibre junior l'année précédente, Malcolm a finalement eu l'occasion de jouer au sein d'un club plus jeune. Deux saisons plus tard, il était choisi au premier tour au repêchage de la LNH.

Je dois une fière chandelle à notre entraîneur des gardiens de l'époque, Sébastien Farrese, qui avait une relation formidable avec Malcolm et a travaillé très étroitement avec lui. Toutefois, Malcolm était un athlète. Grand et élancé, il ressemblait à une bête de course. P.K. était beaucoup plus massif et pas aussi grand. Malcolm était très tranquille et parlait peu. Il faisait ses affaires, avait sa routine, écoutait les commentaires et saisissait les occasions. Le reste dépendait de lui. Il a été un joueur de haut calibre pour nous pendant une saison où nous avions le potentiel de participer au championnat. Nous ne l'avons pas remporté, mais nous nous sommes rendus à la septième partie. C'était une finale de conférence, lors de la dernière année de Malcolm, donc une bonne situation pour un gars de 19 ans comme lui.

Pour Jordan, ce sont des circonstances distinctes. Il jouait au sein de la meilleure équipe de la province : les Marlies [les Marlboros]. Il était bien coté. Nous avons été chanceux de le recruter au cinquième tour. Selon la rumeur, il aurait pu être choisi avant.

Jordan était différent de ses frères, mais il portait le poids de toutes nos attentes sur ses épaules. Ses frères s'étaient frayé un chemin discrètement. La transition a probablement été plus difficile pour lui.

Il y a une personne que je ne veux pas oublier dans toute cette histoire, c'est Amy McMillan, qui a hébergé les trois garçons, chacun leur tour. Elle a joué un grand rôle de conseillère en plus de leur ouvrir les portes de sa maison.

FIXER DES ATTENTES : Lors de notre première réunion du camp d'entraînement, nous avons expliqué aux joueurs et à leurs parents les attentes du programme. L'école est une priorité, mais lorsqu'ils sont sur la glace, c'est le hockey qui devient prioritaire. Être de bonnes personnes et faire de bons choix a toujours fait partie de notre mandat. Les jeunes ne l'admettront probablement pas, mais ils aiment avoir des règles, ils aiment avoir une structure. Sans ces balises, ils ont de la difficulté à prendre des décisions seuls. On mise beaucoup sur bon nombre de jeunes qui intègrent notre programme ou qui viennent dans notre ligue, mais ils ne sont pas prêts à faire le nécessaire pour passer à l'étape suivante.

Pendant cette première réunion, je donne des exemples de garçons qui sont venus dans notre équipe l'année précédente, des choix de huitième ronde ou des choix impromptus. On s'attend à beaucoup du hockey, mais ce sport-là ne nous doit rien. Il faut profiter des occasions qui s'offrent à nous et nous frayer un chemin. Les jeunes qui surpassent les attentes et jouent le jeu agissent comme cela. La persévérance occupe une place fondamentale et il y aura toujours de l'adversité sur la route. Il y aura de mauvais matchs, il y aura de mauvaises soirées, il y aura des blessures. Toutes sortes de choses peuvent arriver et ce qui compte le plus, c'est la façon dont on gère ces problèmes.

LES VALEURS DE LA FAMILLE SUBBAN : Je pense qu'ils ont les deux pieds sur terre. Il n'y a rien de mal à ce qu'un jeune ait une auto dès le premier jour. C'est le cas pour beaucoup et c'est correct. Mais je me souviens que P.K. avait 19 ans quand il a eu son premier véhicule et wow ! c'était spécial. C'était tout un événement. Je pense qu'ils ont toujours apprécié ce qu'ils avaient, comme famille, le temps que leurs parents leur ont consacré et la façon dont ils s'intéressaient à eux. Beaucoup de gens oublient qu'il y a deux sœurs Subban qui sont aussi des personnes très fortes. C'est une famille unique et P.K. obtient sa juste part des grands titres, mais les Subban forment un groupe de gens spéciaux. Les petits-enfants participeront au repêchage en 2027 ou à peu près, alors j'espère que je serai encore là pour m'en occuper.

RÉAGIR AU RACISME : Il faut reconnaître que, pour ces trois jeunes joueurs qui venaient de la ville et se retrouvaient dans un milieu rural en Ontario, dans une ville de 45 000 habitants, c'était un changement social pas mal important, en particulier pour P.K., puisqu'il était le premier. Je sais certaines choses que P.K. a dû entendre. J'ai vu les médias sociaux. Malcolm a participé au Championnat du monde junior de hockey sur glace, mais son équipe n'a pas gagné. J'ai vu les absurdités et les bêtises auxquelles il a dû réagir.

À plusieurs reprises, P.K. et Malcolm auraient pu exploser, réfuter et réagir, mais ils ont fait preuve de sens moral. Je pense que c'est l'influence de maman et papa.

Belleville grouille de partisans irréductibles qui adorent leurs Bulls. Mes garçons ont fait partie d'équipes qui ont remporté plus de matchs qu'elles en ont perdu, mais aussi d'équipes qui ont perdu la plupart des parties qu'elles ont jouées. Par contre, peu importe ce qui se passait sur la patinoire, les fans leur réservaient toujours le même traitement : ils se préoccupaient d'eux. Quand les Bulls gagnaient, les amateurs se levaient pour les acclamer et, quand ils perdaient, les amateurs gardaient confiance. Je me suis assis dans la section 11 durant 10 ans et je n'ai jamais entendu un commentaire négatif adressé à ma famille ou à mes fils sur la glace.

Grâce à l'accueil chaleureux des fans, mes garçons se sentaient chez eux à Belleville, ils avaient l'impression qu'ils appartenaient à la communauté. Les admirateurs brandissaient des bannières pour chacun des joueurs, incluant mes fils, surtout durant les éliminatoires. Ils se surpassaient sans cesse pour s'assurer que mes gars étaient à l'aise. Ils leur préparaient des biscuits et tricotaient des vêtements. L'un d'eux a même cherché des recettes de poulet jerk jamaïcain et de curry de poulet sur Google afin de cuisiner ces plats pour mes garçons. Les fans de Belleville étaient des *cheerleaders* infatigables pour l'Équipe Subban. J'espère que nous leur avons donné autant qu'ils nous ont apporté.

Maria et moi avons vu des centaines de parties des Bulls à Belleville. Après chacune, l'admiratrice la plus irréductible de nos fils venait bavarder avec nous. Vivian a acheté le chandail portant le numéro de P.K., puis a fait de même avec ceux de Malcolm et de Jordan. Elle incarne l'esprit des amateurs de Belleville et le soutien que nous avons reçu d'eux.

Le samedi 21 mars 2015, les Bulls de Belleville ont joué leur tout dernier match de la saison contre les Colts de Barrie. Ils ont perdu 4 à 2. Ce n'était pas seulement la fin de l'année, c'était aussi la fin des Bulls. L'équipe a été vendue et déplacée à Hamilton, en Ontario, sous le nom des Bulldogs dès la saison 2015-2016.

Ce soir-là, tout le monde avait la larme à l'œil dans l'aréna Yardmen, plein à craquer. Le trompettiste qui était toujours dans notre section jouait ses airs de hockey coutumiers. À ma droite, un autre habitué, un superfan, sonnait ses cymbales surdimensionnées. Tandis que les dernières secondes s'écoulaient sur le tableau indicateur géant au-dessus de la patinoire, tous les amateurs se sont levés et ont agité des cloches de vache. Le bruit résonnait dans nos oreilles et les émotions faisaient fondre nos cœurs.

Ce dernier match a aussi marqué le terme de notre relation officielle avec les Bulls. Jordan est inscrit dans les annales de l'équipe pour avoir compté le but ultime de l'histoire de la formation et pour avoir été le meilleur marqueur de la dernière saison. Après le signal annonçant la fin du match, les haut-parleurs de l'aréna ont diffusé la chanson *Wasn't That a Party* des Irish Rovers qui m'a remonté le moral. En effet, c'était tout un party que nous avons vécu et aimé.

Chapitre 11
Leçons de la cour d'école

À l'époque où je passais mes samedis et dimanches à Belleville, j'ai consacré, pendant de nombreuses années, le reste de la semaine à essayer d'améliorer la vie des jeunes du quartier Jane and Finch à Toronto. En septembre 2006, quand je suis devenu directeur de l'école intermédiaire Brookview (entre le primaire et le secondaire), j'ai apporté certaines stratégies élaborées par George Burnett à titre de parent, d'enseignant et d'entraîneur pour tirer le maximum des jeunes. J'étais devenu en quelque sorte l'entraîneur-chef, le directeur et le PDG d'un établissement de 400 à 600 élèves en sixième, septième et huitième années qui avait subi trop de saisons de défaites.

Soyons francs : située au cœur d'un des quartiers les plus défavorisés de la ville, l'école Brookview ne m'a pas laissé une impression favorable lorsque je l'ai vue la première fois. Nous étions à la fin juin et j'assistais à une rencontre en vue de préparer la transition. J'en ai profité pour visiter les lieux afin de me faire une idée de l'endroit.

Pour être juste, je dois dire que les écoles n'ont pas toujours l'air ordonnées à la fin de l'année scolaire, lorsque les élèves nettoient leurs casiers et que les enseignants changent de locaux. Il faut s'attendre à voir des jeunes qui se déplacent à tout moment dans les corridors jonchés de papier, de meubles et de boîtes. Par contre, j'ai considéré comme un mauvais signe d'apercevoir deux élèves assises sur les marches du hall d'entrée en train de se brosser et de se tresser les cheveux comme si elles étaient au salon de coiffure. Je n'ai surtout pas aimé voir les murs, les casiers et les portes enlaidis par des graffitis.

Il devait certainement se passer des choses formidables dans cet endroit et je sais qu'il ne faut pas exclusivement se fier à la première impression, même si elle est importante. Par contre, une école doit ressembler à une école et dégager une atmosphère d'école. Ce que les enfants voient devient ce qu'ils savent. Ce qu'ils savent influence leur comportement.

J'ai voulu améliorer l'apparence de l'établissement et celle des élèves dès que je suis entré en poste en septembre. Peu de temps après, les jeunes ont entendu mon petit discours intitulé *Looks and books*, l'allure et la lecture. L'allure de Brookview consistait à suivre les règles et à porter l'uniforme pour aller aux cours. Si un élève n'avait pas d'uniforme, nous lui en fournissions un. S'il fallait laver ses vêtements, nous nous en chargions. Nous avons lancé un programme de récupération des uniformes pour aider les familles qui éprouvaient des difficultés financières. De plus, j'en achetais et je les conservais pour les jeunes qui avaient une poussée de croissance en cours d'année.

L'allure, c'est aussi le comportement. Brookview accordait de l'importance au respect, qui se résume à traiter les autres comme on voudrait être traité soi-même. Si j'apercevais certains de mes élèves dans le quartier, je m'attendais à ce qu'ils aient le comportement requis à Brookview, même si c'était hors des heures de cours et qu'ils ne se trouvaient pas sur la propriété de l'école. Je leur expliquais que leur comportement dans la communauté était ma responsabilité. S'ils se tenaient bien, l'école paraissait bien et moi aussi. J'ajoutais que j'avais travaillé très fort pour acquérir ma bonne réputation et je leur demandais de ne pas la ruiner.

La portion de mon discours concernant la lecture traitait de la nécessité de se préparer à apprendre, puis de travailler pour apprendre. L'allure et la lecture étaient les deux roues de ma bicyclette. Quand on roule à vélo, on n'avance que lorsqu'on pédale. C'est la même chose pour l'allure et la lecture : elles nous permettront d'avancer loin dans la vie dans la mesure où nous faisons le travail requis.

Avec le temps, j'ai donné un tout nouveau visage à l'environnement de l'école. On a fait peindre les mots *Welcome to Brookview* en grosses lettres bleues dans l'entrée. Ce message de bienvenue accueillait tous les visiteurs dès leur arrivée par la porte principale. On a installé un nouveau babillard à l'entrée, coiffé de la question « Que sont-ils devenus ? », pour souligner les réussites des anciens élèves : des diplômés devenus musiciens, enseignants, auteurs, travailleurs sociaux, soldats et athlètes. Je voulais que les enfants sachent que les rêves commençaient ici, au 4505, rue Jane, à Toronto. Qui veux-tu devenir et que veux-tu faire dans la vie ? On a beau dire aux enfants qu'ils peuvent réussir tout ce qu'ils entreprennent, le plus important pour eux, c'est de le constater. Sur le mur à côté de l'escalier où se trouvait le « salon de coiffure » à ma première visite étaient accrochées des photos encadrées d'étudiants souriants, au travail ou en train de jouer. Quand nous avons installé des plantes d'intérieur dans le hall d'entrée, certains employés ont cru qu'elles ne tiendraient pas le coup. Cette pensée m'a presque découragé, mais j'ai fait confiance aux élèves et ils ne les ont pas endommagées.

Sachant que j'avais les oreilles et les yeux grands ouverts, les jeunes surveillaient leurs pas, leurs paroles et leurs gestes lorsqu'ils étaient près de moi. Pour remédier aux embouteillages dans les corridors entre les cours, nous avons peint « Gardez la droite » sur les murs de l'édifice. Avec le temps, l'apparence de l'école s'est améliorée, les élèves circulaient de façon plus fluide et, nous l'espérions, ils apprenaient mieux aussi.

La ponctualité était un problème grave. Les élèves arrivaient à toute heure, comme les vagues sur une plage des Antilles. Je devais leur rappeler que l'école Brookview n'était pas un centre communautaire, qu'ils ne pouvaient pas se pointer quand bon leur semblait. Lorsqu'on arrive tous les jours après le son de la cloche, on prend du retard dans le travail scolaire et les notes en souffrent. En plus, ce relâchement mine le moral et distrait le processus d'apprentissage. Un jeune qui se présente en classe après le début du cours produit le même effet que la sonnette de la porte d'entrée : il vole l'attention de tout le monde. Les enseignants arrêtent d'enseigner et les élèves arrêtent d'apprendre.

George Burnett m'a inspiré une de mes premières stratégies pour essayer de régler le problème de retards chroniques.

Un matin, il m'a appelé au travail pour m'aviser que P.K. se trouvait dans sa famille d'accueil alors qu'il était attendu en classe. L'entraîneur adjoint des Bulls, Jake Grimes, vérifiait la présence des joueurs chaque matin et en informait son patron qui ne rigolait pas avec les absences. Quand George m'a appelé, P.K. était lui aussi au bout du fil. Après cette conférence téléphonique, je n'ai plus jamais eu à m'inquiéter des retards de P.K. à l'école.

J'ai donc décidé de me servir de mon téléphone comme l'avait fait George. Tous les matins, mon BlackBerry chauffait tellement je l'utilisais. S'il y avait 50 élèves en retard, je faisais 50 appels. Beaucoup de parents ignoraient que leurs enfants étaient en retard avant de recevoir mon coup de fil.

J'ai aussi mis au point une nouvelle stratégie que j'appelais « diriger avec la cloche ». Lors des éliminatoires, les Bulls de Belleville remettaient des cloches de vache aux fans, un modèle particulièrement bruyant. J'en ai apporté une à l'école. Les élèves savaient quand j'approchais parce qu'ils m'entendaient avant de m'apercevoir. J'allais dans la cour le matin et j'agitais la cloche pour obtenir leur attention ou pour les prévenir qu'il était temps d'entrer.

Les retardataires ont fini par apprendre que, s'ils entendaient ma cloche, ils faisaient mieux de hâter le pas. Ceux qui arrivaient en retard sans se pointer au bureau essayaient de se faufiler en douce à mon insu. À l'occasion, pour faire passer mon message, je les renvoyais à la maison. Je disais : « Vous avez droit à une éducation, mais vous n'avez pas le droit de fréquenter cette école en suivant vos règles. » J'ai remarqué une amélioration de la ponctualité : souvent, j'agitais ma cloche dans une cour déserte.

Si je voyais un papier traîner par terre, je me penchais pour le ramasser. Peu après, les étudiants me prenaient de vitesse, heureux de faire plaisir au directeur. Un jour, c'est un enseignant qui est allé plus vite que moi. Il m'a tendu le déchet et m'a dit en souriant que ma campagne ne changerait rien. Je me suis contenté de le remercier, non pas pour avoir ramassé le papier, mais pour ses années de service. Cet enseignant avait fait beaucoup de bonnes choses au cours de sa carrière à l'école, mais son pessimisme n'en faisait pas partie. Il a été transféré à une nouvelle école à la rentrée suivante.

Voyez-vous, les gestes sont parfois plus importants que la motivation. Ça ne me dérangeait pas si les élèves ramassaient les déchets simplement pour me plaire, parce qu'un jour ils allaient se rendre compte qu'ils le faisaient pour eux aussi et que ce geste était la chose à faire. Il est de beaucoup préférable de faire quelque chose pour plaire à quelqu'un que de ne rien faire du tout.

Un jour, j'ai demandé au concierge de l'école de me passer une bouteille de nettoyant et une guenille. Dès que je voyais des marques sur les murs ou les casiers, je les enlevais parce que le moindre graffiti agit comme une invitation à en faire d'autres. Ma règle « la tache, tu la vois, tu la nettoies » fonctionnait à merveille. Quand les élèves s'arrêtaient pour me demander ce que j'étais en train de faire, je leur expliquais : « Je nettoie l'école pour vous. Ça vous dit à quel point vous me tenez à cœur. » Peu après, l'endroit ne ressemblait plus à une exposition de graffitis.

À titre de directeur, je tenais à assurer une présence constante à l'école. Si les jeunes étaient dans les corridors, quand ils changeaient de classes par exemple, je me trouvais au milieu d'eux. Le midi, je faisais la queue avec eux à la cafétéria. Je m'assurais de leur souhaiter la bienvenue à leur arrivée le matin et de les saluer à la fin des cours l'après-midi. J'avais constamment les yeux tournés vers eux et j'étais à l'affût de chaque mot et de chaque bruit. C'était mon travail de les connaître et de les aider à me connaître. On ne peut pas exercer une influence sur les jeunes sans passer du temps avec eux.

L'école Brookview se trouve dans le quartier nord-ouest de Toronto, pas très loin de l'Université York dont une des devises est : *The Way Must Be Tried* (La voie doit être explorée). Trop peu d'élèves de mon école parvenaient à trouver la voie menant à l'université. Le comportement destructeur de bon nombre d'entre eux les empêchait de s'y rendre ou même d'obtenir leur diplôme du secondaire. York était dans leur quartier, mais loin d'eux. Brookview me faisait penser à un œuf déposé dans un nid de taux élevés de chômage et de criminalité ; on lui avait accolé une réputation qui écrasait les espoirs et les rêves.

L'école avait l'allure des Nations unies, à l'image de sa communauté. On y parlait près de 20 langues, et environ la moitié des élèves n'avaient pas l'anglais comme langue maternelle. Dans ce quartier à faible revenu, seuls 15 % des parents avaient suivi une scolarité universitaire. Les enfants originaires du sud de l'Asie étaient les plus nombreux, suivis par les Afro-Canadiens. Nous avions notre lot d'élèves dont l'anglais était la langue seconde et d'élèves ayant des besoins particuliers, même si d'après moi ils n'étaient pas surreprésentés.

La principale caractéristique de Brookview était le nombre d'élèves des classes ordinaires qui éprouvaient des difficultés sur les plans scolaire et social à la fois. En règle générale, les petits apprennent à lire de la maternelle à la deuxième année, puis ils lisent pour apprendre à partir de la troisième année. Toutefois, la majorité des élèves qui arrivaient à Brookview en sixième année atteignaient à peine la capacité de lecture de quatrième année. On dit souvent que l'éducation commence à la maison, que les parents sont les premiers enseignants et la maison, la première salle de classe. Dans un milieu familial défavorisé pour quelque raison que ce soit, les enfants se retrouvent loin derrière la ligne de départ en matière de préparation aux études. Les enseignants doivent, tels des entraîneurs, adapter leur stratégie de jeu.

J'ai lancé un programme appelé DEAR, *Drop Everything and Read* (Lâche tout et lis), qui a été intégré à notre routine de l'après-midi. Tous les jours, après la pause du midi, nous consacrions 20 minutes à la lecture silencieuse. Les élèves se sont habitués à me voir tenant ma cloche de vache dans une main et un livre dans l'autre. Si je voulais que les jeunes se mettent à lire, je devais leur montrer l'exemple. Les élèves ne pouvaient pas se promener dans l'école sans leur livre. Dans le cas contraire, ils devaient rencontrer la bibliothécaire.

Cette activité répondait à deux besoins. Premièrement, la transition entre la pause du lunch et les cours de l'après-midi était toujours anarchique, semblable à la ruée aux aubaines du Vendredi fou. La période de lecture servait à calmer les esprits et à aider les enfants à se concentrer pour les cours de l'après-midi.

J'ai travaillé dans neuf écoles à titre d'enseignant ou d'administrateur durant ma carrière. Diriger Brookview a été mon poste le plus exigeant. Comme je l'ai dit à mes proches, j'y ai consacré mes meilleurs efforts, mon propre argent et quelques cuillerées de larmes. Je souffrais d'un stress accablant qui me portait à ne pas manger sainement et à engraisser. Mon état de santé inquiétait ma famille ; d'ailleurs, je suis devenu diabétique au cours de cette période. Je devais prendre des décisions rapides et agir sur-le-champ. Je n'avais pas le luxe de réfléchir parce qu'il y avait toujours des urgences à gérer.

J'ai eu notamment à régler un problème de propreté. Le midi, les élèves allaient s'acheter à manger au fast-food du coin et ils ne ramassaient pas leurs déchets. Le plancher de l'école était jonché de restes d'ailes de poulet et de frites. J'ai dû trouver une solution, puisqu'il était hors de question que je fasse des tests d'ADN pour identifier les coupables. Alors, un jour, je me suis confectionné un collier avec des canettes et des emballages vides, et je l'ai porté deux ou trois jours. Partout où j'allais, les élèves me questionnaient à propos de mon accoutrement. Je leur répondais : « Je porte ce collier pour protester contre ceux qui refusent d'utiliser les poubelles et qui continuent à jeter leurs ordures dans mon école. » Au bout d'une semaine, le problème était réglé.

Le même restaurant était la source d'une autre difficulté. Il était très fréquenté par les élèves de Brookview et un trop grand nombre d'entre eux attendaient à la toute dernière minute pour passer leur commande. J'en ai discuté avec les propriétaires et je les ai persuadés d'arrêter de servir les élèves 15 minutes avant la cloche. Un autre feu était éteint.

Ma première année à Brookview s'est déroulée en grande partie comme je l'avais prévu. J'ai pris le temps de connaître les élèves, le personnel, les programmes scolaires et la communauté. J'avais hâte aux vacances d'été puis au retour en septembre pour un nouveau départ typique de la rentrée scolaire. Toutefois, un événement a bouleversé nos vies.

À la fin de mai 2007, une journée d'école comme toutes les autres, Jordan Manners, un élève de neuvième année, a été tué d'une balle dans la poitrine dans un corridor de l'institut collégial C.W. Jefferys, situé dans les environs. C'était la première fois qu'un jeune Torontois subissait un tel sort dans un établissement d'enseignement. Cette tragédie effroyable nous a tous interpellés. Au bout du compte, 2 adolescents ont été appréhendés et, malgré 2 procès, on n'a jamais pu savoir pourquoi Manners, qui venait d'avoir 15 ans, avait été tué : tentative de vol qui avait mal tourné ? accident ? Personne n'a été trouvé coupable.

Ce qui nous a particulièrement touchés, à Brookview, c'est que Jordan avait obtenu son diplôme dans notre école au mois de juin précédent. Je ne l'ai jamais rencontré – il était un des quelque 200 élèves de 8ᵉ année présents le jour où j'ai fait ma première visite de l'endroit. Sa mort a traumatisé les élèves, le personnel et toute la communauté, et a pointé les projecteurs sur notre école encore une fois. Nous avions fait la une du *Toronto Star* l'année précédente pour le nombre record de suspensions. Ce jour-là, avec la fin tragique d'un ancien élève, notre communauté scolaire a reçu un grand coup.

Peu de temps après, des élèves et des employés ont organisé une exposition commémorative à côté du bureau principal. Ils ont décoré un présentoir avec des photos de Jordan et un t-shirt à son effigie. Un membre de la communauté a réalisé un immense portrait de lui à l'aérographe pour le garder vivant parmi nous. Les élèves marchaient d'un pas lent et se réunissaient devant le mémorial. Le service funèbre de Jordan a eu lieu à l'église juste à côté et, quand nous avons appris que celle-ci ne pouvait pas accueillir toutes les personnes qui souhaitaient assister aux funérailles, j'ai proposé de les recevoir dans notre gymnase, où nous avons organisé une retransmission audio. Les élèves et le personnel ont assuré l'accueil des invités.

J'ai cru à tort que rien ne pouvait être pire que cette fin d'année scolaire atroce. Je me trompais : 2 mois après la mort de Jordan, et moins d'un mois après avoir terminé sa 6ᵉ année à Brookview, Ephraim Brown, 11 ans, a été tué d'une balle par une chaude soirée d'été lors de la fête de 18ᵉ anniversaire de son cousin. Debout à une heure tardive, Ephraim écoutait de la musique avec ses écouteurs lorsqu'il a été pris dans les tirs croisés de deux gangs rivaux. Une balle l'a atteint à la gorge et il est mort sur le trottoir, à quelques portes de chez lui. Deux hommes ont été appréhendés et ont comparu en procès, mais, encore une fois, personne n'a été trouvé coupable de cette deuxième mort violente insensée d'un enfant de la communauté.

Telle était la situation. Nous avions perdu deux élèves à cause de la violence armée à quelques mois d'écart. Peu après la mort d'Ephraim, nous avons ouvert nos portes pour accueillir nos élèves encore affectés par le décès d'un jeune camarade qui devait commencer sa septième année avec eux ce matin-là. Nous avons utilisé le même présentoir que celui dont nous nous étions servis pour Jordan et l'avons décoré avec le chandail de basket d'Ephraim et son portrait tracé à l'aérographe. Afin de garder sa mémoire vivante, nous avons créé le prix annuel Ephraim-Brown pour honorer un élève de sixième année de Brookview qui avait été un bon citoyen et un élève exemplaire. La mère d'Ephraim, Lorna Brown, a assisté à la cérémonie en hommage à son fils et au premier lauréat du prix à sa mémoire.

Nous n'avons pas réussi à donner un sens à ces événements tragiques, à envisager les rêves que Jordan et Ephraim n'avaient pas eu le temps de réaliser. Tout ce que nous pouvions espérer, c'étaient des lendemains meilleurs.

La mort de Jordan Manners et d'Ephraim Brown m'a durement affecté et m'a donné l'impression que Brookview avait besoin d'une intervention urgente. Un troisième incident, qui s'est produit lors d'une assemblée, m'a incité à apporter de profonds changements à l'école. Mon directeur adjoint avait invité sa fille, présentatrice de nouvelles et animatrice d'une émission du matin à la télévision locale, à parler de son rêve d'enfant et de la façon dont elle l'avait réalisé. Il était très fier de la présenter aux élèves réunis dans la cafétéria. Il m'en avait souvent parlé pendant qu'il séjournait parmi nous pour remplacer mon directeur adjoint permanent. Nos discussions me ramenaient toujours à mes propres enfants, à leur façon d'entrevoir leurs rêves et de persévérer pour les réaliser.

Après la présentation du fier papa, j'ai dit quelques mots, surtout pour rappeler aux élèves de rester assis, d'ouvrir leurs yeux et leurs oreilles. Par contre, ce jour-là, ils ont à peine regardé notre invitée et ont refusé de l'écouter. J'ai fait plusieurs tentatives pour les faire taire, en essayant d'attirer leur attention par des gestes et même en sonnant brièvement ma fidèle cloche de vache de Belleville, mais rien ne fonctionnait. C'en était gênant. Je savais qu'ils souhaitaient me voir crier et perdre patience – un malheur ne vient jamais seul –, mais, ce jour-là, je n'avais aucune envie de leur faire ce plaisir. J'ai dû interrompre notre invitée. Je l'ai remerciée et je me suis excusé au nom de mon école. J'ai renvoyé tous les élèves en classe et je me suis juré que les choses changeraient. Il le fallait.

Même si j'aimais mon travail et les enfants, leur comportement ne me plaisait pas du tout. Je n'aimais pas non plus le fait que nous, les membres du personnel, nous leur permettions de s'en sortir avec une attitude qui attentait à tout ce qu'une école devait être.

La conférence-fiasco avait eu lieu un jeudi et, le lundi suivant, j'étais prêt à commencer la matinée par une intervention baptisée *Drive for 60* (Visez les 60) parce que 60 % de nos élèves n'atteignaient pas le taux de référence provincial. Ce score signifiait que, dans notre école, 6 enfants sur 10 ne comprenaient pas l'information et les instructions que nous leur donnions. Quand les élèves « ne comprennent rien », ils n'obtiennent pas ce qu'ils devraient retirer de la vie en général. S'il est vrai que *plus tu apprends, plus tu gagnes d'argent*, alors plus de la moitié de nos effectifs s'apprêtait à avoir de graves problèmes. L'intervention venait soutenir cet adage : non seulement les élèves augmenteraient leurs revenus, mais ils feraient croître rapidement leur estime personnelle, leur confiance et leur bonheur.

Le lundi, j'étais au volant d'un nouvel autobus : le *Drive for 60*. Il fallait que les élèves, le personnel et les parents montent avec moi. C'était le véhicule qui allait nous mener de la médiocrité et de la sous-performance à la possibilité de voir notre potentiel et d'y croire. Ce matin-là, avant le début des cours, j'ai convoqué tous les employés à une réunion éclair dans le bureau principal. Ces rencontres étaient ancrées dans notre culture : tout le monde pouvait y prendre la parole et la plupart le faisaient. Nous commencions toujours par servir des rafraîchissements et nous nous laissions sur une note positive. Nous accomplissions davantage durant ces 10 ou 20 minutes que pendant nos rencontres mensuelles de 2 heures.

Lors de cette réunion éclair, j'ai présenté les grandes lignes de mon intervention. Premièrement, j'avais désigné une entrée distincte pour chacun des trois niveaux scolaires. Les enseignants allaient accueillir les jeunes à l'extérieur, les faisaient se mettre en rang et les supervisaient pendant qu'ils se dirigeaient vers leurs casiers. Après avoir récupéré leur matériel scolaire, ils étaient escortés en silence jusqu'à la cafétéria pour la réunion du matin. Cette nouvelle façon de procéder communiquait deux messages. Le premier : « Je tiens tellement à vous enseigner que je viens vous chercher dehors. » Le second : « C'est de cette façon qu'il faut entrer dans l'école et se préparer à apprendre. »

Nous avons donc commencé la matinée, et toutes celles qui ont suivi, dans la cafétéria. Les groupes se tenaient à un endroit désigné : les élèves de sixième année devant et les plus âgés à l'arrière. Tous les enfants devaient rester debout, attentifs. Nous avions les mêmes exigences en classe. J'avais lu que la station debout aide à être attentif et à rester concentré. Si on n'arrive pas à se concentrer, on ne peut pas apprendre. Les élèves restaient debout pendant l'*Ô Canada*, les annonces du jour et mon petit sermon matinal.

Avant d'aller en classe, ils devaient faire une dernière chose : répéter le credo de l'école.

J'ai un potentiel en moi.
Il me donne la capacité
de me fixer des objectifs
et de m'améliorer.

Ensuite commençait la deuxième partie :

Je fréquente l'école pour travailler fort à devenir une meilleure personne et un meilleur élève en utilisant les quatre T :
le temps, les tâches, le travail d'entraînement et le travail d'équipe.

Les jeunes devaient apprendre *pourquoi* ils se rendaient à l'école chaque matin. En outre, ils devaient savoir *comment* atteindre leurs objectifs. Leurs pensées, leurs croyances et leurs agissements influaient sur la réussite que je leur souhaitais et le potentiel que je voyais en eux. Tous leurs efforts auraient été vains s'ils n'avaient pas cru en leurs capacités. Je leur disais que, chaque matin, ils venaient en classe pour travailler, pour devenir de meilleurs élèves et de meilleures personnes. Je leur rappelais qu'ils étaient nés avec les aptitudes pour y arriver, qu'ils n'avaient qu'à se fixer un objectif, à croire en eux et à se relever les manches.

Les élèves sortaient de la cafétéria dans le calme et se dirigeaient vers leur classe, précédés de leur enseignant. Chaque journée commençait par ce que j'appelais le SLICE et qu'on pourrait traduire en français par DÉMAR.

D : debout
É : écouter et regarder
M : moi
   Les élèves devaient s'impliquer dans leur apprentissage en se posant les questions suivantes après les instructions ou après la mini-leçon du professeur (environ 20 minutes) : « Moi, est-ce que je comprends l'information ou les instructions ? Moi, est-ce que je sais quoi faire ? Moi, est-ce que j'ai une question ? »
A : accomplir le travail
R : remettre des travaux exemplaires

Les élèves n'avaient pas l'autorisation de s'asseoir tant qu'ils avaient une question. Si les professeurs faisaient bien leur travail et connaissaient leurs élèves, ils pouvaient déterminer qui avait de la difficulté. On rappelait aux enseignants

que 6 jeunes sur 10 ne comprenaient pas ce qu'ils leur montraient.

DÉMAR était ma principale stratégie pour diminuer l'écart entre les 40 % qui apprenaient conformément aux attentes et les 60 % qui « tombaient au combat » pendant la leçon.

Un jour, pendant notre réunion matinale, j'ai présenté au personnel et aux élèves les valeurs de Brookview. Sur le mur de la cafétéria, une grande fresque illustrait les valeurs qui allaient orienter le comportement du personnel et des élèves : gentillesse et entraide, ponctualité, responsabilité, respect, attentes élevées et organisation. Lors de nos rassemblements, des centaines de voix criaient ces valeurs en chœur.

Je crois à l'adage selon lequel nos pensées deviennent nos mots, nos mots deviennent nos gestes et nos gestes forgent notre caractère puis notre destin. Parmi toutes les valeurs écrites sur le mur, c'était la gentillesse et l'entraide qui produisaient les effets les plus marquants sur les jeunes, un peu comme la levure qui fait monter la pâte à pain. Leur confiance et leur estime personnelle augmentaient quand ils constataient que nous étions bienveillants envers eux et que nous nous préoccupions d'eux.

Tout ne se passait pas sans heurts, même avec la stratégie *Drive for 60*. Une année, nous avons eu un petit nombre d'élèves de sixième année sur lesquels nous ne sommes pas arrivés à exercer d'influence. Ils étaient systématiquement en retard et, la plupart du temps, ils ne travaillaient pas. Ils ont même forcé des casiers, selon ce que j'ai vu et ce qu'on m'a dit.

Il me revenait de régler le problème. Je devais agir pour les faire « embarquer ». À la rentrée suivante, j'ai créé le « groupe des doués ». Nous avons sélectionné 15 des élèves de 7ᵉ année les plus difficiles et nous les avons réunis dans la même classe. La vision que j'avais pour ce groupe se construisait autour de l'acronyme anglais GIFTED (doué).

G pour *goals*, les objectifs et les rêves réalistes qu'on se fixe

I comme « intrinsèque », désignant la motivation et le dynamisme interne

F pour *fun*, le plaisir et la joie

T pour *training*, l'entraînement afin de s'améliorer

E pour *empowerment*, le fait de prendre en main son apprentissage

D pour *daily*, la régularité quotidienne des exercices

J'ai confié ce groupe à Darlene Jones qui était, d'après moi, l'enseignante tout indiquée pour aider ces enfants. Elle comptait une quinzaine d'années de carrière fructueuse. Je l'avais observée en classe et nous avions souvent discuté d'enseignement et d'apprentissage. Elle était une pédagogue-née. Je savais qu'elle parviendrait à connaître personnellement ses élèves et qu'elle travaillerait pour communiquer avec eux et leur démontrer qu'ils lui tenaient à cœur. Elle a accompli sa mission. (Je n'étais pas le seul à considérer Darlene Jones comme étant la crème de la crème : en 2012, elle a remporté le prix du professeur de l'année, organisé par le quotidien *Toronto Star*, pour lequel ses élèves l'avaient mise en nomination.)

Je n'aurais pas pu trouver meilleur groupe pour tester ma stratégie GIFTED. A-t-elle eu des effets positifs ? Seul l'avenir nous le dira. Par contre, je sais qu'essayer quelque chose qui pouvait fonctionner valait mieux que de répéter les mêmes façons de faire jour après jour et d'obtenir les mêmes résultats. Et les gens se demandent encore pourquoi rien ne bouge.

En 2014, immédiatement après notre retour en famille des Jeux olympiques de Sotchi, en Russie, avec P.K., médaille d'or au cou, je suis tombé sur une ancienne élève de Brookview dans un Canadian Tire. Après les salutations d'usage et l'échange de nouvelles, je lui ai dit qu'une médaille d'or l'attendait, comme celle que P.K. venait de remporter à titre de membre de l'équipe de hockey du Canada : « Je ne sais pas où elle est, mais il y en a une pour toi. »

Si je devais donner un surnom à cette jeune, ce serait « Smiley » ; chaque fois que je la croisais, j'étais sûr qu'elle me saluerait avec un grand sourire qui ferait la fierté de son dentiste. Par contre, elle, elle était sûre qu'elle ne méritait aucune médaille.

J'ai eu le cœur brisé. Seules sa jeunesse et ma confiance en elle m'ont donné espoir. J'espère que Smiley et tous les autres enfants découvriront ce qui les passionne et auront la possibilité de poursuivre leur rêve. C'est seulement à ce moment qu'ils trouveront leur médaille d'or.

Quand on se croit incapable de réussir quelque chose, on a raison 100 % du temps, mais on ne grandit pas. Trop d'enfants comme Smiley ne se trouvent pas assez bons, pas assez grands, pas assez rapides, pas assez forts, pas assez intelligents, pas assez minces ou pas assez jolis. Je voudrais leur communiquer ce message : aujourd'hui, vous n'êtes peut-être pas assez bons, mais si vous travaillez fort, si vous persévérez et si vous vous retroussez les manches chaque fois que vous échouerez, vous allez vous améliorer. Mon travail, c'est de faire sentir à Smiley et à tous les jeunes qu'ils peuvent y arriver, mais ça ne se produira pas d'un coup : c'est un long processus.

Drive for 60 était un programme investi d'une mission, ainsi qu'un outil de changement et d'engagement. Les besoins des élèves sont variés et difficiles à satisfaire, et ils deviennent de plus en plus grands et de plus en plus complexes. On ne peut pas continuer à utiliser les mêmes stratégies, encore moins quand on s'aperçoit qu'elles sont vouées à l'échec. Ce programme n'était pas conçu pour remplacer l'enseignant gentil, attentif et efficace dont chaque élève a besoin dans chaque cours. Je crois qu'il a réussi à engager les jeunes. Sa mise en place n'a rien coûté et ne grugeait pas la journée de cours. Il nous obligeait simplement à penser et à travailler différemment.

C'est là que le leadership entre en jeu. Je n'avais pas peur de l'échec, à titre de directeur de Brookview. Ma plus grande crainte était de ne pas réussir à diriger les autres. Je n'ai jamais considéré mon travail comme étant celui d'un gestionnaire. Un gestionnaire suivra toujours le chemin qui se trouve devant lui, une voie bien tracée, mais qui ne le mène pas nécessairement là où il souhaite se rendre. Par contre, un chef de file n'a pas peur de dégager le chemin, de paver la voie. Diriger des gens, c'est arriver à sortir des sentiers battus et Brookview en avait besoin.

Le rôle de chef de file vient inévitablement avec une certaine bureaucratie. C'était un aspect du travail qui me posait parfois des difficultés parce que la paperasse n'est pas une de mes forces. Je déléguais donc la plus grande partie de cette tâche et je ne faisais pas le reste. Les représentants du conseil scolaire, ceux qui n'étaient pas à l'école, semblaient s'inquiéter davantage du formulaire que je ne pouvais pas trouver ou que je n'avais pas retourné que du résultat sur nos enfants de nos gros investissements en éducation. La paperasse peut facilement devenir une entrave à ce qui est le plus important : le travail avec les gens. Mon rôle, à titre de chef de file, consistait à faire travailler les adultes de façon à ce qu'ils encouragent les enfants à mieux travailler. Je leur ai donné ma stratégie. Les chefs de file doivent trouver une façon de gérer la bureaucratie qui peut les distraire de la raison pour laquelle ils travaillent dans nos écoles jour après jour.

Drive for 60 a rallié une école qui échouait dans sa mission et se désintégrait. Au bout d'un certain temps, j'ai commencé à voir la lumière au bout du tunnel. L'absentéisme n'était plus une préoccupation urgente. Les élèves apprenaient à résoudre leurs conflits sereinement, à l'intérieur comme à l'extérieur de l'école. Les assemblées se faisaient de manière plus ordonnée et les jeunes étaient fiers d'avoir un comportement positif.

Par exemple, j'ai instauré une nouvelle pratique pour favoriser un environnement où régnaient la bienveillance, la paix et la joie. Nous invitions les élèves à amasser un maximum de « mercis » chaque jour en faisant un geste gentil et généreux pour quelqu'un. Le personnel était aussi convié à participer au projet. Si on veut faire une différence, on fait ce qu'il faut en allant vers les autres. Les classes, les vestiaires ou les salles de conférence où abondent les remerciements sont des endroits agréables.

À mon départ de Brookview en 2012, après 6 ans à la direction, 60 % des élèves n'atteignaient toujours pas les normes fixées à l'échelle provinciale. Un bébé apprend à ramper puis à marcher avant de pouvoir courir. Quand j'ai été engagé, mon école rampait à peine. On pourrait dire qu'elle rampait avec difficulté. Six ans plus tard, elle marchait, mais avec un peu de difficulté.

J'ignore la raison de mon départ. Je voudrais croire que j'ai été transféré pour des considérations administratives. Les gestionnaires sont généralement déplacés dans une autre école après environ cinq ans. Il s'agit peut-être d'une règle administrative formidable pour le conseil scolaire, mais elle est terrible pour les jeunes. J'ai eu l'impression que cette décision n'a pas été prise dans l'intérêt des enfants sous ma responsabilité.

Comme l'explique l'historien américain Henry Adams, « un professeur influence l'éternité : il ne peut jamais dire où son influence s'arrête ».

Ainsi, en juin 2012, on m'a confié la direction de l'école primaire Claireville, à quelques minutes en voiture de Brookview.

J'y ai travaillé un an avant de prendre ma retraite. Je n'avais pas été prêt à quitter Brookview, mais je l'étais, désormais, à me retirer du milieu de l'éducation. J'ai quitté Claireville avec le souvenir d'une relation et d'un moment qui résument bien ce que je cherche pour mes propres enfants et pour chaque jeune avec qui j'ai travaillé.

L'histoire commence le jour de la rentrée à Claireville, ma première avec les enfants que je rencontrais et accueillais après les vacances. Quand la cloche a sonné et que tous les élèves sont entrés en classe avec leur enseignant, une petite fille était encore accrochée à sa mère sur le trottoir. Elle entrait en première année et ce changement semblait trop difficile pour elle. Elle serrait sa mère de toutes ses forces. Peu après, la petite a posé la tête sur mon épaule qui, j'aime à le croire, a été faite pour elle, mes cinq enfants et d'autres encore. Les jeunes adorent ce coussin.

Je l'ai emmenée à mon bureau et je l'ai persuadée d'aller dans sa classe avant la récréation du matin. En contrepartie, je lui ai promis de la rencontrer dans la cour pendant la récréation pour lui offrir le réconfort qu'elle cherchait. Nous nous sommes donc revus à la pause ce jour-là et presque tous les jours qui ont suivi. Elle avait une petite routine qu'elle aimait bien. Il était facile de me trouver : j'étais comme un grand arbre au milieu d'une forêt d'enfants, grouillants ou calmes. Elle arrivait vers moi en courant, elle me touchait et repartait en courant.

Un jour, par contre, elle n'est pas repartie. Elle est restée près de moi pendant toute la récréation. Quelques minutes avant la cloche, elle s'est approchée pour me poser une question qui la tracassait.

Je me suis agenouillé (elle m'arrivait aux cuisses) pour qu'elle puisse me chuchoter à l'oreille :

— Monsieur Subban, c'est vrai que la vache a sauté par-dessus la lune ?

Je ne m'attendais pas à cette question et je n'ai pas su quoi répondre sur le coup. J'ai pris une longue inspiration, j'ai soupiré, puis je lui ai souri. J'ai pensé avoir trouvé les mots qui convenaient :

— Non, la vache n'a pas sauté par-dessus la lune, mais, toi, tu peux atteindre les étoiles.

Mon rôle comme parent, comme entraîneur et comme pédagogue consistait à aider les enfants à croire en leur potentiel et à leur paver la voie jusqu'aux étoiles. Il y en a des milliards au-dessus de nos têtes. Si on tend les bras assez loin, on finira par en toucher une. Et c'est seulement quand on essaie d'atteindre quelque chose qu'on s'améliore.

Chapitre 12

Le tour du chapeau Subban

Le 30 juin 2013, Maria, Taz, Tasha, P.K., Malcolm, Jordan et moi étions réunis au centre Prudential, là où les Devils du New Jersey disputent leurs matchs. Mais ils ne jouaient pas en ce début d'été. Personne ne portait de patins, de casque ni de protège-tibias. C'était le jour du repêchage annuel de la LNH et l'uniforme du jour, c'était le complet-cravate.

Maria et moi avons assisté à six repêchages de la LHO et de la LNH, six journées qui transforment une vie. Des rêves d'enfance se réalisent ou se brisent. Des carrières marquées par la célébrité et la fortune naissent ou ne prennent jamais leur envol. Ces journées se caractérisent par l'anxiété et l'attente, une interminable attente. Un hockeyeur ne souhaite qu'une chose : entendre son nom, peu importe à quelle ronde. Dans ce vaste aréna – et en direct à la télévision –, devant des milliers de joueurs, de parents, de dirigeants d'équipes, d'entraîneurs, d'agents et de journalistes, tout ce qui compte pour un joueur, c'est se faire inviter par le directeur général d'une équipe de la LNH à monter sur le podium.

Ce jour-là, le nom que nous souhaitions tous entendre était « Jordan Subban ». La pression était énorme sur Jordan, un défenseur de 18 ans de petit gabarit qui évoluait avec les Bulls de Belleville. Six ans plus tôt, en 2007, P.K. avait été repêché en 2e ronde, au 43e rang, par le Canadien. À 24 ans, il était déjà une vedette de la LNH. En fait, quelques semaines auparavant, il avait remporté le trophée Norris remis au meilleur défenseur de la ligue. Et, en 2012, Malcolm avait été recruté, à l'âge de 19 ans, pour garder le filet des Bruins de Boston dès le 1er tour, au 24e rang. On s'attendait à ce que Jordan soit choisi en troisième ou quatrième ronde.

Comme la plupart des sports, le hockey est riche en rituels. L'un d'eux est de porter le complet-cravate le jour du repêchage. Et pour les Subban, ce n'est pas n'importe quel costume : il doit être confectionné sur mesure. Cette tradition familiale, qui trouve son origine chez les Bulls de Belleville, a commencé lors de la sélection de P.K. L'entraîneur et directeur général de cette équipe, George Burnett, s'assurait que ses joueurs et son équipe d'entraîneurs se comportent adéquatement, tant sur la glace qu'ailleurs. Si l'un de ses joueurs était interviewé à la télé, il était toujours en complet. Il faut préciser que, depuis son époque à Belleville, P.K.

a porté cette tradition à un autre niveau. Il avait son tailleur particulier à Montréal, sans oublier qu'il a signé un accord de commandite avec la chaîne de vêtements RW & Co. et que, en 2016, le magazine *Hello!* l'a désigné comme un des Canadiens les mieux habillés. Mon ancien voisin et ami de longue date Dennis disait ceci à propos de la vie : « Ce qui compte la moitié du temps, c'est l'apparence. » J'attends toujours qu'il me révèle ce qui compte le reste du temps...

Lors du repêchage de P.K., nous avions emmené notre fils se faire confectionner un complet chez Caruso Fine Tailoring, sur l'avenue Danforth dans Greektown, le quartier grec de Toronto. C'est la seule occasion où je n'ai aucune réticence à ce que mes enfants enfilent des vêtements de designer. C'est un moment important de leur vie. Ils sont sur la plus grande scène du hockey, à la vue de tous, et ils doivent faire bonne impression. Ils doivent se montrer sous leur meilleur jour pour se sentir le mieux possible. Nous avons offert à P.K. le complet qu'il a porté le jour de son repêchage dans la LNH, et P.K. a fait de même pour Malcolm. Il l'a emmené à Montréal et lui a fait faire un costume par son tailleur particulier. Lorsque le tour de Jordan est venu, nous sommes retournés chez Caruso.

Je considère le repêchage comme une étape d'un processus plutôt que comme un événement en vue duquel nos enfants travaillent depuis leurs débuts au hockey. Je le compare à un cours. On s'y inscrit, on fait tous les travaux, puis il y a l'examen final qu'on doit réussir pour obtenir une note. On ignore laquelle, mais on sait que ce sera un nombre. Dans ce cas-ci, plus le nombre est bas, mieux on paraît le jour du repêchage. Toutefois, ce n'est qu'un rang de repêchage, il ne sera pas fixé dans le dos du joueur durant toute sa carrière.

Il faut donc rester assis et attendre sa note. On a l'impression que chaque seconde qui passe dure une heure. Tout le monde a les émotions à fleur de peau et les parents des joueurs ne font pas exception. Notre fils a rendu sa copie, nous sommes impuissants, mais nous souhaitons qu'il obtienne une bonne note.

L'attente est interminable. Ça draine l'énergie de tout le monde. On attend encore et encore d'entendre le nom de son enfant en espérant se voir soulagé de ce grand poids. On se fiche du moment où il sera appelé. On veut simplement qu'il le soit.

Quand Jordan serait-il sélectionné ? Par quelle équipe ? Et si nous n'entendions pas son nom ? Le jour du repêchage, il n'y a aucune garantie.

Contrairement à P.K. et Malcolm qui étaient entourés de toute la famille le jour de leur repêchage, Jordan n'avait pas autant de soutien près de lui sur les gradins. Seuls Maria et moi pouvions être assis avec lui. Son agent n'était pas très loin et ses frères et sœurs se trouvaient à l'autre extrémité de l'aréna. Cette année-là, les organisateurs ont voulu accélérer le processus en limitant les effusions et les félicitations avant que les joueurs se dirigent vers la scène.

La 1re ronde a pris fin après 30 sélections sans qu'on entende le nom de Jordan, mais son bon ami Max Domi, fils du légendaire Tie Domi des Maple Leafs, avait été choisi le 12e par les Coyotes de Phoenix.

La tension a grimpé d'un cran lors du deuxième tour et Jordan sentait monter l'émotion. Et puis, sans crier gare, Max est venu s'asseoir à côté de Jordan, et mon garçon a posé la tête sur son épaule.

C'était un grand moment pour Max. Il avait été recruté en première ronde et aurait pu être en train de célébrer avec ses parents et amis. Il est plutôt venu soutenir son copain. Quel beau geste ! C'est une des leçons de vie que j'ai tenté d'inculquer à mes enfants et à mes élèves : si tu vois quelqu'un qui a besoin d'aide, va à sa rencontre. Max a démontré que l'important n'est pas toujours de recevoir, mais aussi de donner.

Il y a eu 31 autres joueurs repêchés et le 2e tour s'est terminé. Jordan n'avait pas encore été appelé. Au terme de la 3e ronde, 30 joueurs additionnels ont été nommés. Après le 20e choix de la 4e ronde, les équipes procédaient au recrutement des défenseurs, mais rien pour Jordan. Puis, à 21 h 39, lors du 24e choix de la 4e ronde, les mots que nous avions si hâte d'entendre ont été prononcés par Mike Gillis : « Les Canucks de Vancouver sélectionnent Jordan Subban des Bulls de Belleville de la LHO. » Quel soulagement ! Ce poids, ce poids écrasant, s'est soulevé de mes épaules. Puis, ça a été la joie, les embrassades et quelques larmes. Le jeune défenseur des Bulls – mon 3e fils et 5e enfant – a été le 115e joueur repêché ce jour-là. Jordan a entendu son nom. Nous avons tous entendu son nom.

Nous n'en avons pas immédiatement pris conscience, mais notre famille venait d'accomplir un exploit plutôt rare que j'appelle le « tour du chapeau Subban » : mes trois garçons avaient été recrutés par des équipes de la LNH. J'étais né en Jamaïque, ma femme, à Montserrat. Ni elle, ni moi, ni aucun membre de nos familles n'avions joué dans une ligue. Nous n'avions aucun antécédent dans ce sport. Il y a tant de *hockey moms* et de *hockey dads* qui rêvent de voir leur fils repêché par la LNH et nous, nous en avions trois ! C'est un exploit dont nous sommes très fiers comme parents.

C'était aussi une réussite formidable pour Jordan, évidemment. Il m'a raconté ses souvenirs de ce grand jour.

JORDAN

Il me semble que ça fait très longtemps. Je n'avais aucune idée de l'endroit où j'allais aboutir. J'ai dû patienter 3 heures, mais j'ai l'impression d'en avoir attendu 20. J'étais de plus en plus nerveux et, lorsqu'on m'a appelé, j'ai été en état de choc. Je planais. Je n'ai pas saisi le nom du club qui m'avait sélectionné, j'ai seulement entendu «Jordan Subban» et j'ai levé la tête. J'ai vu «Vancouver». Une équipe canadienne. C'était complètement fou.

Je n'ai jamais été aussi heureux de ma vie. J'ai embrassé mes parents et je me suis précipité vers la scène le plus vite que j'ai pu pour aller rencontrer tous les responsables, leur serrer la main et leur dire à quel point j'étais content d'être un Canuck de Vancouver.

Je pensais être choisi en deuxième ou troisième ronde. À la fin de la deuxième, la nervosité me gagnait. Au début de la troisième, j'étais vraiment agité et, pendant la quatrième, mon agent Mark Guy, qui était à côté de moi, m'a prévenu que mon nom sortirait bientôt. Je lui ai toujours fait confiance. On s'inquiète et on commence à croire qu'on ne sera jamais repêché, mais, une fois que c'est fait, toute la tension tombe. J'étais tellement content de faire partie d'une équipe de la LNH.

Max Domi et moi sommes de grands amis depuis toujours. Nous avons vieilli ensemble en jouant au hockey. On se fréquente encore. J'ai vraiment aimé qu'il vienne me voir. On s'attend plutôt à être soutenu par des membres de la famille. Lui, il n'avait pas à être là.

Mon expérience de repêchage dans la LHO avait été légèrement différente. J'étais le cinquième choix de Belleville. Ce jour-là, j'avais fait une conférence de presse. Je n'avais attendu que 5 ou 10 minutes avant d'être sélectionné. Je connais des hockeyeurs qui ont été des choix de quatrième, cinquième ou sixième ronde au repêchage dans la LHO et qui sont devenus de grands joueurs de cette ligue. C'est pourquoi, après avoir été sélectionné par la LNH, je me suis fixé ce but : être un de ces joueurs repêchés en quatrième ronde et prouver que je peux réussir.

Le moins qu'on puisse dire, c'est que les possibilités de ne pas être admis dans la LNH sont élevées. Au Canada, le hockey est une religion. Des millions de jeunes patinent et des centaines de milliers d'enfants pratiquent ce sport. Ils constituent la base de la pyramide et les joueurs de la LNH sont au sommet. On a de meilleures chances de remporter le gros lot que d'arriver en haut et de gagner sa vie dans l'uniforme d'une équipe de la Ligue. Au fur et à mesure qu'on gravit les échelons du hockey compétitif, il y a de moins en moins de joueurs. Les adolescents qui atteignent le calibre junior majeur sont considérés comme des hockeyeurs talentueux. C'est une grande réussite. Par contre, ils n'ont tout de même que 5 % de chances de faire partie de la LNH. Des athlètes doués de la Russie, des États-Unis, de la Suède, de l'Allemagne, de l'Autriche, de la Suisse, du Danemark, de la Norvège, de la Lettonie, de la Slovaquie, de la Croatie, de la République tchèque et de la Finlande jouent de façon compétitive et s'entraînent fort pour mériter leur place dans la Ligue.

Le journaliste et spécialiste du hockey Ken Campbell a écrit récemment avec Jim Parcels l'ouvrage *Selling the Dream* (Vendre le rêve) dans lequel ils analysent une recherche de 1985 portant sur tous les hockeyeurs de 10 ans en Ontario. Ils étaient 22 000 garçons à faire partie d'une ligue dans la plus grande province au Canada. Seuls 110 d'entre eux ont été recrutés dans la LHO et 22 ont reçu une bourse d'études d'une école de la Division 1 aux États-Unis. Donc, 132 joueurs sur 22 000 ont obtenu une place dans les meilleures ligues où va puiser la LNH. Et parmi eux, sept à peine ont été admis dans la LNH.

En analysant d'autres données provenant de la même province, les auteurs ont découvert que, tous groupes d'âge confondus, environ 25 000 garçons vont s'inscrire pour jouer au hockey et 25 d'entre eux disputeront au moins une partie dans la LNH, ce qui diminue les possibilités à un infime 1 pour 1000.

Le tour du chapeau Subban nous donnait une occasion de célébrer, même si être repêché par la LNH et réussir dans cette ligue sont deux choses différentes. P.K. y est parvenu, mais Jordan arrivera-t-il à jouer dans la LNH ?

Comme je le rappelle souvent, il ne faut jamais sous-estimer Jordan. Et ce n'est pas seulement mon opinion : lisez ce que ses frères et sœurs ont à dire à son sujet.

En 2012, lors d'une interview, Neate Sager de Yahoo! Sports a interrogé Malcolm :

— Une des questions souvent posées en entrevue par les dépisteurs de la LNH est la suivante : « Si ta ville était attaquée et que tu pouvais sauver tous les membres de ta famille sauf un, qui laisserais-tu derrière ? » Qui, parmi tes parents, tes sœurs, P.K. ou ton jeune frère, resterait ? Ou bien sais-tu la réponse que les équipes de la LNH recherchent ?

Malcolm a répondu ceci :

— Ce serait difficile, mais je laisserais probablement Jordan. Il est le plus impitoyable et le plus acharné de nous tous. Il serait capable de survivre mieux que le reste de la famille, alors si je devais laisser quelqu'un, ce serait probablement lui.

TAZ

TAZ : Ouais, c'est un vrai batailleur. C'est ce que maman dirait. Quand il est né, il faisait de l'asthme et on lui a donné des stéroïdes. Lorsque les médecins avaient découvert que ma mère était enceinte…

TASHA : … ils voulaient qu'elle se fasse avorter.

TAZ : Ils l'avaient prévenue que les chances de survie de mon frère étaient de minces à nulles. Maman faisait vraiment beaucoup d'hypertension. Mais elle a dit : « Ce qui doit arriver va arriver. » Elle a finalement accouché de Jordan et a toujours affirmé qu'il était un battant.

TASHA : Si le monde s'écroulait et si on n'arrivait plus à le trouver, on serait inquiets, bien entendu, mais en même temps…

TAZ : Il n'a pas besoin de grand-chose, il n'a vraiment pas besoin de grand-chose.

TASHA : Jordan serait le plus combatif. Comme dit toujours papa, « avec Jordan, peu importe, il va finir par obtenir ce qu'il veut ».

TAZ : Jordan est très fort. Il peut endurer certaines choses.

TASHA : Mais pas les taquineries. C'est son point faible, d'ailleurs. Il va se battre, comme je l'ai déjà vu faire avec P.K.

TASHA

TAZ : Ouais, c'est ça, le problème avec les gars. Après, ils en rient.

P.K.

Je suis très fier de mes frères. Nous avons tous travaillé fort. Nous avons tous réussi à notre façon, mais on ne peut recevoir que ce qu'on donne. C'est pourquoi je leur dis toujours : « Rien n'est acquis, rien n'est garanti. Il faut que vous travailliez pour l'obtenir. » Ils ont encore beaucoup de chemin à faire pour arriver à la LNH, mais ils sont sur la bonne voie et c'est la quantité d'efforts qu'ils déploieront qui déterminera s'ils y arriveront ou pas.

Chapitre 13
Le rêve devient réalité

Maria et moi vivons au Canada depuis 47 ans, soit près du tiers de l'âge de ce pays. Comme tant de parents, nous avons fondé nos espoirs sur des rêves. Ce grand pays a donné à notre famille l'occasion de nourrir ces rêves. Il a fait de nous ce que nous sommes devenus et j'espère que le travail et les passions des Subban ont contribué dans une certaine mesure à en faire un endroit meilleur.

Vous le savez, une de nos passions est le hockey, un sport aimé et pratiqué d'un océan à l'autre par des garçons et des filles, des hommes et des femmes de tous les âges. La seule chose qui distingue ma famille de la majorité des hockeyeurs canadiens, c'est la couleur de sa peau.

Maria et moi avons légué notre amour de ce sport à nos enfants, mais jamais je n'aurais imaginé qu'un jour je regarderais à la télévision un de nos fils jouer dans l'uniforme des Canadiens de Montréal contre les Maple Leafs de Toronto, deux des six équipes originales de la LNH.

Le rêve de l'Équipe Subban a-t-il été exaucé à ce moment-là ? À moins que ce soit lorsque nos garçons ont été repêchés par la Ligue ? Ou encore le jour où ils ont conclu leur contrat avec une de ses formations ? C'est comme l'achat d'une première maison : une fois les papiers signés, elle nous appartient. Tous ces moments ont été précieux, mais, pour ma part, je considère que mes fils ont réussi à la seconde où les lames effilées de leurs patins ont traversé la glace toute lisse pour leur première partie hors concours dans la LNH.

Dans le cas de P.K., le rêve est devenu réalité lors de sa deuxième participation au camp d'entraînement du CH. Le 24 septembre 2008, il devait jouer son premier match d'avant-saison à Detroit contre les champions en titre de la Coupe Stanley. Maria et moi avons roulé durant quatre heures afin de voir notre aîné sauter sur la glace pour la première fois dans un chandail de la LNH. Même si nous sommes partis de Toronto longtemps à l'avance, nous avons failli manquer cette partie de rêve.

Après avoir quitté l'autoroute 401 à Windsor pour prendre notre place dans la longue file du tunnel qui passe sous la rivière Detroit et mène au centre-ville, nous avons été sélectionnés pour une inspection aléatoire. Le douanier américain semblait vêtu pour aller au combat et son chien reniflait tout ce qui nous entourait. En fouillant mon sac de voyage, l'agent a trouvé une bouteille non identifiée renfermant des pilules de codéine que je prenais pour soulager une blessure subie lors d'un accident de voiture. J'avais laissé le contenant original à la maison pour n'apporter que quelques comprimés. Le douanier m'a expliqué la loi et m'a averti que je pourrais être appréhendé et inculpé de trafic de narcotiques. Heureusement, je n'ai eu qu'une réprimande sévère et une bonne leçon.

Nous nous sommes ensuite dirigés vers l'aréna Joe Louis, mais l'incident à la frontière nous avait distraits. En outre, la nuit tombait et nous avions plus de difficulté à nous orienter. Nous avons fini par retrouver nos esprits et nos repères, et nous sommes arrivés à l'amphithéâtre juste à temps pour voir P.K. s'élancer sur la patinoire pour sa première partie dans la LNH.

Ce fut un tout petit pas pour P.K., un grand pas pour l'Équipe Subban, surtout pour Malcolm et Jordan puisque leur frère leur laissait des traces à suivre sur la glace. Ce que je me rappelle de ce match, c'est que P.K. semblait être dans son élément. Je n'en croyais pas mes yeux : notre petit P.K. jouait dans la LNH au milieu de certains des meilleurs hockeyeurs au monde. Une fois ses lames au contact de la surface gelée, il était comme un poisson dans l'eau, aussi à l'aise que lors de sa première partie dans l'uniforme des Flames de la ligue locale à l'aréna Chris Tonks de la ville de York.

Jouer dans la LNH est un grand rêve. Une aventure onéreuse de longue haleine qui exige beaucoup d'investissements en temps et en efforts pour devenir réalité. On ne peut pas accélérer le cours des minutes et des heures, mais on peut travailler pour maximiser le temps qu'on voue à s'améliorer. Si P.K. n'avait pas consacré de longues heures à s'entraîner et à faire ses exercices, il n'aurait jamais eu l'occasion de sauter sur la glace de l'aréna Joe Louis.

La société est dure avec nos jeunes. Internet et les médias sociaux, des sources inépuisables de distraction, peuvent les soustraire à l'influence de leurs parents. Et avec les structures familiales qui s'effritent de plus en plus, la vie présente beaucoup plus de difficultés pour nos enfants. La poursuite d'un rêve, d'un grand rêve, peut permettre d'améliorer la concentration et la discipline, et soutient le développement des compétences nécessaires pour traverser les expériences de la vie et relever tous les défis. Il est tellement facile d'abandonner un rêve qui se situe aussi loin. C'est pourquoi il faut intégrer l'atteinte de cet objectif dans le quotidien. Nos enfants ont besoin de nos conseils d'entraîneurs et de professeurs, mais, au bout du compte, ce sont notre amour et notre appui émotionnel qui les rassurent. S'ils ne se sentent pas en sécurité, la peur les paralysera et ils ne prendront aucun risque. La crainte de l'échec est un des instruments les plus efficaces pour anéantir les rêves.

Tandis que mes fils gravissaient les échelons du hockey mineur, je leur rappelais constamment que le fait d'atteindre un jalon ne signifiait pas qu'ils avaient « réussi », même le jour où ils ont sauté sur la glace dans un uniforme de la LNH pour la première fois. Ce qu'on apprend, c'est qu'il y a un prix à payer chaque jour pour réaliser ce rêve. On ne sait jamais quelle quantité exacte d'efforts, d'exercices, d'entraînement et de détermination sera nécessaire. Faire son possible, ça convient seulement pour aujourd'hui. Demain, il faudra payer de nouveau.

P.K. a tracé la voie pour ses frères. Il a été le premier de la famille à s'engager dans l'aventure du hockey. Il a affronté un vent de face tenace, mais il a entraîné Malcolm et Jordan dans son sillage. Ils savaient ce qu'ils devaient faire, comment le faire et pendant combien de temps. Autrement dit, ils connaissaient l'importance de travailler, tant pour le court terme que pour le long terme, et de toujours s'acharner à s'améliorer.

Parfois, le rêve a semblé inatteignable, particulièrement pour Malcolm lorsqu'il a décidé de devenir gardien de but à l'âge de 12 ans. Certains ont cru qu'il avait troqué son statut de défenseur très prometteur contre celui de gardien sans aucune chance de se rendre dans la LNH. Persuadé qu'il parviendrait à ses fins, Malcolm y a consacré l'énergie nécessaire. Ses efforts ont été fructueux, puisqu'il a été repêché par les Bruins de Boston dès la 1re ronde, au 24e rang, en 2012. Peu après, Malcolm a joué sa première partie dans la LNH... contre son frère aîné.

Malcolm a disputé son premier match hors concours contre les Canadiens à Montréal le 16 septembre 2013. Je savais bien qu'un tel duel pouvait avoir lieu, mais je n'avais jamais pensé qu'il se produirait aussi tôt. J'avais déjà réalisé un de mes rêves : que P.K. endosse l'uniforme de mon équipe préférée, le CH. J'étais sur le point d'exaucer un deuxième vœu : celui de regarder mes gars s'affronter lors d'une partie de la LNH. Les entraîneurs avaient déterminé que Malcolm ferait ses débuts au cours de la seconde moitié du match. Tous les fans autour de nous connaissaient la situation et semblaient attendre ce moment historique avec nous. J'ignorais comment l'affrontement allait se passer, mais une chose était certaine : Maria était impatiente de lancer *Holy Moly, What a Goalie!* du haut des gradins et Malcolm l'a sûrement entendue.

Malcolm a joint ses coéquipiers en cours de match et a intercepté les 12 tirs dirigés sur lui, même celui de P.K. À l'issue de cette victoire des Bruins par la marque de 6 à 3, le quotidien *The Globe and Mail* a titré « Malcolm Subban résiste à son frère P.K. dans une victoire des Bruins contre les Canadiens ». P.K. a compté dans le filet des Bruins gardé par Chad Johnson à la deuxième période, mais son lancer a été inefficace contre son cadet.

Malcolm a déclaré : « Je pense qu'il a fait le lancer le plus lent de sa vie, un petit *knuckle-puck* dans le filet, mais c'était plutôt amusant. »

Pour sa part, P.K. a déclaré aux journalistes : « C'était une expérience assez géniale. On s'est regardés dans les yeux, mais j'ai perdu, alors je n'ai pas trop envie de lui sourire ni de lui parler… Je trouve qu'il s'est bien débrouillé pour sa première partie. »

J'étais heureux ce soir-là, particulièrement pour Malcolm qui avait parcouru tant de chemin en si peu de temps. Étant un fan des Canadiens, je n'aimais pas les Bruins quand j'étais enfant, mais j'ai dû changer mes allégeances. Tassez-vous, P.K. et le Tricolore : les Bruins et Malcolm avaient dorénavant une place dans mon cœur.

Un an plus tard, le 23 septembre 2014, Jordan Subban disputait son premier match dans la LNH à l'aréna Rogers de Vancouver, en Colombie-Britannique. Comble du hasard, le même jour, je me trouvais dans cette ville à titre d'ambassadeur du programme Jeunes Espoirs du hockey Hyundai. J'assistais à la première partie d'un de mes fils dans la LNH pour la troisième fois, mais j'éprouvais le même bonheur mêlé de nervosité que pour mes deux aînés. J'étais anxieux avant que Jordan saute sur la patinoire. N'étant pas joueur partant, il a dû attendre sur le banc, mais je savais que son tour viendrait. Peu après, dès son premier temps de jeu, Jordan a décoché un tir voilé de la ligne bleue. Ses entraîneurs et coéquipiers l'ont très bien soutenu et ils ont tous contribué à son premier but.

Après la partie, Jordan m'a rejoint dans une zone réservée aux proches. Il était impatient de me voir et moi de même. Il avait vécu pleinement son rêve et m'avait rendu très fier. Je suis rentré à Toronto en avion le lendemain et, peu après, Jordan a regagné Belleville pour jouer sa dernière saison avec les Bulls.

Toutefois, le récit du premier match de Jordan ne s'est pas terminé au son de la sirène, à la fin de la troisième période. Une photo de lui manifestant sa joie avec ses coéquipiers après avoir compté son but a été mise en ligne sur le site Web d'un journal. La légende mentionnait les noms des deux joueurs qui l'entouraient, mais décrivait Jordan comme étant le « gars à la peau foncée au milieu ». Les médias sociaux se sont enflammés et la direction du journal a présenté des excuses. J'ignorais que des reporters attendaient Jordan à sa descente de l'avion à l'aéroport Pearson de Toronto. Je suis fier de l'aplomb avec lequel mon fils a géré la situation : il a simplement déclaré à la télévision que l'incident était clos. « J'ai eu l'occasion de discuter avec un représentant du journal. Il semble qu'il s'agissait d'une erreur de bonne foi. Est-ce que ça m'inquiète ? Non. Si les gens ont quelque chose à dire, ils devraient parler de la façon dont j'ai joué hier soir plutôt que de ça. J'espère que ça va se calmer. »

J'étais fier de son premier but, mais plus fier encore de la manière dont il a fait face à l'adversité. Il refusait que cet incident, qu'il considérait comme une distraction, l'empêche de jouer dans la grande ligue.

La vie nous sourit quand nous trouvons notre passion et que nous nous organisons pour en profiter. En retour, nous devons être bons avec elle. Une façon de faire, c'est d'utiliser nos privilèges pour aider les autres. Beaucoup d'athlètes d'élite se sont servi de leur richesse et de leur notoriété pour appuyer des causes méritoires ici et ailleurs. Je me plais à croire que P.K. a élevé un peu la barre dans ce domaine.

En 2010, un séisme affichant 7,0 sur l'échelle de Richter a dévasté Haïti ; il a entraîné la mort de 220 000 personnes et fait quelque 300 000 blessés. L'année suivante, par l'entremise de l'Association des joueurs de la LNH, P.K. a eu l'occasion de visiter cette région des Antilles avec Vision Mondiale pour aider les victimes et leur offrir son soutien moral. P.K. a joué au hockey dans la rue pour amuser les enfants.

Mon fils avait 21 ans lors de ce voyage. Avant son départ, je lui avais donné un conseil : « P.K., tu fais partie de la LNH et tu réussis dans ta profession. Tu as maintenant une occasion formidable de réussir dans ta vie personnelle. » Je n'étais pas sûr qu'il savait ce que je voulais dire et ce qu'il devait faire pour donner un sens et une orientation à sa vie. Son voyage à Haïti lui permettait de faire un peu d'introspection.

Il nous a expliqué à son retour que son séjour l'avait profondément ébranlé. Il avait constaté à quel point il avait de la chance comparativement aux Haïtiens qui avaient perdu des membres de leur famille, leur maison et même l'espoir.

Cinq ans plus tard, en septembre 2015, P.K. avait déjà laissé sa marque sur la glace. Il avait reçu le trophée Norris du meilleur défenseur de la Ligue et était devenu un des joueurs les mieux rémunérés de la LNH. Il a alors jugé qu'il n'y avait pas de moment plus propice pour donner à son tour à la ville où avait commencé sa carrière dans la LNH et qu'il n'y avait aucune cause plus louable que celle d'aider les jeunes. Lors d'un événement public, P.K. a annoncé son engagement à recueillir 10 millions de dollars en 7 ans au bénéfice de l'Hôpital de Montréal pour enfants, familièrement appelé le Children's. Ce don, le plus important qu'un athlète ait versé à une œuvre de charité dans l'histoire du Canada, a fait les manchettes sur tous les continents. P.K. a marqué de nombreux buts sur la glace; par contre, c'est ce but compté hors de la patinoire qui lui a valu les acclamations les plus vives.

Les préparatifs ont débuté au printemps et l'annonce a été faite en août. Maria et moi avions pris l'avion pour Montréal la veille. Je n'imaginais pas une attention médiatique d'une telle ampleur. À notre arrivée à l'hôpital, le lendemain, des gens attendaient déjà dans l'atrium où devait avoir lieu la conférence de presse. Puis, il en est venu d'autres, et d'autres encore. L'endroit était plein à craquer et bourdonnait de journalistes, de photographes et de caméramans.

À ma droite prenait place la veuve de Jean Béliveau, Élise. Juste avant le discours de P.K., je lui ai raconté ma rencontre avec son mari à Toronto, lorsqu'il s'était assis à côté de moi sur les gradins pendant que nous regardions jouer P.K., qui avait alors 10 ans. Je trouvais incroyable que ce soit elle, maintenant, qui soit à mes côtés pour écouter parler P.K. Son époux était non seulement un grand hockeyeur, doté de nombreuses bagues commémorant ses victoires de la Coupe Stanley, mais aussi un homme reconnu pour ses œuvres de bienfaisance.

Soudain, une sirène a retenti. Le moment de la mise au jeu était venu. Le maître de cérémonie Michel Lacroix, la voix officielle des Canadiens, a présenté tout le monde en français.

J'ai eu les larmes aux yeux quand mon fils a traversé l'atrium pour prendre place sur scène pendant que la foule scandait: «P.K.! P.K.!» Je n'ai jamais versé de plus belles larmes de joie.

Ensuite, des membres du conseil d'administration et de la Fondation de l'Hôpital ont prononcé quelques mots, ainsi que Taz qui, à titre de directrice, a expliqué la mission et les objectifs de la Fondation P.K. Subban. À cette occasion, le vaste espace, haut de 3 étages et d'une superficie de 486 mètres carrés, a été baptisé Atrium P.K. Subban.

P.K. a pris la parole à son tour. Il y a eu beaucoup de bruit, puis un énorme sourire a illuminé son visage. En se dirigeant vers le podium, il a été comme à son habitude, il a frappé dans la main des patients. Il a beau être un joueur étoile de la LNH, à l'hôpital, ce sont les parents et leurs enfants malades qui sont les vedettes. Il y en avait en fauteuil roulant ou dans les bras de leurs parents ou du personnel infirmier. Ils portaient des chandails de hockey, des chemises d'hôpital ou leurs vêtements de tous les jours, mais tous affichaient un grand sourire, aussi grand que celui de P.K. Ils s'étaient tous réunis pour voir un champion sportif, mais ce sont eux qui ont jeté leur éclat sur lui.

P.K. s'est adressé à la foule en français. J'étais tellement impressionné! Mme Béliveau m'a confié: « Je n'en reviens pas à quel point il parle bien. On dirait vraiment qu'il connaît le français. » P.K. lisait ses notes, mais ses paroles sortaient avec un grand naturel, comme s'il improvisait. Ensuite, il a raconté des anecdotes en anglais. Je lui ai d'ailleurs dit par la suite à quel point ses talents de conteur m'avaient épaté. Il a évoqué des histoires auxquelles les gens pouvaient s'identifier et qui expliquaient ses motivations.

Voici des extraits de son discours:

Quand j'ai évoqué cette possibilité avec l'Hôpital de Montréal pour enfants, je me suis demandé: « Qu'est-ce qui est authen-

tique ? » Parce que ma façon de jouer, c'est moi. Ma façon de parler, c'est moi, c'est ma famille. Ma façon de marcher et de m'habiller, c'est tout à fait moi. Vous n'obtenez pas quelqu'un d'autre. Vous avez P.K. tout le temps. Ça me cause parfois des problèmes, mais j'ai pensé au fait que j'ai toujours voulu faire quelque chose de spécial et d'important. Par contre, comme tout le reste, il faut avancer à petits pas. Au cours des cinq dernières années, j'ai exploré discrètement. À ma première saison dans la LNH, j'ai visité l'hôpital le matin de Noël avec Ray Lalonde qui travaillait à l'époque pour le service du marketing du Canadien. Sans caméra ni rien de tout ça. Je cherchais simplement ce que je voulais faire.

[…] Je pense que, dans la vie, on n'est pas défini par ce qu'on accomplit, mais par ce qu'on fait pour les autres. C'est comme ça que j'ai vécu. Il n'est pas question de hockey, il n'est pas question de savoir combien de buts je vais inscrire l'an prochain, il n'est même pas question de savoir comment va l'équipe. Pour moi, ce qui compte, c'est comment je vis ma vie. C'est ce qui est important dans l'existence en général. Je me pose parfois la question : « P.K., es-tu un hockeyeur ou bien es-tu seulement quelqu'un qui joue au hockey ? » Je ne fais que jouer au hockey, parce qu'un jour je ne jouerai plus. Je ne serai qu'un homme qui a déjà joué au hockey. Alors, quel souvenir est-ce que je veux que les gens gardent de moi, à part le fait que j'étais un hockeyeur ? Eh bien, chaque fois que vous entrerez dans cet hôpital, vous connaîtrez mes convictions.

Je ne peux pas m'attribuer le mérite de ce que P.K. a fait. Je me mentirais à moi-même si je prétendais que sa générosité et son souci d'aider les autres lui ont été légués par Maria et moi. Beaucoup de gens ont contribué à faire de P.K. Subban ce qu'il est. *Il faut tout un village pour élever un enfant.* Tant de gens ont interagi avec mon fils et il y a tant de personnes qu'il respecte et admire, pas seulement ses parents. Je serais porté à croire que l'équipe qui l'entoure a eu une influence sur ce qu'il est devenu. De toute évidence, les parents sont les premiers enseignants d'un enfant, la maison est sa première école, mais il a eu besoin d'en fréquenter d'autres.

C'est à Belleville que mes fils ont été initiés au service communautaire. Tous les joueurs des Bulls – particulièrement ceux qui avaient terminé leurs études secondaires et ne suivaient qu'un seul cours au collège communautaire – devaient y consacrer une grande partie de leur temps. Les joueurs visitaient les écoles et les hôpitaux, ils travaillaient avec les personnes âgées. Ils apprenaient des valeurs importantes.

Lors du banquet du hockey midget, le commissaire de la LHO et président de la LCH, David Branch, a dit : « Jouer au hockey dans la LHO est une chance, et non un privilège. » Je comprends maintenant très bien comment il en est venu à faire cette déclaration. La LHO fournit aux jeunes l'occasion de devenir non seulement de meilleurs athlètes, mais aussi de meilleures personnes. On n'atteint cet objectif que par la façon dont on traite les autres.

P.K. a connu la célébrité et la richesse à l'âge de 26 ans, et il avait beaucoup de temps libre hors saison. Il n'était pas prêt à fonder une famille, ce qui aurait certainement comblé ses loisirs. Il s'est engagé dans une autre voie : il a remis une partie de son argent à l'Hôpital de Montréal pour enfants, mais il s'est surtout engagé à donner de son temps pour collecter des fonds, participer à des activités de relations publiques et visiter les malades.

La fierté que j'ai éprouvée ce jour-là m'a pris de court. Premièrement, j'ignorais que la générosité de mon fils interpellerait tant de gens. Selon un rapport de presse reçu par Natasha, un nombre inouï de médias ont couvert l'annonce. L'engagement financier de P.K. a fait la une non seulement au Canada, mais dans le monde entier.

P.K., comme beaucoup d'athlètes professionnels, va dans les hôpitaux de différentes villes pour passer du temps avec de jeunes patients qui se remettent d'une maladie ou se battent pour leur vie. Il fait souvent des visites incognito. Il n'y a pas longtemps, j'ai discuté avec un homme dont la fille, qui avait environ six ans, avait été traitée pour un cancer à l'hôpital de Montréal pour enfants. P.K. s'y était pointé un matin de Noël, les bras chargés de cadeaux. Aucun journaliste ni photographe n'étaient présents. La femme de mon interlocuteur, qui avait passé la nuit au chevet de la petite, avait été émue aux larmes par la gentillesse et la compassion de P.K. On me fait de tels témoignages partout où je vais.

L'échange de P.K. à Nashville ne changera en rien son engagement envers l'Hôpital, même s'il cherche également des façons d'aider les enfants malades de sa nouvelle ville. Ses visites au Children's ne sont pas aussi fréquentes qu'avant, mais sa passion pour cet établissement et les petits patients montréalais ne s'éteindra pas.

La générosité de mon fils a eu une autre répercussion gratifiante et inattendue : en mars 2017, le gouverneur général du Canada, David Johnston, a remis à P.K. une des décorations pour service méritoire créées par Sa Majesté la reine Élisabeth II afin de reconnaître les citoyens ayant accompli des actions exceptionnelles pour le pays. Enfant, P.K. rêvait de jouer dans une équipe de la LNH. Qui aurait cru que, en réalisant ce rêve, il tisserait un réseau l'entraînant vers un but plus ambitieux encore : celui de donner en retour à Montréal et au Canada par ses gestes philanthropiques ? Ce sont ses remarquables compétences au hockey qui lui ont permis de changer la vie des gens, sur la patinoire comme à l'extérieur.

Chapitre 14

Le trophée à notre portée

À la fin de janvier 2016, je suis allé avec ma femme à Grenade chez nos amis Sally et Ron qui ont construit la maison de leurs rêves au sommet d'une colline avec vue sur la mer des Antilles. (Même si j'ai toujours aimé les hivers canadiens, une bonne dose de soleil des Caraïbes est la bienvenue et, comme je ne subis plus les contraintes du calendrier scolaire, je ne déteste pas troquer mes patins contre un maillot de bain dès que j'en ai l'occasion.)

Pendant notre absence, Jordan a profité de la pause du Match des étoiles de la LAH pour rentrer à Toronto. Nous habitons à quatre heures de route d'Utica, assez près pour que Jordan et ses coéquipiers viennent faire de courtes visites. Jordan adore conduire ma voiture quand il revient à la maison. Cette fois, il l'avait pour lui tout seul vu que j'étais en voyage avec Maria et, même s'il sait où se trouvent mes clés, il a pris la peine de m'appeler un soir pour me demander la permission d'emprunter mon véhicule. Il roulait sur l'autoroute Gardiner, une artère achalandée de Toronto, en direction du centre-ville pour y rencontrer des amis. Au début de la soirée, alors que l'obscurité tombait rapidement, un pneu arrière a crevé et s'est détaché de la jante. Jordan a eu très peur. J'ignore comment, mais il a réussi à reprendre la maîtrise de la voiture et à l'éloigner de la circulation et des glissières de sécurité. Le pire était que l'accotement était trop étroit pour qu'il puisse s'y réfugier. La scène de l'incident menaçait d'entraîner un autre accident. Après avoir allumé les feux de détresse et appelé le 9-1-1, Jordan a instinctivement composé mon numéro pour m'informer qu'il était indemne.

Il faut savoir deux choses à propos de mon fils : il exprime ses sentiments et il déteste être en retard, alors quand il m'a téléphoné pour m'annoncer ce qui était arrivé, j'ai deviné qu'il était légèrement anxieux. Pour ce qui touche nos enfants, Maria et moi sommes toujours sur la même longueur d'onde. Elle a conseillé à Jordan d'appeler notre ancien voisin, Dennis, pour qu'il aille à son secours comme tout père l'aurait fait. Mon fils a eu de la chance. Les policiers ont dit que le véhicule aurait pu facilement faire un tonneau au milieu de la voie et qui sait ce qui aurait pu arriver. Jordan a pu reprendre la route avec l'aide des policiers, du conducteur de la dépanneuse et de Dennis.

J'étais surpris que le pneu se soit déchiqueté : j'avais acheté mes quatre pneus quelques mois auparavant. À mon retour à la maison, j'ai vu ce qui en restait dans le garage : on aurait dit des spaghettis cuits enroulés autour d'une jante presque dénudée.

Deux semaines plus tard, le samedi 6 février, nous étions toujours à Grenade à profiter de la vue féérique depuis la véranda de Sally et Ron. À 19 heures, j'ai commencé à regarder le match de Jordan à Utica sur mon iPad et, une demi-heure plus tard, je suivais simultanément la partie de Malcolm, à Portland, dans le Maine. Elle venait tout juste de débuter lorsque le commentateur a annoncé que Malcolm avait subi une blessure pendant la séance d'échauffement et avait été transporté à l'hôpital. Le vert des vastes champs et le bleu de la mer derrière qui m'avaient hypnotisé quelques minutes auparavant avaient disparu. J'ai momentanément oublié où je me trouvais et les questions se sont bousculées dans ma tête. Qu'était-il arrivé à Malcolm ? Quelle était la gravité de sa blessure ? Que pouvions-nous faire, si loin de lui ?

J'ai appelé Taz et Tasha pour savoir si elles pouvaient nous en dire davantage, mais elles apprenaient la nouvelle de ma bouche. J'ai ensuite téléphoné chez Newport Sports, l'agence qui représente nos trois fils. Mark Guy, qui ignorait tout de l'accident lui aussi, s'est mis au travail sur-le-champ pour obtenir un maximum d'informations. Ce soir-là, nous nous sommes couchés la tête pleine d'interrogations, déterminés à nous rendre au chevet de Malcolm le plus rapidement possible.

Il s'est avéré que la blessure était passablement sérieuse : à la suite d'un tir, la rondelle avait écrasé le larynx de Malcolm et, s'il n'avait pas reçu d'assistance médicale immédiate sur les lieux, ses voies respiratoires auraient pu enfler et se fermer complètement. Malcolm n'avait pas l'habitude de porter un protège-cou comme celui de Patrick Roy. Il nous a avoué par la suite avoir paniqué en découvrant qu'il avait de la difficulté à respirer. Il a essayé de se maîtriser, mais quand il a vu que c'était impossible, il a su qu'il avait un gros problème.

À l'aréna, on lui a installé un tube dans la gorge pour lui permettre de respirer et le stabiliser avant le transport en ambulance jusqu'à l'hôpital à Boston. Ses sœurs ont pris l'avion dès le lendemain pour être à ses côtés. Deux jours plus tard, il a subi une intervention chirurgicale qui a duré quatre ou cinq heures. Taz a dit que c'était la journée la plus longue de sa vie. L'attente était pénible pour nous aussi, puisque nous ne pouvions pas quitter Grenade avant le jour de son opération.

Tandis que l'appareil d'Air Canada roulait sur le tarmac avant le décollage de Grenade, Maria a appelé rapidement Tasha pour connaître le diagnostic du spécialiste. Nous espérions en savoir davantage parce que nous ne voulions pas nous envoler en ignorant l'état dans lequel se trouvait Malcolm. Heureusement, nous avons eu des nouvelles encourageantes au moment où les moteurs tournaient et les passagers avaient leur ceinture bouclée en prévision du décollage : Malcolm s'en sortirait et le médecin s'attendait à ce qu'il se rétablisse complètement.

Le lendemain, nous avons pris un autre avion en direction de Boston. Les Bruins se sont chargés de notre transport jusqu'à l'hôpital général où Malcolm était en convalescence. Puisque les garçons bénéficient d'une assurance médicale et dentaire par l'entremise de leur équipe et des ligues de hockey, nous ne nous sommes jamais préoccupés des frais médicaux. Notre seul souci était que Malcolm puisse se rétablir suffisamment pour parler et reprendre son poste de gardien de but. Je me doutais qu'il allait s'inquiéter de sa voix, puisque le chant est une de ses passions.

Nous étions impatients de voir notre fils. Je savais qu'il partageait notre émotion quand je l'ai aperçu, immobile dans son lit d'hôpital. Je l'ai salué comme je l'ai fait le jour de sa naissance, le 21 décembre 1993, en le serrant doucement dans mes bras et en l'embrassant sur le front. Le médecin avait interdit à Malcolm de parler, mais je croyais et espérais malgré tout qu'il en avait toujours la capacité. (Comme Malcolm ne parle pas beaucoup de toute façon, je savais qu'il n'aurait pas de problème à se taire.) Le lendemain de l'intervention, il a improvisé un langage gestuel pour communiquer et nous nous y sommes rapidement habitués.

Le mercredi, deux jours après son opération et quatre après l'accident, les médecins lui ont donné son congé et il s'est rendu à la maison qu'il louait avec un coéquipier de Providence et sa femme. Comme ce dernier avait été rappelé par le club au début de la saison, Maria et moi avons pu passer un peu plus d'une semaine chez lui pendant qu'il se rétablissait. Au cours des mois qui ont suivi, il a recommencé à parler normalement et il a repris la pratique du hockey. Par contre, il ne pourra plus chanter comme avant à cause de dommages permanents à ses cordes vocales.

Nous sommes reconnaissants à l'organisation des Bruins, à l'hôpital général de Boston et à toute l'équipe médicale qui ont travaillé ensemble pour remettre Malcolm sur pied et lui permettre de poursuivre son rêve. Il va sans dire qu'il ne saute plus jamais sur la glace sans protège-cou.

Les accidents sont une réalité du sport. Il y a les blessures émotionnelles associées aux défaites, qui sont communes. Ces blessures font mal comme une piqûre d'abeille et il suffit de gagner la partie suivante pour surmonter la douleur. Une blessure physique, toutefois, est complètement différente. Souvent, on ne sait pas quand on pourra jouer le prochain match, si on se rétablit…

Un mois après cette frousse, l'Équipe Subban a réussi un tour du chapeau nouveau genre : un trio de mésaventures. Le jeudi 10 mars, à la suite d'un instant d'inattention en troisième période d'une partie à domicile contre les Sabres de Buffalo, P.K. a chuté lors d'une collision avec le derrière de son coéquipier Alexei Emelin. Il a dû être évacué sur une civière après avoir été traité pendant plusieurs minutes par les soigneurs. Cette fois-là, Maria et moi nous trouvions aux îles Turks et Caicos. Comme nous ne regardions pas le match, nous l'avons su lorsque Taz nous a téléphoné pour nous annoncer que P.K. avait subi une blessure au cou. Tout de suite après, un appel de Mark Guy nous a permis d'en apprendre davantage.

Cette blessure était grave au point où P.K. a dû s'absenter des 14 parties qui restaient au calendrier. Il ne pouvait pas tourner la tête. Ce qu'aucun d'entre nous n'aurait pu prévoir, c'est que, le soir de l'accident, notre fils avait joué pour la dernière fois dans l'uniforme du Canadien de Montréal, l'équipe ne s'étant pas qualifiée pour participer aux séries. P.K. a dû consacrer une bonne partie de l'intersaison à se rétablir de la drôle de collision « derrière contre tête ». L'été 2016 a été le plus long qu'il a passé à l'écart de la patinoire et du gymnase. Rendu impatient par le repos forcé, P.K. me faisait penser à un canard hors de l'eau. Connaissant l'importance de s'entraîner, il était frustré de ne pouvoir rien faire avant sa guérison. Il a appris une leçon capitale cet été-là : même si on règle un problème, un autre viendra le supplanter.

Le début de l'année 2016 m'a rappelé le dicton ironique : *Puissiez-vous vivre des jours heureux.* En trois mois seulement, nous avons dû survivre à l'éclatement d'un pneu, à un tir de rondelle à la gorge et à une blessure qui mettait P.K. à l'écart le reste de la saison régulière. Les trois mois suivants allaient toutefois eux aussi nous faire vivre leur part de « jours heureux » et le nom « Subban » allait dominer les pages sportives internationales pendant quelque temps. Jusque-là, le hockey nous avait amenés dans des arénas et des hôpitaux, mais il était sur le point de nous faire vivre un aspect du sport que seuls les fans aiment : les échanges.

Durant le printemps et le début de l'été, il y a eu des rumeurs persistantes que P.K. serait échangé. Le mercredi 29 juin, deux jours à peine avant l'entrée en vigueur de la clause de non-échange et au terme de la deuxième année d'un contrat de huit saisons avec le Canadien, P.K. a été cédé aux Predators de Nashville contre le défenseur étoile Shea Weber.

Je n'ai pas été surpris. Je compare mon état émotionnel en apprenant la nouvelle à ce qu'on éprouve en transportant un nouveau-né à la maison. On adore le nouveau bébé, mais sa naissance ne change en rien l'amour qu'on éprouve pour les enfants plus âgés. Le Tricolore était le club qui avait repêché P.K. et qui lui avait permis de réaliser son rêve de jouer au hockey « comme les gars à la télé ». Au moment de son échange, il avait déjà disputé plus de 400 parties dans la grande ligue, mais son rêve d'être un athlète de la LNH et de remporter la Coupe Stanley était, et demeure, vivant. Toutefois, il poursuivrait dorénavant ce rêve à Nashville.

Le 14 octobre 2016, la pluie légère qui tombait sur Nashville juste avant le début du match inaugural de la saison ne refroidissait nullement l'enthousiasme des amateurs qui affluaient à l'aréna Bridgestone pour voir les Predators s'attaquer à leurs ennemis jurés : les Blackhawks de Chicago.

Les Blackhawks se sont mis à l'œuvre dès le début de la première période et Nashville traînait de la patte 1 à 0. Par contre, cinq minutes plus tard, le défenseur de Chicago Brian Campbell a reçu une pénalité pour interférence contre le centre de Nashville, Colton Sissons. Les Predators bénéficiaient de l'avantage numérique. P.K. se tenait à la ligne bleue pendant que les autres joueurs s'échangeaient le disque. Les Predators attendaient de pouvoir décocher le tir parfait. P.K. a fait une passe devant lui en direction de Ryan Johansen. L'attaquant a conservé la rondelle quelques instants avant de la retourner à P.K., qui a réalisé un de ses fameux lancers frappés. BOUM ! Le disque a filé comme une fusée devant le gardien de but de Chicago, Corey Crawford, et s'est jeté dans le fond du filet. La sirène a retenti et les fans se sont levés d'un coup en agitant les serviettes orangées commémoratives qu'on leur avait remises à l'occasion de la soirée d'ouverture. P.K. a créé l'égalité à peine 7 minutes et 46 secondes après le début de sa première partie au sein de l'équipe de Nashville, dès son premier tir au but dans son nouvel uniforme jaune des Predators, devant une salle comble.

Comme l'a dit un commentateur de la télé, «impossible d'imaginer meilleur scénario». Un amateur a écrit sur Twitter que les acclamations des 17 256 amateurs réunis ce soir-là étaient les plus fortes qu'il avait entendues à l'aréna Bridgestone. Comme j'étais au milieu de cette foule, je me permets de m'attribuer une part du mérite.

Pour rien au monde Maria et moi n'aurions manqué le premier match de P.K. avec l'équipe de Nashville. Nous étions fiers d'étrenner nos chandails jaunes marqués du numéro 76 comme celui de notre fils.

Ce but était très important : P.K. devait laisser sa marque très tôt. Après le match, il a dit qu'il ne pensait pas compter dès sa première partie dans l'uniforme des Predators, puisque c'était le premier match important qu'il disputait depuis qu'il avait subi sa blessure au cou le 10 mars, soit sept mois auparavant. « Je voulais seulement revenir au jeu, me dégourdir les jambes, jouer avec énergie et brutalité. Je voulais essayer de faire ce que l'équipe d'entraîneurs me demandait de faire. »

Les enjeux étaient considérables à Nashville. Au mois de mai précédent, l'équipe avait perdu en sept matchs contre les Sharks de San José lors des demi-finales de l'Association de l'Ouest. On parlait encore de l'échange des deux défenseurs étoiles de la LNH des mois après sa conclusion. Cette semaine-là, dans un message promotionnel de l'émission *Hockey Night in Canada*, Don Cherry a dit qu'il allait révéler les motifs de cette transaction. *Sports Illustrated* a fait de cet échange le clou de son article d'avant-saison de la LNH. P.K. avait essuyé sa part de critiques au cours de son passage chez le Canadien, mais elles ne faisaient pas le poids devant les commentaires passionnés de ses fans qui se sont défoulés dans les médias sociaux.

J'ai encore l'impression que Montréal est le plus bel endroit pour assister à un match de la LNH, peut-être parce que le Canadien a été mon équipe pendant si longtemps. Cela s'explique difficilement. D'après moi, Montréal représente l'essence de ce sport, le hockey des *Original Six*, les six premières formations de la Ligue. Par contre, une fois dans l'aréna Bridgestone avec Maria, je me suis rendu compte que le club de Nashville était devenu mon équipe.

Assis sur les gradins pour la première fois, avec la musique interprétée par des musiciens sur place pendant les pauses et les entractes, avec la foule vibrante portant chandails et casquettes jaunes, j'ai constaté que c'était du hockey ici aussi. On ne se serait pas cru à Nashville, au sud de la ligne Mason-Dixon. On se sentait dans une vraie ville de hockey. Vraiment.

Chaque amphithéâtre possède une personnalité qui lui est propre. À Nashville, par exemple, on ressent intensément tous les moments du jeu. Les spectateurs sont conscients de la vitesse et de la taille des joueurs, qui font paraître la patinoire plus petite. Et il semble qu'il n'y a aucune mauvaise place sur les gradins. Les Predators déploient beaucoup d'efforts pour faire de chaque match une expérience amusante pour leurs partisans. Des *cheerleaders* dansent dans les allées, des patineurs artistiques évoluent sur la glace pendant le passage de la Zamboni et, en cette première soirée de la saison, chaque fan avait reçu un bracelet en caoutchouc serti de petites ampoules à DEL qui scintillaient à l'unisson en suivant les instructions d'un magicien anonyme en coulisse. Comme le dit Dorothy dans *Le magicien d'Oz*, « nous ne sommes plus au Kansas ».

L'expérience était saisissante du point de vue des fans. Il est aussi impressionnant de constater à quel point l'organisation des Predators et la communauté ont accueilli P.K. Voici ce qu'a déclaré Chris Junghans, le vice-président principal et directeur du financement des Predators, lors d'une entrevue réalisée pour les besoins de ce livre. Il parle de l'expérience de jeu, de l'échange et de l'influence de P.K. sur l'organisation et dans la communauté.

CHRIS

L'EXPÉRIENCE DE JEU : Une chose est sûre : nous ne sommes pas conventionnels. Nous misons sur les atouts de notre statut de Music City (capitale de la musique). C'est ce que nous sommes et nous en sommes fiers. Notre slogan dit entre autres : « Venez et vous allez vous amuser, peu importe ce qui se passe sur la glace. »

L'EXPÉRIENCE P.K. : Nous avons eu un premier aperçu de P.K. et nous avons appris à le connaître lors du Match des étoiles [le 31 janvier 2016]. P.K. souhaitait découvrir Nashville et il sortait partout. Il a profité de ce que la ville avait à offrir et on l'a vu lors de spectacles. Beaucoup de citoyens ont eu l'occasion de découvrir qui il était.

P.K. est venu ici trois ou quatre semaines après l'échange, avec sa mère, ses deux sœurs, quelqu'un du marketing de Montréal et un entraîneur de hockey junior. Au cours de la première réunion, nous n'avions aucune idée de son raffinement ni du professionnalisme qu'il dégageait. La première chose qu'il nous a dite, c'est : « Merci de me consacrer votre temps. » C'était un signe indéniable que cette relation de travail allait être formidable. Puis, il a pris l'engagement suivant : « Je veux que ce soit clair : je suis ici pour jouer au hockey et pour gagner la Coupe Stanley. » Alors, mon patron et PDG des Predators, Sean Henry, et moi nous sommes assis et avons dit : « Bon, nous avons entendu tout ce que nous voulions entendre jusqu'ici. Maintenant, voyons comment nous pouvons grandir ensemble et nous soutenir mutuellement. »

P.K. est tout simplement un athlète intelligent qui comprend tout. Et nous n'avons qu'effleuré la surface.

L'EXPÉRIENCE DE L'ÉCHANGE : Le personnel n'arrivait pas à y croire. C'était une nouvelle extrêmement positive. Comment avionsnous réussi à obtenir cette véritable superstar dans notre formation ? Les gens jubilaient en pensant à celui que nous voyions comme le joueur numéro un de la Ligue et qui dorénavant allait porter notre chandail jaune.

Publiquement, nous avons manifesté notre inquiétude en échangeant [notre capitaine] Shea Weber, un joueur que nous avions repêché et qui était le visage de notre équipe. Je vous le dis : nous n'avons entendu aucun commentaire négatif au sujet de l'échange de la part des détenteurs de billets de saison, contrairement aux Canadiens [quand P.K. a été échangé]. Nos abonnés appréciaient les efforts de Shea, comme nous, mais ils n'auraient pas pu être plus enthousiastes de voir P.K. venir ici, jouer avec nous.

Nous avions des attentes élevées pour cette équipe à cause de notre parcours l'année précédente [la saison 2015-2016]. Jamais nous n'étions allés aussi loin : le septième match de la deuxième ronde. Lorsque nous avons obtenu P.K., les attentes étaient encore plus grandes, tant au sein de l'organisation qu'à l'extérieur. Étant donné les joueurs que nous avions dans nos rangs et leur expérience, nous avions l'impression que le moment serait propice non seulement pour gagner une Coupe Stanley, mais aussi pour participer à davantage de finales et, qui sait, pour remporter le trophée plusieurs fois. Notre message était que ce serait enlevant. Et ce n'était que le début.

L'EXPÉRIENCE DE NASHVILLE : Aucun athlète comme P.K., dans quelque sport que ce soit, n'avait joué dans une équipe de Nashville. Ici, les formations sportives professionnelles ont à peine 20 ans. Les Titans du Tennessee n'ont jamais eu un joueur comme P.K. dans leurs rangs. Celui qui lui ressemble le plus, je pense, c'est [l'ancien quart-arrière] Steve McNair. C'était un héros dans notre ville. Nashville était prête à accueillir P.K. et nous croyions qu'il s'adapterait parfaitement bien. Il y a énormément de vedettes à Nashville. Mike Fisher [le centre des Predators] est l'époux de la star country numéro un, Carrie Underwood. Nous savons comment gérer la situation.

La première partie de P.K. à Nashville, que les Predators ont remportée par la marque de 3 à 2, nous a fait vivre des moments d'euphorie qui en promettaient bien d'autres. Mon téléphone n'a pas cessé de vibrer pendant le match sous les flots de messages et de courriels de nos proches. Dix-neuf amis de P.K. se sont réunis à Montréal pour assister à sa première prestation dans son nouvel uniforme. Taz m'a texté de Toronto pour me dire qu'elle nous avait aperçus, ma femme et moi, en train de danser après le but de P.K. Elle a tellement ri, m'a-t-elle écrit, qu'elle a failli faire pipi dans ses culottes.

Après le match, pour lequel P.K. a obtenu la troisième étoile, nous avons pris l'ascenseur pour descendre au salon où l'on peut rencontrer les joueurs. Nous voulions saluer notre fils avant le départ de son équipe pour Chicago où elle affronterait les Blackhawks à nouveau le lendemain soir, une série épuisante de deux matchs successifs contre la même formation pour commencer la saison. Après avoir parlé quelques minutes avec P.K. et ses nouveaux coéquipiers, nous avons fait la connaissance de David Poile, le directeur général des Predators, qui était l'artisan de l'échange. Cet homme courtois et charmant nous a dit à quel point il avait aimé le pantalon doré que P.K. portait ce soir-là, avant et après la partie, en l'honneur de sa nouvelle équipe.

Ensuite, Maria et moi avons déambulé dans le centre-ville animé de Nashville pour regagner notre voiture. Dans chaque *honky-tonk*, un groupe se produisait sur scène, déversant sa musique dans la rue, et les gens circulaient d'un bar à l'autre. Dans cette ambiance de carnaval, les sourires étaient omniprésents sur les visages, jeunes et moins jeunes. Cette ville dynamique où on aime s'amuser – surnommée Music City et Smashville – sera peut-être l'hôte d'un défilé avec la coupe Stanley. Ce soir-là, on a eu l'impression que c'était possible.

Bien entendu, je n'aurais jamais osé rêver que, huit mois à peine après avoir vu la première partie captivante de P.K. dans l'uniforme des Predators, les fervents admirateurs de Nashville viendraient aussi près de voir leurs joueurs défiler avec le trophée de Lord Stanley devant les bars et les cabarets de Lower Broadway, au centre-ville de la capitale de la musique.

Les Predators avaient connu des hauts et des bas au cours de la saison, mais ils avaient réussi à atteindre le sommet juste au bon moment et avaient obtenu la huitième et dernière place donnant accès aux éliminatoires de l'Association de l'Ouest au début d'avril. Dans le classement des 16 équipes en lice pour remporter la Coupe Stanley, ils arrivaient au dernier rang au chapitre des points en saison régulière.

Ayant été les derniers à se qualifier, les Predators ont obtenu le « privilège » d'affronter d'entrée de jeu la meilleure équipe au classement : les Blackhawks de Chicago. Les joueurs de Nashville étaient en feu et ils ont battu leurs rivaux en quatre matchs. Les autres clubs n'avaient qu'à bien se tenir. Les Predators ont poursuivi leur ascension en avril et mai, soutenus par le formidable gardien de but Pekka Rinne. En deuxième ronde, ils ont éliminé les Blues de Saint Louis en six rencontres, puis ont réservé le même traitement aux Ducks d'Anaheim. Ils décrochaient ainsi, au bout de 19 ans, leur première participation à la finale de la Coupe Stanley contre les champions en titre : les Penguins de Pittsburgh, menés par Sidney Crosby.

Il est difficile d'expliquer l'intensité de l'émotion qu'éprouve un parent en voyant son fils prendre part à la finale de la

Coupe Stanley. Quand notre équipe y participe, nous sommes emportés chaque minute de chaque partie jusqu'au dernier coup de sirène. J'ai assisté à la plupart des matchs disputés à Nashville avec Maria, Natasha, Taz et les petits-enfants. Malcolm et Jordan nous ont accompagnés à plusieurs parties quand leur horaire le leur permettait. Heureusement, l'organisation des Predators nous a aidés à trouver des chambres d'hôtel.

Bon nombre de mes parents et amis ne se qualifieraient pas nécessairement de fans de hockey, mais ils sont plus précisément des fans de P.K. Plus les Predators jouaient, plus ils gagnaient de matchs, et plus nos parents et amis se manifestaient. Ils restaient debout tard pour regarder les parties et prenaient plaisir à m'en parler après. Beaucoup me racontaient leurs impressions du match, particulièrement pour tout ce qui concernait mon fils. Selon eux, il ne pouvait pas commettre d'erreur et leur soutien rendait cette expérience encore plus exceptionnelle pour ma femme et moi.

Les éliminatoires de la Coupe Stanley ont commencé de manière spectaculaire pour l'Équipe Subban. Maria, Natasha, sa petite Angelina et moi nous sommes rendus à Pittsburgh en voiture le jour du premier match. Le passage de la frontière et les aléas d'un voyage en auto avec un bambin de 13 mois nous ont légèrement retardés. Des fermetures de rues nous ont obligés à zigzaguer dans les grandes artères congestionnées jusqu'à l'hôtel. Nous étions si près du but, mais si loin en même temps ! Nous nous sommes rapidement inscrits à la réception, puis nous avons fendu la foule d'amateurs des Penguins dans le hall de l'hôtel. Nous savions que la mise au jeu était imminente, mais nous faisions le pied de grue devant un ascenseur plutôt que d'être assis dans nos sièges à l'aréna.

En arrivant à notre chambre, j'ai jeté nos bagages dans un coin et je me suis précipité sur la télécommande de la télévision. Mes doigts enfonçaient les boutons à la vitesse d'un ado qui texte. J'ai fini par trouver la bonne chaîne et j'ai aperçu P.K. sur la glace. Peu importait où nous étions : la partie se jouait sous nos yeux. Nous avons vu la rondelle avancer dans la zone de Pittsburgh, P.K. l'a interceptée, puis l'a lancée au fond du filet adverse. Le premier but de la rencontre. J'ai hurlé : « P.K. a compté ! Maria ! »

À cet instant, nous avons oublié que nous venions de passer plus de cinq heures dans une auto. Toute l'adrénaline de mon corps m'a propulsé comme une fusée et je sautais sur place en criant de joie. J'ai eu une petite pensée pour les clients de la chambre du dessous.

Taz et ses jumeaux, Honor et Epic, qui étaient arrivés en avion plus tôt ce jour-là, se trouvaient déjà dans l'amphithéâtre. Lorsque son frère a compté, Taz aussi a sauté en hurlant de joie comme nous, sauf que ses fils et elles étaient les seuls à manifester leur enthousiasme dans leur section de l'aréna PPG Paints. Elle a été marquée comme une fan des Predators pour le reste de la soirée et les autres spectateurs ont noté que la couleur jaune qu'elle portait était la teinte de l'uniforme de Nashville et non de celle du chandail de Pittsburgh.

Malheureusement, notre joie a rapidement cédé la place au doute lorsque l'entraîneur des Penguins a contesté, avec raison, la validité du but. Tout à coup, Taz s'est sentie comme un poisson hors de l'eau. Elle m'a avoué plus tard qu'elle aurait voulu fondre sur son siège. Maria et moi nous sommes rendus à l'aréna à pied et avons rejoint Taz avant la fin de la première période. Venus en voiture eux aussi, son mari Andre et leur fils aîné, Legacy, sont arrivés en retard, mais ils ont assisté à la victoire de Pittsburgh par la marque de 5 à 3. Quand nous avons tous été réunis, les partisans des Penguins n'ont pas mis de temps à comprendre qui nous étions : des membres d'une famille noire portant le chandail numéro 76. Ils se sont empressés de nous dire à quel point ils aimaient P.K. comme joueur, mais aussi à quel point ils étaient impressionnés par ses activités caritatives, particulièrement auprès de l'Hôpital pour enfants. Des étrangers me font constamment des commentaires semblables, mais je ne m'en lasse jamais.

Le surlendemain, les Predators ont perdu le deuxième match de la série. Nous avions hâte de retourner à Nashville pour les deux matchs suivants et d'assister, nous l'espérions, à un revirement de situation.

Je n'ai jamais vu, lors d'un événement sportif – que ce soit un match de la LNH ou les Jeux olympiques à Sotchi –, une atmosphère telle que celle qui règne à Nashville pendant les séries de la Coupe Stanley. Les spectateurs y vivent l'expérience la plus intense qui soit. Le bruit est assourdissant sur les gradins, mais on sent également la fébrilité des foules immenses à l'extérieur de l'amphithéâtre et partout en ville. Dans la Music City, il circule toujours des rumeurs sur l'identité de la vedette country qui entonnera l'hymne national les soirs de match. Et il faut aussi s'attendre à voir un ou deux poissons-chats lancés sur la glace et une mer d'amateurs en chandails jaunes agitant des serviettes sur les gradins, une tradition porte-bonheur particulière à Smashville. Les nombreux moments où les fans manifestent leur attachement pour leur équipe se fusionnent pour faire de chaque match un événement amusant et mémorable. Ce qui aidait aussi, c'était que les Predators avaient remporté les troisième et quatrième parties, créant l'égalité dans les séries avec deux victoires pour chaque formation.

Parmi les sommités qui ont assisté à la quatrième partie, il y avait Charles Barkley, membre du Temple de la renommée du basketball, qui prenait une pause de son travail de commentateur télé des éliminatoires de la NBA. Lui aussi a été émerveillé par l'atmosphère festive. Après le match, il s'est rendu au vestiaire des Predators pour faire la connaissance de P.K. Il l'avait vu peu de temps auparavant à la populaire émission *E : 60 Profile,* diffusée à ESPN. Il a dit à mon fils qu'il souhaitait me rencontrer. Peu après, P.K. m'a appris qu'un des grands du basketball, sir Charles en personne, m'invitait à souper.

Nous nous sommes donné rendez-vous plus tard ce soir-là dans un *steak house* réputé de la ville. Le restaurant n'était pas trop plein, mais j'aurais pu facilement distinguer la silhouette imposante de Charles au milieu d'une foule. Il m'a serré très fort dans ses bras comme si nous étions de vieux amis qui ne s'étaient pas vus depuis longtemps. Il m'a dit qu'il était impressionné par ce que j'avais déclaré à l'émission *E : 60 Profile* sur le fait qu'il ne faut jamais laisser le racisme ni quoi que ce soit d'autre nous éloigner de nos objectifs ou nous empêcher d'exploiter notre plein potentiel. Charles m'a expliqué qu'il s'adressait souvent aux jeunes et qu'il leur transmettait le même message. J'ai connu Charles Barkley comme joueur de basketball puis comme personnalité médiatique, mais j'ai découvert qu'il se considérait lui aussi comme un professeur voulant tirer le maximum de ses étudiants.

Les émotions fortes que j'ai ressenties pendant ma discussion avec Charles Barkley ont couronné une soirée inoubliable. Malheureusement pour les partisans de Nashville, ce

Charles Barkley et Karl

quatrième affrontement a été le dernier match victorieux des Predators. Les Penguins ont remporté le suivant devant leurs partisans. Puis, lors d'un 6ᵉ match enlevant, à Nashville, ils ont gagné la Coupe Stanley en comptant le 1ᵉʳ but de la partie à 1 minute 35 secondes de la fin de la 3ᵉ période. Je devrai attendre au moins un an avant de voir le nom de mon fils gravé sur la coupe Stanley.

Il m'a fallu un peu de temps pour analyser mes sentiments après avoir vu Sidney Crosby et ses coéquipiers soulever le trophée devant 19 000 fans des Predators qui n'étaient pas prêts du tout à voir la saison prendre fin.

La LNH compte 30 équipes et chacune a entamé la saison 2016-2017 avec 2 priorités : remporter un maximum de matchs et gagner la Coupe Stanley. Comme toujours, certains clubs accumulent plus de victoires que de défaites et d'autres connaissent le sort contraire, mais seulement deux s'affrontent à la fin pour remporter le précieux trophée. Une équipe de hockey qui joue encore au mois de juin a connu une belle saison.

Au début des séries éliminatoires, beaucoup d'experts étaient loin d'imaginer que les Predators seraient encore sur la glace en juin – mais ils ont oublié d'en parler aux joueurs et à leurs fans. L'équipe a triomphé malgré les doutes. Ils ont persévéré en dépit des blessures et des revers, mais ce qui a été plus important, c'est qu'ils sont restés unis jusqu'au coup de sifflet final. Même si P.K. et ses compagnons n'ont pas soulevé la coupe, leur équipe a donné à tous une leçon sur ce qu'il faut faire pour gagner sur la glace et ailleurs.

Pour ma part, quand je suis rentré à Nobleton, j'ai reçu une offre que je n'ai pas pu refuser : remplacer le directeur d'une école de Toronto pendant quelques semaines. Quoi de mieux pour m'occuper après avoir vécu les montagnes russes d'émotions qui ont accompagné la longue quête des Predators. C'était bon de me retrouver au milieu d'enfants qui courent, jouent et apprennent, le sourire aux lèvres.

Chapitre 15

Le deuxième rêve

Je ne crois pas que nous naissons pour vivre un seul rêve. Lorsque j'ai pris ma retraite du Conseil scolaire du district de Toronto, en 2013, je savais qu'il était temps de réaliser un deuxième projet que je caressais depuis longtemps : celui de devenir conférencier. Je me sentais le devoir de partager avec le plus grand nombre de personnes possible ce que j'avais appris depuis 35 ans à titre d'entraîneur, d'enseignant et de père, en mettant l'accent sur le développement du potentiel de nos jeunes.

Le mois de juin 2013 coïncidait avec le « tour du chapeau Subban » : Jordan ayant signé avec l'organisation des

Canucks, les trois frères avaient été repêchés et engagés sous contrat par des équipes de la LNH. Ce jalon important entraînait la question à un million de dollars : Quel est le secret de notre réussite ? Comment y sommes-nous parvenus ?

Au fil du temps, j'avais mis au point la recette du succès de l'Équipe Subban, tel un chef cuisinier qui crée le plat signature d'un restaurant. Cette recette constitue maintenant la matière première des allocutions que je donne dans ma carrière de conférencier et se résume à trois ingrédients simples mais efficaces : le tabouret à trois pattes, les quatre T et le service au volant de la vie.

Le tabouret à trois pattes

Avec son siège et ses trois pattes, le tabouret est un des meubles les plus rudimentaires qui soient. Dans la recette du succès de l'Équipe Subban, le siège représente le potentiel et les trois pattes sont les éléments qui, ensemble, le soutiennent, à défaut de quoi le tabouret ne tiendra pas debout et, à plus forte raison, ne pourra soutenir personne. Pour que notre potentiel nous rapporte, nous devons utiliser judicieusement ses pattes. Chacune soutient une part égale de la croissance de notre potentiel. Une patte représente le rêve ou l'objectif principal auquel le potentiel fait appel pour se développer. La deuxième patte est la conviction profonde qui protégera le potentiel du doute et des sceptiques qui surgiront en cours de route. Enfin, la troisième patte symbolise l'action, les gestes que nous devons faire pour atteindre notre potentiel. Le rêve et la conviction sans l'action sont comme un tabouret à deux pattes. Nous ne naissons pas prédicateur, enseignant, écrivain, médecin, jardinier ou auteur. Toutefois, notre potentiel nous fournit ce qu'il faut pour le devenir : la compétence, la capacité, les aptitudes et le talent.

LE RÊVE : L'ascension de P.K., Malcolm et Jordan dans le monde du hockey a commencé par un intérêt qui est devenu un rêve. P.K. se trouve aujourd'hui au sommet de la pyramide, tandis que ses frères s'en approchent. Pendant que les jeunes hockeyeurs se développent, il se produit un élagage qui diminue le nombre de joueurs. Certains perdent leur motivation, d'autre se tournent vers un nouveau champ d'intérêt, certains abandonnent simplement leur rêve, d'autres encore arrêtent tout bonnement de jouer. Ce sont l'amour du sport et le désir de s'améliorer qui ont stimulé mes garçons à continuer leur ascension.

LA CONVICTION PROFONDE : Tout en poursuivant nos rêves, nous devons braver les sceptiques et chasser nos propres doutes. C'est pourquoi nous avons besoin de la deuxième patte de notre tabouret. Nous devons croire en notre potentiel, en nos capacités et en notre rêve. Comment pouvons-nous renforcer notre conviction ? En nous répétant ces paroles : « Mon potentiel est en moi. Il me donne la capacité d'atteindre un objectif et de m'améliorer. » Ces phrases tournent sans cesse dans ma tête. Les doutes qui surgissent sont rapidement chassés. Nos adversaires les plus puissants, ce sont les distractions internes ou externes. Nous avons besoin d'un esprit fort dans un corps fort pour réaliser notre plein potentiel.

L'ACTION : Beaucoup de gens paralysent quand vient le moment d'agir. Ils permettent à leur esprit de les arrêter avant même d'avoir commencé. Le grand artiste, architecte, poète, critique et théoricien social John Ruskin a dit avec justesse : « Ce que nous pensons, ce que nous savons, ce en quoi nous croyons est, finalement, de fort peu d'importance. Ce qui importe, c'est ce que nous faisons. » Sans action, notre potentiel n'est qu'un iceberg : nous n'utilisons que la partie qui émerge. La part la plus considérable de notre potentiel se trouve sous la surface ou profondément enfouie en nous.

Les quatre T

Quand je pense aux réussites de nos garçons au hockey, je regroupe leur engagement en quatre catégories que j'appelle les quatre T : le temps, les tâches, le travail d'entraînement et le travail d'équipe.

Premièrement, il faut investir du *temps* si on veut s'améliorer, et plus on commence jeune, plus la situation est avantageuse. P.K., Malcolm et Jordan ont dégagé du temps pour se concentrer sur la deuxième catégorie : les *tâches*. Celles-ci comprenaient notamment le patinage, le lancer de rondelles, le maniement du bâton, le hockey de rue, le mini-hockey dans le corridor de la maison et le visionnement de matchs ou de vidéos de Don Cherry à la télévision.

Le troisième T représente le *travail d'entraînement*. J'ai appris que plusieurs tentatives sont nécessaires pour faire croître le talent et pour trouver le don que Dieu nous a fait. L'essence de l'entraînement se trouve dans ce que j'appellerais un « mariage » avec lui : on vit avec lui et on rêve chaque jour de s'améliorer. Suivre une dizaine de leçons de patinage ou de tirs, ce n'est pas être « marié à l'entraînement », c'est faire une sortie romantique. Vous n'entretenez pas une relation sérieuse. On ne s'améliore pas du jour au lendemain, mais au fil du temps. Anders Ericsson et Robert Pool ont fait des recherches et ont publié des textes sur les milliers d'heures de travail nécessaires pour acquérir une expertise. Il ne faut pas oublier non plus que la façon dont on s'entraîne est capitale pour la réussite. On ne développe pas son savoir en travaillant constamment dans sa gamme de compétences ou dans sa zone de confort. On doit pousser plus loin et prendre des risques.

Enfin, le quatrième T est le *travail d'équipe*. Plus le rêve est grand, plus l'équipe sera considérable. Nos enfants ont besoin d'une équipe qui a confiance en eux et en laquelle ils ont confiance. Ils doivent apprendre comment être de bons coéquipiers, c'est une compétence qui s'enseigne. À 16 ans, quand P.K. se préparait à quitter le foyer familial pour s'installer à Belleville, je me rappelle lui avoir dit qu'il devrait travailler pour que ses coéquipiers apprennent à l'aimer. Il n'a pas tout à fait compris à l'époque ce que j'ai voulu dire, mais je suis sûr qu'il le sait maintenant.

Le service au volant de la vie

On trouve partout des services au volant. Je considère que nos vies nous offrent aussi une série d'aménagements de ce type. Mes enfants s'y rendent, moi aussi, tout comme les entreprises et les sociétés.

En s'approchant de la voie menant au service au volant pour commander un café ou de la nourriture, on verra probablement un panneau nous interdisant le passage. Si on ne respecte pas cette interdiction, on risque d'avoir un accident. On n'obtiendra pas ce qu'on voulait et on n'atteindra pas sa destination. Essayer d'entrer par une voie à sens contraire nous distrait de nos objectifs. Et la vie comporte de nombreuses distractions. Dès l'instant où nous nous laissons séduire par ces distractions, elles deviennent une fin en soi et des prétextes pour ne pas réaliser ce que nous avions prévu.

Par contre, en suivant les instructions du panneau « Entrez par ici », nous arrivons d'abord au guichet pour donner notre commande. C'est à cet endroit que nous exprimons nos rêves ou nos objectifs. Qu'attendons-nous de la vie ? Qu'attendons-nous de nos relations ? Qui voulons-nous devenir ? Que voulons-nous faire ? Il est temps d'exprimer ce que nous souhaitons.

La deuxième et dernière étape du parcours au service au volant est le guichet où on règle l'addition et où on récupère ce qu'on a commandé. Seuls ceux qui paient la somme adéquate obtiennent ce qu'ils veulent dans la vie. On paie ce qu'on obtient et on obtient ce qu'on a payé.

J'ai découvert que ces anecdotes et ces leçons de vie interpellent le public. Peu importe à quel groupe je m'adresse (étudiants, parents, entraîneurs, éducateurs, propriétaires d'entreprises, organismes communautaires, agriculteurs, conseillers financiers ou agents d'assurance), tout le monde aime être inspiré et guidé. Bien entendu, j'adapte mes allocutions à chaque public, mais mon objectif principal demeure le même : toucher les cœurs et stimuler les esprits. Un jour, après un discours émotif devant les élèves et le personnel de l'école secondaire Brookview, l'enseignante Darlene Jones m'a dit que j'aurais dû devenir prédicateur. Même si je ne me suis pas dirigé dans cette voie, je me sens assurément à l'aise devant de grands groupes.

Quand je m'adresse à une foule nombreuse, j'utilise un micro-cravate qui me permet de me déplacer à ma guise. Le lien le plus puissant que je peux créer avec les gens, c'est lorsque je suis assez près d'eux pour les regarder dans les yeux. S'il y a 500 personnes dans la salle, je veux avoir fixé 500 paires d'yeux avant la fin de mon discours, une heure plus tard. Comme je n'ai jamais assez de temps pour dire tout ce que je veux, la période de questions qui suit chaque présentation me donne une autre occasion de nouer des liens, ce qui est très gratifiant.

Nous sommes en décembre 2016 et mes fils hockeyeurs viendront à la maison quelques jours avant Noël, un cadeau non emballé pour ma femme et moi. Depuis que P.K. a été repêché par les Bulls de Belleville en 2005 et que ses frères ont suivi ses traces, Noël est une période pour combler le fossé entre le rêve de hockey de nos garçons et la maison familiale. Il est parfois difficile de tous nous réunir pendant la saison de hockey à cause du travail de nos filles et du calendrier de matchs des garçons. C'est pourquoi la période des Fêtes est si spéciale pour notre famille.

Au fur et à mesure que nos fils vieillissaient, le hockey créait une distance de plus en plus grande entre eux et la maison. Maria et moi allons leur rendre visite, mais je me rends bien compte qu'il est important de ne pas les envahir. Ils ont besoin de leur espace pour grandir sans que nous leur tenions la main. Ils n'ont plus besoin de nous pour nouer leurs lacets de patins ! Cette même distance qui les aide à vieillir nous fait aussi une grande peine à l'occasion, surtout quand leur carrière connaît un creux. Je me plains parfois, surtout en secret, de ne pas les avoir assez souvent près de moi. D'une part, je me réjouis pour eux, mais, d'autre part, la distance qui nous sépare m'attriste, même si je peux les voir à la télévision ou leur parler pratiquement chaque soir, presque à tout moment. Lorsque les membres d'une famille discutent ensemble, ils gardent contact et restent soudés.

Durant les Fêtes de 2016, nous n'avons pas eu beaucoup de temps tous ensemble. Jordan et P.K. ont pu rester à la maison jusqu'au lendemain de Noël avant d'aller retrouver leurs coéquipiers à Utica et Nashville, mais Malcolm a dû rentrer à Providence le matin du 25. Nous avons donc organisé notre grande fête le 24 décembre.

La joie régnait dans la maison, chaleureuse et décorée pour l'occasion avec des poinsettias posés sur des supports en bois et des nappes de circonstance étalées sur les tables. De la musique de Noël reggae jouait dans les haut-parleurs du plafond. Notre immense arbre de Noël occupait un coin de la pièce et en dessous se trouvaient les nombreux cadeaux que nous allions déballer le lendemain matin, après le déjeuner. Il y avait un présent pour chacun, mais, cette année-là, le cadeau le plus important n'attendait pas sous le sapin : c'était la présence de ceux que nous aimons.

La veille de Noël, Maria et moi nous sommes levés au chant du coq pour cuisiner le jambon, la dinde, le curry de chèvre, la queue de bœuf et les fruits de mer dont les arômes ont rapidement envahi la maison. Taz a préparé son traditionnel potage à la courge et Tasha, une tarte au macaroni et un gâteau aux bananes. Nos invités affamés salivaient déjà, même si nous n'allions pas nous mettre à table avant la fin de l'après-midi, plusieurs heures plus tard.

Bien que je prépare le souper de Noël avec ma femme depuis des années, nous n'avons jamais réussi à servir nos invités à l'heure prévue. Mais la faim, elle, n'arrive jamais en retard. Nous avions prévenu tout le monde de manger légèrement, puisque nous allions souper tôt, mais chaque fois que quelqu'un entrait dans la cuisine, il goûtait le glaçage blanc du gâteau de Noël de tante Joy. Le temps passait et la faim se faisait sentir. Les plaintes provenant de la salle de séjour à côté de la cuisine fusaient : « Qu'est-ce que vous faites ? Vous aviez dit qu'on mangerait tôt. » Le bruit des petits-enfants qui courent, sautent et crient couvrait les voix venant d'un film diffusé à la télévision. Pour moi, c'était le bruit de l'amour familial. Je pense que ça me plaisait.

Puis, le temps est venu de passer à table : le couvert était bien dressé et les plats de nourriture étaient disposés sur l'îlot de la cuisine. J'ai fait signe à P.K. d'éteindre la télévision et j'ai demandé aux invités de se réunir autour de l'îlot. Peu de temps après, tout le monde était attentif, même les enfants. Nous avons un rituel : quelqu'un dit le bénédicité, puis ma femme et moi invitons les gens à manger. Cette année-là, j'ai apporté quelques modifications. Avant le bénédicité, j'ai remercié Maria d'avoir préparé ce délicieux repas pour la famille et de prendre soin de nous. Malgré sa fatigue, elle trouve toujours le moyen d'y arriver.

Ensuite, j'ai demandé à chaque membre de la famille de dire en un mot ce que cette réunion de Noël signifiait pour lui. Une prière d'un seul mot, en somme. Il y a eu un silence, puis Malcolm et P.K. se sont offerts pour briser la glace. Malcolm a dit « reconnaissance », puis nous avons entendu ces mots : « santé », « heureux », « manger », « gâteau », « béni », « gratitude », « amour », « honneur », « appréciation ». Moi, j'ai lancé le mot « vous ». En pointant chaque personne du doigt, j'ai dit : « Toi, toi et toi, vous comptez pour nous. C'est pour cela que nous faisons tout ce que nous faisons. Maman et papa ont fait tout ça pour chacun de vous. »

Enfin, notre petit-fils Legacy a chanté un bénédicité de son cru sur l'air de *Frère Jacques* :

Merci, Jésus, merci, Jésus,
Pour le repas, pour le repas.
Bénis-le beaucoup,
Bénis-le beaucoup.
Amen, amen.

Nous avons reçu un autre cadeau : Angelina Christina Maria Subban Gaynor, notre première petite-fille née en avril. Il s'agissait donc du premier Noël de la dernière recrue de l'Équipe Subban. Elle est la fille de Tasha et de son fiancé, Tamar Gaynor. Angelina est un bébé heureux et ce bonheur est contagieux. Elle nous accueille toujours les bras tendus avec un grand sourire, prête à faire notre conquête. Nos fils communiquent presque quotidiennement par FaceTime avec leurs sœurs pour voir Angelina et leurs neveux Legacy, Epic et Honor. Nos petits-enfants nous donnent aussi chaque année un cadeau spécial en nous permettant de vivre la magie de Noël à travers leur regard naïf.

Je ne peux m'empêcher d'éprouver une grande fierté quand je vois nos cinq enfants. Leurs pas ont suivi leur esprit. P.K. vit son rêve de jouer au hockey professionnel, tandis que ses frères sont encore en train de poursuivre le leur. Taz et Tasha travaillent comme professeures au Conseil scolaire du district de Toronto et aident de jeunes esprits à trouver un rêve qu'ils poursuivront eux aussi. Taz possède une maîtrise en éducation et enseigne au secondaire ; sa sœur, qui est diplômée en enseignement et en beaux-arts, travaille dans une école primaire. Elles adorent leur profession et aiment travailler avec des enfants. (Si vous êtes professeur, mais que vous n'aimez pas les petits, vos journées seront interminables et vos nuits, agitées.) Les filles sont indépendantes et ambitieuses et, comme les garçons, elles comprennent qu'un changement profond est un lent processus.

Même si Maria et moi n'avions pas de plan directeur pour élever nos enfants, aucune de nos décisions n'était fortuite. Nos cinq enfants étaient un peu les cobayes d'un système. Voyez-vous, l'éducation est un long processus dont l'objectif consiste à faire croître le potentiel des jeunes. Élever des enfants, c'est les rendre meilleurs tout en devenant soi-même meilleur. Si les parents ne songent pas à s'améliorer comme parents, ce sera difficile pour leurs enfants d'en faire autant.

Le développement et l'apprentissage ne cessent jamais, tant pour ma femme et moi que pour nos cinq enfants. Nos quatre petits-enfants aussi apprennent et se développent, entourés de rêves comme des fleurs dans un jardin. Les trois plus vieux apprennent déjà à patiner dans l'ombre de leurs oncles. Nos cinq enfants font tous quelque chose qu'ils aiment et ils sont engagés à faire de leur mieux et à « être de leur mieux ».

On peut facilement se perdre dans le labyrinthe de la vie. J'ai travaillé dans une école qui ne réussissait pas, selon une série de paramètres. Ce qui manquait aux élèves, au personnel et aux parents, c'était le désir de faire mieux. La mentalité était qu'il fallait « réparer » les enfants, mais ils n'étaient pas brisés ! L'attitude devait changer : il fallait trouver un moyen de les inciter à vouloir s'améliorer.

Il nous faut souvent du temps, à nous les éducateurs, pour constater les résultats des efforts que nous déployons, pour savoir que nous avons établi un rapport durable avec un jeune de 11 ans qui lui sera profitable quand il sera au secondaire ou même plus tard dans la vie. Récemment, j'ai reçu un courriel qui m'a fait monter les larmes aux yeux. Il provenait d'Andre Bobb, le mari de Taz, qui enseigne dans une école secondaire de Toronto fréquentée par bon nombre d'anciens élèves de l'école intermédiaire Brookview, que je dirigeais. Andre m'a envoyé le travail d'une de ses élèves, Jennifer Tran, en croyant qu'il m'intéresserait. Il avait raison.

Là d'où je viens

Je viens du beau ciel bleu,
illuminé d'une touche de soleil.
Je cours partout en faisant des bulles
dans le jardin coloré de ma grand-maman.
Framboises, laitue, tomates
et plus encore,
qui deviendront bientôt un repas
pour une immense réunion de famille.
Il y a des disputes et des discussions folles,
qui se terminent par de grands rires et des souvenirs.
Des souvenirs infinis,
qui me suivront toute ma vie.

Je viens des yeux écarquillés des étrangers,
qui me dévisagent et de quelqu'un
que j'appelle ma sœur jumelle adorée.
Je viens des biscuits préparés pour le père Noël
le 24 décembre.
Des emporte-pièces et de la farine partout.
« Oh non ! Quel dégât nous avons fait ! »
Ce n'est pas grave,
Mamabear est là pour tout arranger.

Je viens de l'air d'été
qui transporte une odeur de pot,
suivie par le bruit des coups de fusil.
En mai et en juillet, je me dis
que les bruits que j'entends dehors
sont des feux d'artifice.
Mais au fond de moi,
je sais qu'un innocent est sur le point de mourir.

Je viens d'une petite maison.
Une maison pour quatre,
mais j'y vis avec douze personnes.
C'est trois fois plus.
Je viens des tacos du mardi soir,
cinq enfants, cinq tacos,
tous différents,
fin heureuse, pas de chicane.

Je viens des paroles de M. Karl Subban,
un directeur qui m'a appris
que l'entraînement et le travail
ne nous rendent pas parfaits,
ils nous rendent meilleurs.
Pas seulement dans ce que nous faisons,
ils nous permettent de devenir de meilleures personnes.
Ces paroles ont été implantées dans mon esprit,
et je les chérirai pour toujours.

Je viens de beaux grands sourires,
qui montrent que je vais bien,
mais à l'intérieur il y a un mur solide,
bâti de douleurs, de sombres secrets et de honte,

infligés par ceux
qui sont censés aimer.
Tôt ou tard, ce mur tombera.
Il me renversera,
mais ne me détruira pas.
C'est moi.
Je suis désolée.

Merci pour ce beau cadeau, Jennifer. Par un mélange de grâce, de joie, d'innocence et de douleur, elle a créé un message puissant. C'est la réalité de tant d'élèves qui vivent dans le quartier Jane and Finch à Toronto. En recevant ce texte, j'ai pensé de nouveau à la réflexion d'Henry Adams : « Un professeur influence l'éternité : il ne peut jamais dire où son influence s'arrête. »

En février 2017, Maria et moi étions de retour chez nos amis Sally et Ron à Grenade pour quelques semaines. Au cours de notre séjour, nous avons visité un attrait touristique local, une usine d'épices. En entrant dans l'enceinte, j'ai salué le gardien de sécurité et je lui ai demandé comment il allait. Il m'a salué à son tour et m'a demandé :

— D'où venez-vous ?

J'ai été surpris par ma réponse à cette question somme toute anodine :

— Parfois, j'oublie d'où je viens. C'est pourquoi je m'inquiète seulement de l'endroit où je me dirige.

Où voulez-vous aller ? Quel est votre rêve ? Peu importe ce que vous voulez faire ou devenir, j'espère que vous avez compris au fil de votre lecture que vous devez trouver le temps de le faire, de vous entraîner, de vous exercer et de travailler avec les autres pendant que les autres travaillent avec vous. C'est de cette façon que vous améliorerez votre potentiel. C'est seulement en atteignant un objectif que vous apprendrez ce dont vous êtes vraiment capable. Mon livre n'attachera pas les lacets de vos patins à votre place et ne vous conduira pas à l'aréna à six heures du matin, mais j'espère qu'il saura vous guider et vous motiver à trouver ce que vous aimez faire dans la vie, à continuer à vouloir vous améliorer et à passer le message aux enfants de votre vie. Et moi, je serai sur les gradins à vous encourager.

Épilogue
Grandir parmi les Subban

Qui pourrait décrire la vie dans la famille Subban mieux que nos cinq enfants? Maria et moi avons fait notre possible pour subvenir à leurs besoins et pour leur donner les moyens de réussir. Nous avons été fermes mais justes. Nous les avons guidés et encouragés sans délaisser la rigueur. Ce n'était pas toujours facile ni beau à voir, mais nous avons toujours été présents pour eux et ils ont grandi en sachant que nous avions leur bien-être à cœur. (Taz et Tasha ont été interviewées ensemble dans la salle à manger de notre ancienne demeure familiale à Rexdale, où Taz élève ses trois fils avec son mari Andre, tandis que les trois garçons ont été inter-viewés séparément.)

La parole aux enfants

LA FRATRIE

TASHA : Quand nous étions petits, c'est probablement P.K. et moi qui passions le plus de temps ensemble, si on fait exception de Malcolm et Jordan. Jusqu'à la mort de notre grand-mère, en 2000, nous rendions visite à nos grands-parents à Sudbury chaque été. P.K. et moi y passions toutes nos vacances, ce qui veut dire que je faisais mes achats pour l'école sans être entourée de tout le monde. Tout l'été, je parcourais les circulaires de Walmart et j'encerclais les articles que je convoitais.

Nous avions la tâche de ramasser des bleuets. Mes grands-parents nous disaient : «Ne mangez pas les bleuets quand vous êtes dans le bois.» Nous ne les écoutions jamais, bien entendu. P.K. se bourrait la face, et moi aussi. Évidemment, nous avions la diarrhée deux heures plus tard…

P.K. et moi, nous nous disputions tout le temps. On était vrai-ment intenses, au point où on donnait des mini-crises cardiaques à mon père.

On se disputait pour la télé, parce que nous n'en avions qu'une. Il regardait ses stupides vidéos de Don Cherry, *Rock'Em, Sock'Em*, tandis que moi, tout ce que j'aimais, c'étaient des émissions comme *Family Matters* (*La vie de famille*), *Fresh Prince* (*Le prince de Bel-Air*) et *The Young and the Restless* (*Les feux de l'amour*). Quel garçon voudrait regarder un roman-savon comme *Les feux de l'amour*?

TAZ : Tu oublies *Sailor Moon*.

TASHA : Et *Sailor Moon*. Alors, P.K. prenait la télécommande et par-tait en courant. Il allait la cacher. Mon père criait : «Où est la télé-

commande?» Ma mère disait: «Pourquoi vous vous disputez?»
Ensuite, P.K. prenait ses cassettes vidéo et les plaçait devant…

TAZ: … le capteur.

TASHA: … devant le capteur. Alors, si je finissais par trouver la télécommande, je ne pouvais pas changer de chaîne. Mon père se
fâchait parce qu'on se battait pour de vrai. À cette époque, j'étais
plus forte parce que je suis plus vieille. En grandissant, c'est devenu comme un jeu. Il me pinçait quand je dormais.

TAZ: Vous aviez l'habitude de vous pincer sous les bras, puis de
vous enfuir et vous ne pouviez pas pincer l'autre avant 20 minutes.

TASHA: On le fait encore aujourd'hui. P.K. rentre à la maison et il
dit: «Éloigne-toi de moi.» Je ne sais même pas qui a inventé ce
jeu stupide. Maintenant, P.K. et moi sommes plus vieux et nous
dirigeons son entreprise. On fait tout ensemble, c'est bizarre.
Maman a dit qu'elle n'avait jamais imaginé que nous unirions
nos forces pour faire quelque chose ensemble. Mais, au bout du
compte, il est mon frère et, moi, je suis sa sœur. Si quelqu'un parle
contre P.K., je vais lui arracher la tête. Et si quelqu'un dit du mal de
moi, il va me protéger.

TAZ: On jouait toujours ensemble, mais rarement avec les autres
enfants, dehors. On se filmait. C'était la grande affaire. Je lisais les
bulletins de nouvelles, je chantais ou je jouais du piano. Maman a
encore toutes les vidéos.

MALCOLM: Parfois, on se servait du piano comme filet pour jouer
au mini-hockey, même si les parents nous l'interdisaient. On
regardait la lutte, *SmackDown* et *Raw*, et on imitait les mouvements sur le lit. On utilisait des oreillers pour ne pas frapper les
autres. Le lit se brisait. En fait, le seul mouvement qu'on faisait
pour de vrai, c'était la prise en quatre. On faisait cette prise tout
le temps. Comme Ric Flair. On ne pouvait pas faire les autres sans
se blesser.

Tasha, Taz et P.K.

LES FILLES ET LE HOCKEY

TAZ : Je n'aurais pas voulu jouer au hockey. Non, non. J'ai arrêté de patiner à 12 ans. Mon dernier souvenir, c'est que je me trouvais dans le vestiaire et que je buvais du chocolat chaud en essayant de me réchauffer les pieds. J'avais beau porter deux paires de chaussettes, ça ne marchait pas. Je comprends qu'il faut initier les enfants à une activité à un jeune âge. Je pense à mon fils Legacy. Il ne connaît que ça. Il pense que tout le monde sait patiner. Dans notre famille, les filles jouaient au basketball et les garçons, au hockey. C'était comme ça.

TASHA : Moi non plus, je n'aurais pas voulu jouer au hockey, mais j'étais fascinée par les patineurs artistiques. J'essayais de les imiter sur la glace. J'avais pas mal de talent. Je faisais mes croisements et j'essayais de faire une pirouette et d'aller sur un pied. Normalement, quand P.K. patinait, je l'accompagnais, sauf quand il allait avec mon père au square Nathan Phillips jusqu'à deux heures du matin ! J'aimais le basketball, mais pas autant que Taz. Je suis plus… je dois dire que j'étais la plus paresseuse de la famille. Je l'avoue.

DES RÈGLES STRICTES

TAZ : On n'allait pas coucher chez nos amis. On ne traînait pas chez les autres.

TASHA : Et puis « n'allez pas vous promener au centre commercial le samedi après-midi ».

TAZ : Oh non !

TASHA : Maman disait : « Faites quelque chose de constructif. » Papa ajoutait : « Tu sais quoi, Maria ? Trouve-leur un livre. Allez, on va vous trouver un livre. » Et il fallait le lire.

TASHA : Encore aujourd'hui, quand mes frères sortent à Toronto, même si on habite loin, à Nobleton, ils rentrent à la maison. P.K. a un paquet d'argent, il peut faire tout ce qu'il veut, mais il revient toujours à la maison.

On n'allait jamais, jamais coucher ailleurs, même pas chez nos cousins. Les parents nous disaient : « Vous rentrez à la maison. Vous pouvez sortir pour vous amuser, mais vous ramenez vos fesses à la maison. On veut que vous soyez ici le matin. »

C'est drôle, maintenant qu'on est plus vieux – j'ai 29 ans –, les choses n'ont pas changé. Si je sors avec mes amis, je m'assure de partir assez tôt pour pouvoir rentrer chez moi à la fin de la soirée.

TAZ : Dans les Antilles, les enfants restent avec leur famille. C'est l'éducation typique là-bas. On doit faire ce qu'on est censé faire. On ne couche pas chez nos amis parce que c'est là qu'on peut avoir des problèmes. Certaines personnes disent : « Oh, il faut que vous vous amusiez. » Mais on s'amusait ! C'est vrai, nos parents étaient sévères, mais pour une bonne raison. Avec du recul…

TASHA : Aujourd'hui, je suis contente.

TAZ : Je suis contente qu'ils aient été aussi sévères parce que, maintenant, je comprends.

LE CHOIX DES ENFANTS

TASHA : J'étais rebelle au secondaire. J'ai fini par abandonner le basketball. J'ai concentré mon énergie à devenir artiste. C'est drôle parce que, étant donné l'attitude de nos parents, la plupart des gens nous demandent : « Si P.K. avait voulu lâcher le hockey, est-ce qu'ils l'auraient laissé faire ? » Et je réponds : « Bien sûr. » Ils auraient dit : « Es-tu sûr de ta décision ? » Quand il a eu un certain âge, ma mère lui a déclaré : « Avant que je dépense tout cet argent-là, es-tu sûr que c'est ce que tu veux faire ? Je peux mettre mon argent ailleurs et on pourrait conduire de belles autos… »

TAZ : Prendre des vacances.

TASHA : Exactement. Ils ne nous ont jamais, jamais mis de pression en disant : « Tu dois pratiquer ce sport-là et faire ça à l'école. » Ils nous disaient plutôt : « Tu dois fixer tes priorités. » L'école, un sport, une activité de loisir quelconque et la famille. On avait ce choix-là, mais je pense que beaucoup de gens ne comprennent pas. Quand ils apprennent que P.K. patinait et s'entraînait tout le temps, ils croient que nos parents le forçaient. Absolument pas.

TAZ : Ils nous proposaient des choses. Puis, à un certain âge, on pouvait décider si on voulait continuer ou pas. D'après moi, quand les enfants trouvent un domaine dans lequel ils ont du talent, ils veulent continuer. Si on ne les initie à rien, ils ne peuvent pas développer leurs compétences ni apprendre à aimer une activité, ensuite ils sont frustrés. Je pense qu'on a aimé certaines activités parce que nos parents nous les ont proposées. J'aimais le basketball. Ça m'a fait voyager, j'ai joué avec différentes équipes et j'ai rencontré un tas de gens.

J'ai demandé à une de mes élèves à l'école Westview Centennial : « Pourquoi tu t'impliques dans toutes les activités ? » Elle a répondu : « Ça me fait sortir de la maison. » Ses parents sont sévères, comme les miens l'étaient, mais ce sont des sorties constructives, alors à long terme c'est bénéfique, n'est-ce pas ?

TASHA : Comme j'étais rebelle au secondaire, je ne prenais pas toujours mes études au sérieux. Moi qui étais très bonne en maths, j'ai dû suivre des cours d'été. Mes parents ont établi les règles : « Écoute bien, c'est comme ça que ça va se passer. Tu n'iras pas aux danses de l'école. Si nous ne voyons aucune amélioration, tu n'auras pas cette récompense. » Je me rappelle même avoir manqué quelques tournois de basketball. Mes parents ont engagé un tuteur, puis j'ai commencé à reprendre le dessus… Je me suis rendu compte en voyant tout le monde autour de moi qu'il fallait que je me ressaisisse. À la fin de mes études, mon école secondaire m'a décerné une bourse.

AUCUNE EXCUSE

TASHA : Mon père ne cherchait jamais à excuser notre comportement. Quand j'étais en 12e année, une de mes enseignantes, que je ne nommerai pas, m'a demandé alors que nous étions à la bibliothèque : « Qu'est-ce que tu veux faire dans la vie ? » À l'époque, j'avais commencé à me reprendre en main et mes notes s'amélioraient. Je lui ai répondu : « Je veux devenir médecin. » Elle a rétorqué : « Tu ne peux pas. Ça ne t'intéresserait pas plutôt de devenir infirmière auxiliaire ? » J'ai raconté ça à mon père et il m'a dit : « Tu ne peux pas devenir médecin. As-tu vu tes notes en mathématiques ? » Il avait raison, mais ma mère n'était pas d'accord : « Karl, ne dis pas ça, tu ne peux pas ! » Maintenant que j'y repense, c'est vrai qu'on ne peut pas s'adresser comme ça à un élève. Et moi, je n'adopterais jamais cette attitude, mais c'est la façon ferme qu'avait mon père de nous montrer son affection. Il a continué : « Je te dis la même chose, mais tu devrais être gênée que ce soit quelqu'un d'autre qui l'ait fait. » Quand c'est arrivé, je me suis vraiment reprise en main. J'ai été admise par anticipation à l'université et ça m'a motivée.

Aujourd'hui, beaucoup de parents se pointeraient à l'école pour engueuler l'enseignant, puis aller voir le directeur et justifier le comportement de leur enfant. J'aurais pu fondre en larmes, mais je me suis dit : « Je vais montrer à cette femme que je peux devenir quelqu'un, quelqu'un de formidable. » Je ne suis pas devenue médecin, mais j'ai tout ce qu'il me faut. Papa n'a jamais cherché à excuser notre comportement, peu importe la raison. Pas plus aujourd'hui, d'ailleurs. Il nous mettra toujours au défi.

Si, en rentrant de l'école, on lui apprenait que quelqu'un nous avait traités de n…, mon père répliquait : « Et puis ? Est-ce que ça va t'empêcher de faire ceci ou de faire cela ? » Maman était celle qui raisonnait le plus. « Tu sais quoi, Karl ? Les gens ne peuvent pas dire des choses pareilles. Qu'ils aillent au diable ! » J'essaie d'avoir cette attitude avec les élèves. Quand les gens tentent de nous rabaisser – tout le monde vit ça à un moment ou à un autre –, on ne peut pas se laisser abattre parce que si ça nous inquiète autant, nous n'arriverons nulle part. C'est l'attitude que ma mère et mon père essayaient de favoriser. Pensez à tout ce qu'on raconte au sujet de P.K. S'il s'était laissé abattre et avait accepté ces paroles, il ne jouerait plus au hockey aujourd'hui, en tout cas pas à ce calibre. Comme parent, je réagirais de la même façon.

TAZ : Moi, c'est la même chose. Je répète constamment à mes élèves que les excuses, c'est bon pour les *losers*. Il faut faire ce qu'on a à faire. Pas d'excuses.

TASHA : Ça se transforme en grosse discussion, même avec P.K. Par exemple, il y a deux semaines, avec cette histoire après qu'il a perdu la rondelle dans les dernières minutes du jeu. Mon père lui a dit : « Va chercher la rondelle, fais quelque chose, bouge ! Ne me parle pas de tes patins. Ne prétends pas que tes lames sont mal aiguisées, qu'elles ne sont pas bonnes. Je ne veux pas en entendre parler!» P.K. proteste, mais mon père insiste: «Alors, P.K., fais quelque chose, c'est tout. Déplace la rondelle!»

TAZ: J'ai l'impression que tout le monde dit aux athlètes professionnels: «Tu es formidable. Tu es ce qui est arrivé de mieux depuis l'invention du fil à couper le beurre.» Mais quand P.K. appelle à la maison (et il appelle mon père pratiquement chaque jour parce qu'il a encore besoin de garder les pieds sur terre), papa lui dit ce qu'il en est, hein?

TASHA: Papa disait: «Pourquoi il continue à faire ça? Ce n'est pas nécessaire!» Nous étions tous assis, muets. Je me souviens de ce soir-là. Ensuite, il est monté à sa chambre et il a dit: «Je vais écrire mon livre.» Il a fermé la porte, mais il n'a pas allumé la lampe. On lui a demandé: «Papa, tu n'es pas en train d'écrire dans le noir?»

TAZ: Il nous donne matière à réflexion.

TASHA: Tout le temps. Il nous laisse le choix et je crois que c'est une bonne chose. Papa nous a toujours élevés en nous incitant à avoir une pensée critique, à être dans cet état d'esprit. Il disait: «Si A ne marche pas, est-ce que B, C et D sont des options? Qu'est-ce que je dois faire ensuite?»

MALCOLM: Il nous a inculqué l'idée que tout le monde se fiche de nos excuses. Si nous voulons quelque chose, il faut aller le chercher. Nous devons prouver à tout le monde que nous le voulons, que nous le méritons. Il n'y a pas de journée de congé. Il restait fidèle à ses paroles, alors ça nous aidait beaucoup.

P.K.: Je lui accorde une note parfaite, mais je dois vous dire qu'une grande partie de l'art d'être parent dépend de l'enfant. Tout ce que les parents peuvent faire, c'est nous donner tous les outils et nous imposer une discipline du mieux possible. Par contre, une fois dans le vrai monde, nous devons prendre nos propres décisions. Quand je pense à mes parents, je me dis qu'ils ont fait exactement ce qu'ils devaient faire, c'est-à-dire nous fournir les outils pour qu'on puisse réussir dans la vie. Une fois qu'on a ces outils, c'est à nous de décider si nous voulons nous en servir et de quelle façon.

On parle de tout ce qui arrive sur le plan social quand on est jeune, par exemple des amis de l'école qui se droguent ou qui boivent de l'alcool. Les choix qu'on fait sont tellement importants. Moi, je dis toujours aux enfants : « Si vous prenez une mauvaise décision, ça ne veut pas dire que votre vie est finie. Quel est votre objectif dans la vie ? » La famille et les parents peuvent aider un jeune à donner une forme à tout ça, mais ensuite c'est à lui de faire le reste.

Mon père ne va pas s'entraîner au gymnase à ma place chaque jour. Ce n'est pas lui qui se fait traiter, qui mange sainement, qui dort 10 heures par nuit à ma place. Je dois être discipliné. Alors, les parents jouent un rôle jusqu'à un certain point. Au bout du compte, ça se résume à : « Bon, à quel point je tiens à faire cela ? À quel point est-ce que je veux réussir dans la vie ? »

AUCUN MEUBLE

TAZ : Nous n'avions pas de meubles.

TASHA : Un canapé.

TAZ : Quand mon ami, qui est maintenant mon mari, et son copain sont venus chez nous la première fois, ils ont demandé : « Oh, êtes-vous sur le point de déménager ? »

TASHA : Vous savez ce qui est arrivé ? Nous avons démoli les meubles quand nous étions petits.

TAZ : Alors maman a décrété : « On n'en achètera pas d'autres. »

TASHA : Nous étions de vrais démolisseurs. Quand les membres de ma famille disaient à mes parents : « Oh, vos enfants sont en train de mettre la maison en pièces », ma mère répliquait : « Je travaille fort pour ma maudite maison. Si mes enfants veulent la détruire, laissez-les faire. On va s'en occuper. »

Qu'est-ce que ça peut bien faire, hein ? La maison est toujours là. Tous les murs et le reste, ça tient encore debout. Je trouve que les Antillais sont très matérialistes.

TAZ : Ils veulent que tout soit impeccable. Certaines personnes vivent comme ça, mais quand on a des enfants, tout ne peut pas être parfait. C'est impossible parce que, dans ce cas, les enfants n'ont pas envie de jouer. Qu'est-ce qu'ils vont faire : rester assis et regarder les murs ?

Il y avait des marques de rondelles sur les murs. Et le mini-hockey ! Maman cachait les bâtons.

TASHA : Moi aussi. J'écoutais *Les feux de l'amour* à la télé et Jordan jouait au mini-hockey juste ici, dans le corridor. C'était tellement désagréable. On l'entendait pendant trois bonnes heures. Alors, je prenais ses bâtons et je les cachais. Quand nous avons déménagé, il m'a dit : « J'ai trouvé tous mes foutus mini-bâtons. » Il y en avait une bonne vingtaine, presque 30, sous mon matelas !

JORDAN : Tasha cachait mes mini-bâtons parce que je me levais très tôt le matin pour jouer. Je me rappelle que mon moment préféré de la journée, c'était quand tout le monde était parti parce que je pouvais m'amuser tout seul et personne ne venait interrompre ma partie. J'ai dû compter, je ne sais pas moi, 10 000 ou 50 000 buts dans ma carrière de mini-hockey. C'était dans mon imagination. J'aimais tellement jouer que je ne m'en lassais jamais. J'imaginais des situations différentes chaque fois. Je jouais la septième partie de la finale de la Coupe Stanley tous les jours dans le corridor. Et je comptais toujours le but vainqueur. Le but décisif en prolongation. Chaque jour.

LES SACRIFICES

TAZ : Nous n'avons raté aucun voyage de fin d'études ni aucune activité scolaire. Nos parents trouvaient un moyen de nous les payer. Ils ne se cachaient pas : il fallait couper quelque part.

Maman allait rarement chez la coiffeuse, elle ne s'offrait pas de manucure chaque semaine, elle n'allait jamais au spa.

TASHA : L'année avant que j'abandonne le basketball, je me souviens que mon entraîneur m'avait dit : « Quand est-ce que tes parents vont me payer ? » Ça coûtait 1500 dollars. Ma mère lui a promis que j'allais apporter l'argent. Elle a fait un chèque postdaté de six semaines. Quand j'ai revu cet entraîneur, il m'a dit : « Tes parents ont fait beaucoup de sacrifices. »

TAZ : Ils ne s'attendaient pas à ce que ce soit gratuit.

TASHA : Ils disaient : « Je peux seulement payer cette somme, alors s'il faut vous donner 50 dollars par mois pour que ma fille joue, c'est ce qu'on va faire parce que j'ai 5 enfants. »

MALCOLM : Ma mère a quitté son emploi pour rester à la maison et s'occuper de nous. Mon père n'avait pas de temps à lui parce qu'il était toujours en train de nous conduire à l'école et aux séances d'entraînement et à faire autre chose quand nous n'étions pas à l'école ou à l'aréna. Il préparait la glace dans la cour, il nous conduisait à la patinoire extérieure, il frappait des rondelles dans l'entrée. C'était fou. Il nous a consacré beaucoup de temps et ça rapporte maintenant, c'est sûr. Nous ne pourrons jamais le remercier assez. Et puis ma mère qui restait à la maison, qui nous préparait pour l'école, qui cuisinait, qui s'assurait que nous mangions sainement et qui faisait nos lunchs, qui nous aidait avec les devoirs, qui faisait toutes sortes de petites choses… Quand on y pense, c'est incroyable tout le temps qu'ils nous ont consacré.

JORDAN : Je pense que les gens voient les récompenses, mais il y a beaucoup de choses dans les coulisses, vous savez, du sang, de la sueur et des larmes… Sans ça, aucun de nous ne serait là où il est aujourd'hui.

LA DISCIPLINE

TASHA : Je citerai les paroles de mon père – et c'est amusant parce que je répète la même chose à mes élèves : « Ne nous faites pas honte. Ne me faites pas honte, ni à moi ni à mon nom, à notre nom.»

Notre punition, c'était de faire le ménage ou d'autres tâches. Pas de télé. Et maman débranchait la PlayStation. Il y avait des cris – papa criait –, mais il ne nous interdisait jamais de faire nos activités parce que ce n'était pas nous qui en souffririons, c'était l'équipe.

TASHA : À 19 ans, j'ai voulu sortir dans un bar avec mes amies. J'avais mon permis, mais nous n'avions qu'une auto, alors je ne pouvais pas la prendre. Savez-vous ce que mes parents ont fait ? Ils sont allés me conduire et sont revenus me chercher à quatre heures du matin. Mes amies disaient : «Tes parents sont incroyables.» Au début, j'étais gênée, mais après ça ne me faisait rien. Ensuite, mes amies m'ont demandé : «Crois-tu qu'ils pourraient nous ramener à la maison ?» Mes parents ont répondu : «Bien sûr!» Et je crois que je vais être exactement pareille avec mes enfants.

TAZ : Moi aussi.

JORDAN : Mes parents étaient des gens de gros bon sens. Un jour, je devais participer au Big Nickel Hockey Tournament, à Sudbury, mais j'avais eu une mauvaise note à un examen et ma mère ne voulait pas me laisser y aller. Mon père a dû la convaincre. La seule raison pour laquelle j'ai pu m'y rendre, c'est que j'ai pu refaire mon examen et j'ai eu une bonne note.

LES PETITS FRÈRES

TASHA : Malcolm et Jordan sont élevés différemment de nous. On a eu une grosse discussion à ce sujet-là récemment avec mon père.

TAZ : Nous avions beaucoup plus de règles. Les deux garçons, eux, peuvent conduire…

TASHA : Ils ont eu leur auto à 16 ans.

TAZ : Nous, nous prenions l'autobus.

Jordan et Malcolm

TASHA : Malcolm et Jordan ne le savent pas. P.K. le leur rappelle tout le temps : « Moi, quand j'ai commencé à m'entraîner, je prenais l'autobus jusqu'au centre-ville, je revenais, je me couchais, j'y retournais, je rentrais dormir à la maison. Je n'ai jamais eu d'auto. » Mon père va défendre Malcolm et Jordan : « Oh, ils travaillent aussi fort. »

TAZ : Ils n'ont aucune idée.

TASHA : Aucune idée, parce qu'ils vivent à une époque différente, hein ?

TAZ : Maintenant, P.K. parle comme mon père : « Les gars, vous devriez faire ça, ça et ça. » C'est à s'y méprendre.

TASHA : Tout à fait. Il répète les mêmes choses. On se dit que P.K. deviendra exactement comme mon père quand il aura des enfants. Exactement comme lui.

MALCOLM LE GARDIEN DE BUT

TASHA : Malcolm porte constamment son équipement de gardien de but. C'est son truc. Le soir, ce gars-là devient fou. Il vient ici et il met son équipement. Il le fait encore à la maison, comme l'autre jour dans le garage.

TAZ : Et puis il reste là.

TASHA : Il reste là et il garde les buts. Sérieux comme un pape. Avec ses protecteurs et tout. Il descend au sous-sol, il fait tous ses mouvements. Tout seul. Personne ne lui dit de les faire. Et mon père lance : « Qu'est-ce qui se passe ? Où est Malcolm ? » Et tout ce qu'on entend venant d'en bas, c'est le bruit de son équipement.

UN FRÈRE CÉLÈBRE

TAZ : Je travaillais à l'institut collégial George Harvey quand P.K. a été admis dans l'équipe mondiale junior et une fille à mon école, dont le frère était un grand fan de hockey, m'a dit : « P.K. est ton frère ? Pourquoi tu n'as rien dit ? » Je lui ai répondu : « Je ne sais pas. Il fait juste jouer au hockey. » Elle a répliqué : « Oh ! mon Dieu, je ne peux pas croire que tu n'en as parlé à personne. » Je n'ai pas su quoi dire. Maintenant, presque tout le monde le sait à l'école. On me demande : « Pourquoi tu travailles encore ? Ton frère est dans la LNH. » Il faut s'y faire.

TASHA : Tout le temps. Les profs me disent la même chose.

TAZ : Je réponds : « S'il donnait tout son argent, il ne lui en resterait plus des millions. Je ne suis pas sa femme, je suis sa sœur. »

Maintenant, s'il y a quelque chose aux nouvelles, j'entends : « Oh ! mon Dieu, est-ce que ton frère va être correct ? As-tu su ce qui lui est arrivé ? » On vient me raconter des choses et comme je n'ai pas le câble, je ne suis pas au courant tout de suite. Il faut que j'aille lire les journaux.

Mais ça peut être cool aussi… Je me rappelle qu'une fois, j'étais dans un magasin et j'ai vu un jeune avec un chandail numéro 76. Je lui ai demandé pourquoi il portait ce chandail et il m'a répondu : « Parce que P.K. Subban est mon joueur préféré. » Lorsque je lui ai dit que j'étais sa sœur, il a eu une réaction d'admiration. C'est mignon quand on voit un enfant…

TASHA : Elle aime ça.

TAZ : C'est trop *cute* de voir les enfants réagir comme ça.

TASHA : Moi, je ne dis rien. Je ne veux pas que les gens me posent des questions. Même si mes frères sont dans l'œil du public, c'est quand même privé.

Beaucoup d'amis m'ont dit : « Vous êtes vraiment des gens terre à terre parce que vous n'avez pas changé. »

TAZ : On ne se promène pas en manteau de fourrure.

TASHA : Tout de même, comme enseignante, c'est difficile. Je me souviens quand P.K. a donné une entrevue à Sportsnet et qu'il était fâché. J'étais surprise parce qu'il garde son calme d'habitude. Je me suis dit : « Oh, qu'il est stupide ! Je dois aller à l'école demain et tous les enfants vont me demander pourquoi P.K. a sacré à la télévision. »

Dans ces cas-là, ça interfère avec l'enseignement. Les élèves aiment me faire sortir du sujet. Ils réussissent parfois et je parle pendant 45 minutes de notre vie privée. Après, je dois leur dire : « Non, il faut retourner aux maths. »

TAZ : Ça les intrigue beaucoup. Les gens me présentent parfois comme la sœur de P.K. Subban, mais une fois qu'ils apprennent à me connaître, ils se disent : « Elle fait ses propres affaires. » Je pense qu'ils s'attendent à nous voir comme des snobs vantardes. Écoutez, tout ça pourrait disparaître demain.

TASHA : Oui, tout peut arriver. C'est pourquoi P.K. dit : « Je vais profiter de tout ce temps-là que j'ai maintenant parce que ça ne durera pas éternellement. » On le dit toujours aux gens et quand on me demande : « Est-ce qu'il se vante avec vous ? », je leur réponds : « Non, parce que je lui ramènerais les fesses sur terre. » Vous voyez ce que je veux dire ?

TAZ : Je pense que la famille l'aide à garder les pieds sur terre. Chaque fois que tu te dis : « Je suis meilleur que tout le monde », la réalité te rattrape très vite. Et c'est une autre raison pour laquelle P.K. visite l'hôpital pas mal souvent. Il le faisait avant, même avant qu'il donne de l'argent.

L'ENFANT DU MILIEU

P.K. : Il y a toujours beaucoup de choses qui se disent sur l'enfant du milieu dans une famille. Il paraît que c'est plus difficile pour lui : il ne sait pas s'il est jeune ou vieux, ou si on s'attend à ce qu'il soit plus mûr ou encore en train de grandir.

Ce n'est pas toujours facile de trouver ses repères, mais, dans mon cas, ça a été un peu différent. Le hockey a joué un grand rôle dans ma vie quand j'étais petit et tous les membres de notre famille, même les enfants, savaient à quel point je voulais jouer dans la LNH et à quel point je travaillais pour réaliser mon rêve. Je pense que, une fois que j'y suis arrivé, même si j'étais l'enfant du milieu, j'ai eu davantage l'impression de devenir en quelque sorte un chef de file dans la famille, quelqu'un qui allait faire ce qu'il fallait et se comporter en personne mûre. Même si je n'avais que 15 ou 16 ans, jouer au hockey semi-professionnel venait avec des attentes – j'étais le premier à vivre ça et tout le monde me voyait subir les changements de ma vie.

Alors, je pense que ça a toujours été plus difficile pour moi. Les gens s'attendaient à ce que je ne fasse aucune gaffe, même si c'étaient de stupides erreurs de jeunesse. Dans le cas de mes frères, tout le monde disait : « Oh ! ils sont encore jeunes. » Mais à moi, on disait: «On s'attend à ce que tu le saches mieux que qui- conque.» J'adorais ça, et c'est probablement pourquoi je me sens si bien dans mon rôle actuel d'athlète professionnel. Tout ce que je fais est grossi comme sous un microscope, et c'est dans ce contexte que je fonctionne le mieux.

ÊTRE UN MODÈLE

P.K.: Ce qui compte, c'est l'éthique de travail, n'est-ce pas? Alors, je pense que mon éthique de travail a beaucoup influencé les membres de ma famille, mes frères et mes sœurs. Ils ont vu que je n'ai jamais rien tenu pour acquis, que rien n'est venu facilement. J'ai travaillé pour obtenir tout ce que j'ai. Alors, maintenant, j'ai un peu plus de latitude et je suis un peu plus à l'aise parce que j'ai in- vesti des efforts. Ils savent évidemment ce que j'essaie d'accomplir.

Je dirais que tout dépend de la personne. Quand j'étais enfant, j'étais entouré d'une équipe formidable, mais au bout du compte ça se résumait au fait que le hockey était ma passion. C'était ce que je voulais faire. Alors, je dirais que la pression venait de l'inté- rieur plutôt que de l'extérieur.

Pour certaines choses, on procède par tâtonnements et il y a des limites aux conseils que je peux donner à mes frères. Pour certaines choses, ils devront se faire une idée eux-mêmes, comme aller jouer dans une nouvelle équipe, choisir un autre métier ou gravir un échelon dans leur profession. Ils devront se faire une idée tout seuls et trouver comment agir pour avancer, pour progresser.

PAPA L'ENTRAÎNEUR ET LE DIRECTEUR D'ÉCOLE

MALCOLM: Je pense qu'il était plus sévère avec moi. Le plus diffi- cile pour un entraîneur, c'est de comprendre ses joueurs, de savoir qui doit être poussé, qui doit être plus laissé à lui-même. Il faut sa- voir quel potentiel a un joueur, ce qu'on peut obtenir de lui. Mon père me comprend mieux que n'importe quel autre joueur, alors, dans ce sens-là, il sait quand pousser et jusqu'où.

JORDAN : Quand il était directeur de mon école, il était toujours plus sévère avec moi parce qu'il ne voulait pas que les gens pensent que j'avais droit à un traitement de faveur. Par contre, ce n'était pas très difficile pour lui car j'avais toujours des problèmes. J'étais plutôt indiscipliné. Je lui ai donné de vrais maux de tête pendant quelques années, de la première à la cinquième, je pense. Après, j'ai changé d'école et je me suis calmé quand je me suis éloigné de mon père.

LA MOTIVATION ET LA FORCE MENTALE

P.K. : Selon moi, la force mentale, c'est courir aller faire du ski et descendre les pentes jusqu'à ce qu'on ne puisse plus sentir ses jambes, puis trouver le courage de regarder son entraîneur dans les yeux pour lui en réclamer davantage. La force mentale, c'est trouver le moyen de continuer quand tous les autres abandonnent ou ne peuvent plus avancer. Lorsque les choses se corsent, je trouve toujours un moyen de continuer et d'améliorer mon jeu ou mon éthique de travail, de faire ce que j'ai à faire. Je ne sais pas pourquoi c'est comme ça.

L'environnement qu'on se crée, la perception que l'esprit crée compte pour beaucoup. Je crois que la perception que mon esprit a créée est la suivante : « c'est le seul moyen qui me permettra de nous faire vivre, ma famille et moi » ou « c'est la seule façon dont je pourrai aider ma famille ». Alors, quand je devais faire un exercice supplémentaire, je ne le faisais pas pour moi. Je le faisais parce que je voulais atteindre un certain niveau qui me permettrait de décider quel genre de vie je souhaitais mener. Mais cette perception n'était pas la réalité. Le fait que j'atteigne les rangs de la LNH n'allait pas déterminer si nous allions avoir de la nourriture sur la table ou pas. Nous avons toujours mangé à notre faim et nous n'avons jamais manqué de vêtements. Nous avons toujours habité une jolie maison.

RACISME ET CRITIQUES

P.K. : Quand j'étais enfant, on m'a lancé des insultes racistes et ça m'a fâché. Mes parents ont adopté une approche très sérieuse avec moi à ce sujet-là. Ils m'ont dit : « Tu ferais mieux de t'endurcir beaucoup plus si tu veux jouer dans la LNH, si tu veux faire de la compétition. » Si on espère devenir quelqu'un dans ce monde, il faut trouver un moyen de tendre l'autre joue. Il faut trouver une façon de gérer ce genre de situation parce que les coups vont pleuvoir de la gauche, de la droite et du centre. Même si ça ne se reproduit pas, il est important d'avoir le bon état d'esprit, d'entraîner son esprit à gérer des situations comme celle-là.

Les gens ne comprennent pas : ils attaquent ceux qui tiennent les propos racistes. Non. Il faut plutôt dire à la personne qui se fait attaquer : « Voici comment tu vas gérer la situation et je te mets au défi de régler le problème de la même façon chaque fois. » Plutôt que d'éprouver de la pitié pour soi, on doit se dire : « Je vaux plus que ça. Je suis au-dessus de ça. Je ne laisserai personne me dicter comment je dois me sentir ni comment je dois aborder le problème. C'est comme ça que ça va se passer. »

La victoire me tient à cœur. Je me soucie de mes coéquipiers, les gars qui vont m'aider à gagner. Je me préoccupe des organisations qui me paient, qui paient mes coéquipiers, qui nous aident à faire vivre nos familles. Je m'intéresse à ma famille. Ce sont les personnes qui exercent vraiment une influence dans ma vie. Les gens qui disent du mal de moi ou qui m'attaquent n'ont aucune influence sur ce que je fais ni sur ce que je ressens. Je donne du temps et de l'espace aux personnes qui peuvent m'aider à atteindre l'objectif que je me fixe ou qui peuvent aider mon équipe à atteindre le but que nous visons. Un point c'est tout.

LA FAMILLE AUJOURD'HUI

P.K. : Je crois que nous avons tous bien vieilli. C'est formidable parce que nous pouvons être indépendants tout en demeurant une famille. Avec le temps, c'est une des choses les plus difficiles, de garder la famille unie. Je pense que nous sommes bien placés. Nous revenons à la maison tous les étés, nous nous fréquentons beaucoup, nous passons beaucoup de temps ensemble. Chaque année, nous organisons un barbecue où nous invitons tous nos amis et tous les membres de notre famille : les nièces, les neveux, tout le monde est dans la piscine. Ce sont les plus beaux moments pour moi.

JORDAN : Nous sommes une famille normale. Je pense que les gens s'attendent à quelque chose de spécial, mais nous sommes tout ce qu'il y a de plus normal. Je sais que ça peut avoir l'air étrange de dire ça quand les trois frères jouent au hockey professionnel, mais nous ne sommes pas différents d'une famille ordinaire.

Remerciements
de Karl Subban

En premier lieu, je tiens à remercier mon épouse, Maria. En unissant nos vies, nous avions pour objectifs d'avoir de bons emplois, de bons enfants, une bonne maison et une bonne vie. Pour y arriver et pour atteindre notre plein potentiel, nous avons dû travailler en équipe. Je n'aurais jamais pu trouver meilleure partenaire de vie. Quand j'étais perdu, Maria prenait le relais. Quand des événements me faisaient ployer comme un arbre au vent, elle était la colonne qui me redressait. Quand je n'avais plus d'énergie, elle savait m'inspirer. Je n'aurais jamais pu rédiger cet ouvrage sans ses encouragements, son soutien et sa volonté de m'écouter patiemment pendant que je lui en lisais des extraits. Elle n'a jamais refusé de m'entendre, même si les premières versions manquaient de raffinement. Elle m'a toujours fait des commentaires directs mais, comme toute bonne enseignante, elle n'a jamais oublié d'accompagner ses conseils de mots d'encouragement.

En deuxième lieu, je souhaite remercier mes cinq enfants. Les élever a été une tâche beaucoup plus considérable que je ne l'aurais imaginé. Tout ce que je voulais, c'était qu'ils trouvent ce qui les animait très tôt dans leur vie et qu'ils s'y consacrent dans la pleine mesure de leurs moyens.

Ils y sont parvenus et ont accompli beaucoup plus, ce qui me réjouit. J'aime le fait qu'ils ont toujours accepté de payer le prix de ce qu'ils exigeaient de l'existence. C'est leur potentiel, que nous nous sommes évertués à développer, qui m'a poussé à écrire ce livre. D'une certaine façon, ils m'ont donné exactement ce que je souhaitais leur offrir comme père : de la volonté, une passion, un rêve et des choses que j'aime faire. Je les remercie tous de m'avoir incité à me dépasser dans mon rôle de papa, même si je n'ai pas été parfait.

Je veux aussi exprimer ma gratitude à mes parents, Fay et Sylvester. L'amour qu'ils m'ont prodigué m'a appris comment aimer, leurs réussites m'ont montré la valeur du travail et leur réseau d'amis provenant de tous les milieux a été pour moi un bel exemple de collaboration. Ils ont fondé notre famille en Jamaïque puis ont immigré au Canada pour refaire leur vie. Ils approchaient la trentaine à leur arrivée au pays et ils ont relevé les défis avec l'énergie, la patience et la détermination propres aux athlètes olympiques. Ils seront mes champions pour toujours.

À l'adolescence, je rêvais de devenir joueur de basketball professionnel. Ce rêve m'a mené à l'Université Lakehead, à Thunder Bay, où j'ai eu une certaine influence sur un jeune athlète du secondaire : Scott Colby. Notre amitié, qui a débuté dans un gymnase grâce à un ballon, s'est poursuivie à l'épicerie A&P de la rue River où nous avons travaillé tous les deux les soirs et les fins de semaine. Ce sont donc le sport et cet emploi qui nous ont rapprochés il y a 29 ans et, aujourd'hui, c'est l'histoire de l'Équipe Subban et ce livre qu'il signe avec moi qui nous réunissent de nouveau.

J'ai renoué avec Scott lors d'une entrevue que j'ai faite avec ses collègues du *Toronto Star*. Quand il m'a appris qu'il souhaitait ajouter le mot « auteur » à son curriculum vitæ, j'ai saisi la balle au bond. Nous avions tissé des liens que le temps n'a pas usés. Merci, Scott, de m'avoir stimulé, orienté, soutenu et conseillé parce que, en rédigeant ce livre avec toi, j'ai découvert que je pouvais aller beaucoup plus loin. Tes trucs étaient exactement ce dont j'avais besoin pour écrire ce livre, mais aussi pour raconter une histoire qui pourrait influencer tous ceux qui prendront le temps d'écouter mon message, tant sur le plan personnel que du point de vue professionnel.

Ma vocation a été de travailler avec les enfants. J'en ai côtoyé des milliers dans des contextes scolaire et sportif. Tout ce que j'ai toujours voulu faire pour eux, c'est de les aider à réussir et à s'améliorer comme élèves, comme athlètes et comme jeunes. Je n'ai jamais perdu foi en eux, peu importe leur comportement ou leur performance. Je crois que, s'ils ont un désir inné de s'améliorer, ils vont finir par y arriver. Cet ouvrage parle également d'eux. Quand mes élèves me causaient des frustrations, j'étais poussé à faire mieux. Quand les progrès étaient difficiles à voir, j'ai appris à garder espoir. Quand on avait l'impression que des jeunes ne pouvaient faire les choses comme il faut, je n'ai jamais perdu de vue ce qu'ils étaient et la beauté intérieure qu'ils possédaient tous. Merci les gars, merci les filles, vous avez fait de moi un homme meilleur. Vous trouverez vos mots, vos pensées et vos histoires tout au long de ces pages.

Carolyn Forde, agente littéraire et directrice des droits internationaux chez Westwood Creative Artists, a semé l'idée de notre livre et de son potentiel dans les jardins des principaux éditeurs du Canada. Tes connaissances, ta compétence et ta foi en notre projet ont été les éléments qui nous ont donné une récolte généreuse: une publication chez Penguin Random House Canada. Merci à toi, Carolyn, pour ton leadership et tes conseils. Tu nous as menés plus loin que j'aurais pu l'imaginer.

Pamela Murray, éditrice principale chez Random House Canada : je te remercie d'avoir cru en nous et en notre histoire. Tu m'as ouvert les portes d'un tout nouveau monde : celui de l'édition. Je n'oublierai jamais notre première conversation. Je t'ai parlé de hockey, d'école et de famille, sans savoir que j'aurais le plaisir de collaborer avec toi un jour pour réaliser mon rêve d'écrire un livre et de le voir publié. Il faut plusieurs mains qui travaillent ensemble pour mettre un livre sur les rayons des librairies et toutes les pages de *L'Équipe Subban,* de la première à la dernière, portent ton empreinte. Ton intuition et tes commentaires n'avaient pas de prix. Ils étaient pertinents, précis et toujours formulés dans l'intérêt du lecteur et dans le respect de l'intégrité de notre histoire. Nous n'y serions pas parvenus sans toi, Pamela.

Je suis particulièrement reconnaissant à un groupe d'amis et de collègues avec qui j'ai échangé au cours des années : Martin Ross, Dennis Boyce, Ken Boyce et Ron Kellman. Ils ont participé, parfois à leur insu, à mon processus d'écriture. Par exemple, je lançais dans notre conversation une anecdote, une histoire ou une citation que je comptais mettre dans mon livre et j'observais leurs réactions. Leurs commentaires m'ont été très précieux. (J'ai fini par leur révéler mes motivations.)

Je dois une fière chandelle à l'enseignant Devon Jones, directeur de l'organisme communautaire Youth Association for Academics, Athletics and Character Education (YAAACE), qui a reproduit le message « Mon potentiel… » sur les uniformes du personnel et les t-shirts des élèves des cours d'été. Merci, Devon, d'avoir reconnu la puissance de ces mots.

Au cours de mes 29 années de carrière dans différents établissements du Conseil scolaire du district de Toronto, j'ai travaillé avec une multitude d'enseignants, de directeurs adjoints, de directeurs, de conseillers pédagogiques et de parents. Ils sont trop nombreux pour que je puisse tous les nommer ici, mais je tiens à exprimer ma gratitude à ces personnes qui m'ont aidé à m'améliorer.

J'ai eu beaucoup de conversations fructueuses avec mon ami Jim Watt. Jim, je te remercie sincèrement d'avoir été pour moi un mentor, un entraîneur et un ami. L'influence que tu as eue sur moi se reflète dans cet ouvrage.

Don Norman m'a persuadé d'aménager une patinoire dans la cour de la maison familiale et m'en a fourni le mode d'emploi. Si nous n'avions pas eu cette patinoire chez nous durant une quinzaine d'années, ce livre n'existerait pas. C'est grâce aux innombrables heures que mes fils y ont passées à jouer, à s'entraîner et à patiner qu'ils ont pu réaliser leurs rêves.

L'entraîneur Kameron Brothers a été le premier à enseigner sérieusement à P.K. comment perfectionner ses habiletés et il a eu une influence durable sur le joueur de hockey qu'il est devenu. Mon fils travaille avec lui depuis qu'il a environ cinq ans. Peu importe ce que j'avais commencé à lui montrer, Kameron a corrigé et raffiné ce qui devait l'être. Merci, Kameron.

Remerciements

de Scott Colby

J'ai assisté à la naissance du rêve de Karl de consacrer sa vie à aider les enfants à développer leur plein potentiel. En août 1980, j'étais l'un des premiers jeunes qu'il a formés au camp d'été de basketball de l'Université Lakehead. Le milieu du basket est petit à Thunder Bay et les joueurs de Lakehead étaient nos héros. Karl se démarquait des autres entraîneurs. Il avait un pouvoir d'attraction sur les jeunes, il leur faisait comprendre qu'ils étaient importants à ses yeux. Son éthique de travail était également digne d'admiration. Personne ne déployait plus d'efforts que Karl Subban dans le gymnase ou avec les enfants.

Je l'ai croisé plusieurs fois au cours des années qui ont suivi. À l'automne 1981, à l'âge de 16 ans, j'ai obtenu un emploi d'emballeur et de commis à l'épicerie A&P locale. Karl y travaillait aussi et j'étais honoré quand il me demandait de pointer à sa place le samedi soir pour pouvoir s'esquiver 15 minutes plus tôt afin de prendre son autobus qui passait aux heures. (C'était avant qu'il achète la légendaire Betsy chez un concessionnaire Toyota de Thunder Bay.)

Mes meilleurs moments avec lui remontent à l'été 1982, lorsque j'ai été accepté dans une ligue d'été de basketball à l'Université Lakehead, qui réunissait des joueurs du deuxième cycle du secondaire et de l'université. On m'a placé dans l'équipe de Karl, notre capitaine et notre entraîneur. Il n'était plus seulement mon mentor, il était mon coéquipier !

En 1984, après mes études secondaires, j'ai perdu Karl de vue. Les planètes se sont alignées pour que nous redevenions coéquipiers à l'été 2013, alors que je rédigeais une chronique sur la famille pour le *Toronto Star*. Une attachée de presse m'a écrit pour me demander si je voulais interviewer un *hockey dad* de la LNH qui s'impliquait bénévolement pour permettre aux enfants défavorisés de jouer au hockey. J'ai sauté sur cette occasion de renouer avec Karl Subban et j'ai rédigé une chronique sur lui. La suite était évidente pour moi. Karl devait écrire un livre sur sa vie, et je voulais être celui qui allait l'assister. Mon plus grand merci est donc destiné à Karl qui a accepté de se lancer dans ce partenariat singulier et de me faire confiance pour l'aider à raconter son histoire.

Je dois aussi exprimer ma gratitude à toute sa famille – Maria, Taz, Tasha, P.K., Malcolm et Jordan – pour leur collaboration et leur soutien durant tout le projet. Ce fut un honneur pour moi d'apprendre à connaître les membres de l'Équipe Subban.

J'adresse des remerciements particuliers aux entraîneurs Harry Evans et George Burnett pour leur temps et leur franchise, ainsi qu'à Chris Junghans des Predators de Nashville.

Lors de notre première rencontre de travail, j'ai dit à Karl que, pour que le livre soit bon, il devait s'ouvrir à ses lecteurs et parler des erreurs qu'il avait commises en cours de route. Karl m'a assuré qu'il ne souhaitait pas qu'il en soit autrement. À ce sujet, je mentionne que Karl n'a pas assisté aux entrevues que j'ai réalisées avec les membres de sa famille et les entraîneurs Evans et Burnett, et n'a imposé aucune restriction. Ils ont tous parlé librement.

Du côté de l'Équipe Colby, j'ai reçu un soutien et des encouragements sincères de mes parents Dorothy et Peter Colby, de mes frères Jim et Craig, et de leurs femmes Lynn et Nancy, sans oublier mes beaux-parents Vera et Kersi Mistry.

Comme je n'aurais jamais renoué avec Karl si je n'avais pas écrit ma chronique, je me dois de remercier Janet Hurley du *Toronto Star* qui me l'a confiée ainsi que Tania Pereira qui la révise avec tant de soin.

Ce premier livre était un projet intimidant et je me suis tourné vers d'autres auteurs pour obtenir conseils et appui. J'adresse donc des remerciements bien mérités à Brett Popplewell, Peter Edwards, Marina Jimenez, Dan Robson, Bill Bishop et Antanas Sileika.

Toutefois, je dois mentionner un écrivain en particulier : Charlie Wilkins. Charlie est mon mentor en écriture depuis 1990 et je n'exagère pas en disant que cet ouvrage n'aurait pas été publié avec mon nom sur la couverture sans ses commentaires avisés. Comme je n'ai pas assez d'espace ici pour énumérer tout ce qu'il a fait pour moi, il devra se contenter d'un remerciement simple, mais très sincère.

Entre autres services, Charlie nous a mis en contact, Karl et moi, avec son agence littéraire, Westwood Creative Artists, où nous avons rencontré Carolyn Forde, notre agente, qui nous a accompagnés depuis les balbutiements du projet. Comme l'a dit Karl, son talent et sa confiance nous ont permis de faire de ce livre une réalité. Merci, Carolyn, c'était formidable de t'avoir dans notre équipe.

Karl et moi avons la chance d'avoir conclu une entente avec Random House Canada. L'éditrice Pamela Murray était la professionnelle qu'il nous fallait et elle a manifesté un enthousiasme sans égal. Ses commentaires perspicaces, son soutien de tous les instants et sa rigueur ont permis à ce livre d'atteindre un niveau supérieur. Merci, Pamela, j'espère que nous aurons de nouveau l'occasion de travailler ensemble. S'il faut tout un village pour élever un enfant, il faut une petite armée pour publier un livre. Karl et moi apprécions du fond du cœur le talent de tous les membres de l'Équipe Penguin Random House Canada.

Karl et moi tenons à remercier Flammarion Québec pour la publication de la traduction française qui permet d'atteindre un public plus large au Québec, où les fans ont joué un rôle si important pour ce récit et pour l'Équipe Subban.

Nous souhaitons également exprimer notre gratitude à Jennifer Tran, l'élève du secondaire dont le poème émouvant nous est parvenu alors que nous faisions les révisions du dernier chapitre. Ce cadeau inattendu semblait écrit spécialement pour notre livre. Quel heureux hasard! S'il te plaît, Jennifer, continue à écrire.

Enfin, je dois remercier publiquement ma femme Natasha pour son soutien, sa compréhension et sa patience depuis le début. D'ailleurs, elle insiste pour dire qu'elle a eu l'idée de cet ouvrage. Au fil des ans, Natasha a fait beaucoup de sacrifices pour que je trouve le temps de mener des entrevues, de rédiger et de réviser. Je ne la remercierai jamais assez, mais je vais essayer. Merci Natasha. Mes jumeaux, Popcorn et Sweet Pea, ont aussi été des sources d'inspiration. Ils ont dû passer de nombreuses journées sans voir leur père. Merci à vous deux ; j'espère que vous avez déjà programmé votre GPS pour la réussite. Oncle Karl a fixé des objectifs élevés pour l'Équipe Colby et, comme il le dit : *Les buts qu'on se fixe sont ceux qu'on atteint.*

Table des matières

Karl Subban a fait carrière dans l'enseignement à Toronto, comme professeur puis directeur d'école. En partenariat avec Canadian Tire ou à titre d'ambassadeur du programme Jeunes Espoirs du Hockey Hyundai, il a développé des projets destinés à favoriser la pratique de ce sport chez les enfants. Très en demande pour ses conférences sur la motivation, il consacre son temps libre à apprendre à patiner à ses trois petits-fils.

Scott Colby possède 28 ans d'expérience journalistique et a remporté plusieurs prix pour ses écrits. Il est éditorialiste au *Toronto Star*. Adolescent, il a croisé le chemin de Karl Subban alors entraîneur de basketball à l'Université Lakehead, à Thunder Bay.